Rodriguez

# À chacun son régime !

## COMMENT CHOISIR
## LE RÉGIME
## ADAPTÉ À VOS BESOINS

Traduit de l'anglais
par Louise Chrétien et Marie-Josée Chrétien

LES ÉDITIONS DE
L'HOMME

Une compagnie de Quebecor Media

Infographie : Johannne Lemay
Recherche photos: Claudia Tate

Catalogage avant publication de Bibliothèque et Archives
nationales du Québec et Bibliothèque et Archives Canada

Rodriguez, Judith C.

 À chacun son régime! : comment choisir le régime adapté à
nos besoins

   Traduction de: The diet selector.
   Comprend des réf. bibliogr. et un index.

   1. Régimes amaigrissants. 2. Alimentation. I. Titre.

RM222.2.R6214 2009    613.2'5    C2008-942015-2

DISTRIBUTEURS EXCLUSIFS :

• Pour le Canada et les États-Unis :
  **MESSAGERIES ADP\***
  2315, rue de la Province
  Longueuil, Québec  J4G 1G4
  Tél. : 450 640-1237
  Télécopieur : 450 674-6237
  Internet : www.messageries-adp.com
  \*filiale du Groupe Sogides inc.,
    filiale du Groupe Livre Quebecor Media inc.

Pour en savoir davantage sur nos publications,
visitez notre site : www.edhomme.com
Autres sites à visiter : www.edjour.com
www.edtypo.com • www.edvlb.com
www.edhexagone.com • www.edutilis.com

Imprimé en Chine

03-09

L'ouvrage original a été publié
par Quarto Publishing plc.,
succursale de Running Press Book Publishers,
sous le titre *The Diet Selector*

Dépôt légal : 2009
Bibliothèque et Archives nationales du Québec

ISBN 978-2-7619-2598-3

# Table des matières

# Répertoire des régimes

# Liste alphabétique des régimes

# AVANT-PROPOS

Vous sentez-vous complètement dérouté devant tous les différents régimes amaigrissants proposés sur le marché? Ces innombrables solutions sont toutes censées entraîner une perte de poids, améliorer la santé ou soigner une maladie, des prétentions qui peuvent confondre et décevoir même les consommateurs les plus avertis. Par exemple, combien de régimes amaigrissants avez-vous essayé et quels en ont été les effets à long terme? Il y a fort à parier que vous avez fini par reprendre le poids perdu et même peut-être à prendre quelques kilos en plus.

Vous avez peut-être jonglé avec l'idée de manger des aliments réputés vous protéger contre la maladie ou fait l'essai de divers régimes dans l'espoir de traiter une affection ou une maladie. Un médecin vous aura peut-être suggéré de manger certains aliments pour atténuer un problème de santé, mais la même question se pose toujours. Comment peut-il être facile de planifier des menus et de suivre un régime particulièrement sévère?

Manger avec modération est l'un des plaisirs primaires universels, mais l'omniprésence de la publicité sur les aliments nous porte continuellement à surconsommer. Ce phénomène, conjugué à d'autres facteurs, a contribué à la spectaculaire augmentation du poids des populations occidentales et autres, ce qui a multiplié les risques associés aux maladies chroniques, comme le diabète, les maladies cardiaques et l'hypertension artérielle. La vie trépidante du XXIe siècle ne laisse guère de temps pour l'exercice physique. Le taux d'obésité ne cessant d'augmenter partout dans le monde, on propose constamment de meilleurs régimes alimentaires, de meilleurs régimes amaigrissants et des choix d'aliments plus judicieux pour perdre du poids et traiter les problèmes de santé. Comment distinguer le vrai du faux? Comment faire bon usage de toute cette information?

Le présent ouvrage fournit de l'information sur 50 régimes amaigrissants populaires et sur 25 régimes réputés améliorer la santé ou soigner la maladie. Il a pour but d'aider les lecteurs à faire des choix plus éclairés et à adopter un régime adapté à leurs besoins individuels, à leur style de vie et à leurs valeurs.

## Origines du régime et éthos

Les régimes existent depuis fort longtemps et ils ne disparaîtront pas de sitôt. Bien qu'il soit impossible de déterminer exactement où et quand les régimes ont vu le jour, on trouve des conseils alimentaires dans une grande variété de sources et pour toutes sortes de motifs. Les restrictions et prescriptions alimentaires sont apparues pour diverses raisons – religieuses, comme les jeûnes rituels, ou thérapeutiques, pour soigner diverses maladies.

On trouve dans toutes les cultures des enseignements sur la saine alimentation et les aliments curatifs. Les Veda, anciens textes sacrés de l'hindouisme, contiennent des enseignements qui ont influencé la médecine ayurvédique et les pratiques alimentaires des Hindouistes ; la théorie d'Hippocrate faisait le lien entre la santé et les facteurs environnementaux, l'alimentation et les habitudes de vie ; les concepts de yin et de yang dans la médecine chinoise traditionnelle servent de base à de nombreux régimes populaires. Plus près de nous, à partir du XVIe siècle, ce sont les sciences de la santé, de l'alimentation et de la nutrition qui ont influencé de tels concepts. Un texte intitulé *Letter on Corpulence* (1864) de William Harvey-Banting a été le premier régime amaigrissant faible en glucides à devenir un livre de régime traduit en plusieurs langues et vendu comme tel.

## Au sujet des auteurs

**Simin Bolourchi-Vaghefi,** Ph.D. C.N.S., est professeur émérite de nutrition à l'University of North Florida.

**Jenna Braddock,** M.S.H., R.D., est consultante en nutrition.

**Catherine Christie,** Ph.D., R.D., est professeure agrégée et directrice du programme de nutrition à l'University of North Florida.

**Nancy Correa-Matos,** Ph.D., R.D., est professeure agrégée en nutrition à l'University of North Florida.

**Stephanie Perry,** M.S.H., R.D., est nutritionniste clinique et chargée d'enseignement à l'University of North Florida.

**Judith C. Rodriguez,** Ph.D., R.D., F.A.D.A., est professeure de nutrition à l'University of North Florida.

**Daniel Santibanez,** M.P.H., R.D., est nutritionniste clinique, consultant et professeur adjoint à l'University of North Florida.

**Julia A. Watkins,** Ph.D., R.R.T., est chargée d'enseignement en nutrition à l'University of North Florida.

**Sally Weerts,** Ph.D., R.D., est chargée d'enseignement en nutrition à l'University of North Florida.

**Shauna K. Youtz** est diplômée du programme en nutrition de l'University of North Florida.

## 10 mythes concernant les régimes amaigrissants

1. Sauter des repas est une bonne façon de perdre du poids.

2. Les régimes à faible teneur en matières grasses ou sans gras sont les meilleurs régimes amaigrissants.

3. Plus on réduit le nombre de calories, plus importante et plus rapide est la perte de poids.

4. Les produits amaigrissants sont les meilleurs pour aider à perdre du poids.

5. Les féculents font engraisser.

6. La consommation tard le soir de produits laitiers, de bananes et d'autres aliments fait prendre du poids.

7. Les aliments faibles en gras ou sans gras contiennent moins de calories.

8. On ne peut pas manger de bouffe-minute quand on est au régime.

9. Le pamplemousse, le céleri et la soupe au chou brûlent le gras.

10. Les produits amaigrissants à base d'herbes sont nécessaires pour perdre du poids sans danger.

# AU SUJET DU PRÉSENT OUVRAGE

Le tableau à la page 10 donne un aperçu des 50 régimes amaigrissants et des 25 régimes santé ou thérapeutiques traités dans le présent ouvrage. Il est idéal si vous voulez faire une évaluation rapide des régimes les plus susceptibles de convenir à vos besoins. Il y a toujours cinq indications de base : si le régime peut être adopté à long terme ; s'il est souple ; s'il est facile de le suivre en famille ; s'il occasionne des coûts élevés ; et si ses prétentions sont étayées par des données scientifiques.

Dans chacune des sections qui suivent, vous trouverez des renseignements sur l'origine du régime, ses prétentions et son fonctionnement, ses avantages et désavantages et ses mérites relatifs. Nous avons inclus diverses ressources, comme des sites Web, des livres et un menu type. Nous proposons aussi des rubriques intitulées « Trucs santé » et « Pensez-y bien » pour déboulonner les mythes associés aux régimes. Enfin, certains régimes comportent des listes d'aliments interdits et d'aliments pouvant être consommés à volonté.

### Les catégories de régimes

Les régimes sont divisés en deux grandes catégories : les régimes amaigrissants et les régimes dits « santé » ou thérapeutiques. Bien que la plupart des régimes les plus populaires visent la perte de poids, malgré leurs prétentions et leurs noms farfelus, la plupart d'entre eux se rangent dans une ou plusieurs catégories. Par exemple, un régime peut être publicisé comme étant « riche en protéines », ce qui le rend probablement faible en glucides et riche en matières grasses. S'il met en plus l'accent sur une catégorie d'aliments en particulier, il peut être inclus dans la section des régimes axés sur un aliment.

## Catégories, icones et critères

**RÉGIME À LONG TERME**

● Ce régime n'est pas un régime à long terme.

●● Ce régime propose un volet à long terme facultatif ou rudimentaire.

●●● Ce régime propose un volet qui peut être adéquat à long terme.

**SOUPLESSE**

● Peu de souplesse ou pas du tout en ce qui concerne les gâteries ou le choix des aliments.

●● Aliments facultatifs ou une certaine souplesse en ce qui concerne les gâteries ou le choix des aliments.

●●● Nombreuses gâteries et choix alimentaires ou une grande souplesse, ce qui rend le régime plus facile à suivre.

**RÉGIME FACILE À SUIVRE EN FAMILLE**

● Ce régime ne peut être adapté et ne devrait pas être suivi par d'autres personnes.

●● Certaines de ses restrictions rendent ce régime difficile à adapter pour une famille.

●●● Ce régime propose une saine alimentation dont les principes peuvent convenir ou être adaptés aux autres membres de la famille.

Une courte histoire de l'origine du régime.

Un aperçu des prétentions du régime et de son fonctionnement.

Une évaluation des avantages et désavantages du régime.

Aspects pratiques du régime.

Système de notation rapide (voir ci-dessous).

Une indication des gâteries et des aliments interdits ou à consommer à volonté.

Un renvoi pratique aux régimes semblables.

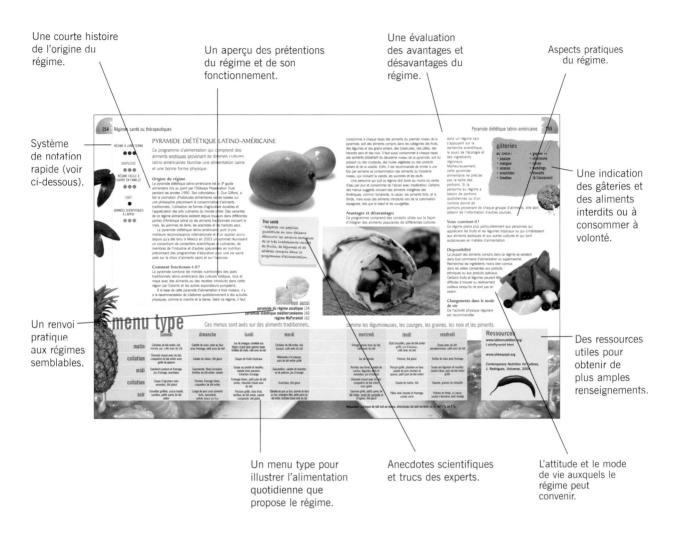

Des ressources utiles pour obtenir de plus amples renseignements.

Un menu type pour illustrer l'alimentation quotidienne que propose le régime.

Anecdotes scientifiques et trucs des experts.

L'attitude et le mode de vie auxquels le régime peut convenir.

---

**COÛT**

● Ce régime ne coûte pas plus cher que l'alimentation habituelle.

●● Il recommande des aliments particuliers ou comprend certains frais.

●●● Il nécessite l'achat de produits spécialisés (repas, collations ou suppléments) ou comprend certains frais ou les deux.

**DONNÉES SCIENTIFIQUES À L'APPUI**

● Il existe peu de données probantes corroborant les prétentions ou le fondement rationnel du régime.

●● Certains résultats préliminaires, non concluants ou indirects corroborent les prétentions ou le fondement rationnel du régime.

●●● Il existe des données sérieuses et des preuves directes confirmant les prétentions ou le fondement rationnel du régime.

# GUIDE D'ÉVALUATION RAPIDE

## CLÉ

### CATÉGORIES

**Régimes amaigrissants**

**MC** Modification du comportement

**R** Teneur restreinte en glucides, protéines ou matières grasses

**C** Commercial, substituts de repas

**AA** Axé sur un aliment

**GA** Groupes d'aliments et substitutions

**HC** Horaire strict et combinaisons

**A** Autres

**Régimes santé ou thérapeutiques**

**RST** Régime santé et thérapeutique

**RS** Régime santé

**RT** Régime thérapeutique

### CRITÈRES

NOTATION

**1** Minime

**2** Modéré

**3** Maximum

| Régimes amaigrissants | Catégorie | Notation | | | | |
|---|---|---|---|---|---|---|
| | | Adaptabilité à long terme | Souplesse dans le choix des aliments | Adaptable pour les autres membres de la famille | Coût | Données scientifiques à l'appui |
| **Modification du comportement** | | | | | | |
| Régime Best life | MC | 3 | 2 | 3 | 2 | 2 |
| Régime Change One | MC | 3 | 3 | 3 | 1 | 3 |
| Régime de la femme française | MC | 3 | 3 | 3 | 1 | 3 |
| Régime Scentsational | MC | 2 | 3 | 2 | 2 | 1 |
| Régime Supermarket | MC | 3 | 2 | 3 | 1 | 3 |
| Régime David Kirsch | MC | 2 | 2 | 1 | 2 | 2 |
| Régime You, on a Diet | MC | 2 | 2 | 2 | 1 | 2 |
| **Teneur restreinte en glucides, protéines ou matières grasses** | | | | | | |
| Régime Atkins | R | 1 | 3 | 1 | 3 | 2 |
| Régime hanches et cuisses | R | 3 | 2 | 3 | 1 | 2 |
| Régime Ornish | R | 2 | 1 | 1 | 1 | 3 |
| Indice glycémique | R | 3 | 2 | 3 | 1 | 3 |
| Régime L. A. Shape | R | 2 | 2 | 1 | 2 | 2 |
| Régime neanderthin ou préhistorique | R | 1 | 1 | 1 | 2 | 1 |
| Régime The New Sugar Busters ! | R | 2 | 2 | 3 | 1 | 2 |
| Régime Pritikin | R | 2 | 1 | 1 | 1 | 3 |
| Régime Scarsdale | R | 1 | 1 | 1 | 2 | 1 |
| Régime Low-Carb | R | 3 | 2 | 2 | 1 | 2 |
| Régime Miami (South Beach) | R | 2 | 2 | 2 | 2 | 2 |
| Régime Principal | R | 1 | 1 | 1 | 1 | 1 |
| Le juste milieu dans votre assiette | R | 1 | 1 | 1 | 2 | 2 |
| **Commercial et substituts de repas** | | | | | | |
| Régime Cambridge (sauf la Phase 1) | C | 2 | 2 | 2 | 3 | 2 |
| Régime Jenny Craig | C | 3 | 2 | 2 | 1 | 3 |
| Régime NutriSystem | C | 3 | 2 | 2 | 1 | 3 |
| Régime OPTIFAST | C | 2 | 1 | 1 | 3 | 2 |
| Régime Slim-Fast | C | 1 | 2 | 1 | 2 | 2 |
| Régime Weight Watchers | C | 3 | 3 | 3 | 2 | 3 |
| **Axé sur un aliment** | | | | | | |
| 3-Apple-a-Day Plan | AA | 2 | 2 | 2 | 1 | 2 |
| Nouveau régime à la soupe au chou | AA | 1 | 1 | 1 | 1 | 1 |
| Drinking Man's Diet | AA | 2 | 1 | 1 | 1 | 1 |
| Régime pamplemousse | AA | 1 | 2 | 2 | 1 | 1 |
| Régime aux jus naturels | AA | 1 | 1 | 1 | 1 | 1 |
| Régime au beurre d'arachide | AA | 2 | 3 | 3 | 1 | 3 |
| **Groupes d'aliments et substitutions** | | | | | | |
| Régime abdos | GA | 2 | 2 | 1 | 1 | 2 |
| Guide alimentaire Bull's-Eye | GA | 3 | 2 | 3 | 1 | 3 |
| Manger, boire et perdre du poids | GA | 2 | 3 | 3 | 1 | 2 |
| Régime « Fat is Not Your Fate » | GA | 3 | 3 | 3 | 1 | 3 |
| Régime Mayo | GA | 3 | 3 | 3 | 1 | 3 |

## CATÉGORIES

**Régimes amaigrissants**

**MC** Modification
du comportement

**R** Teneur restreinte
en glucides, protéines
ou matières grasses

**C** Commercial,
substituts de repas

**AA** Axé sur un aliment

**GA** Groupes d'aliments
et substitutions

**HC** Horaire strict
et combinaisons

**A** Autres

**Régimes santé ou
thérapeutiques**

**RST** Régime santé
et thérapeutique

**RS** Régime santé

**RT** Régime thérapeutique

## CRITÈRES

NOTATION

**1** Minime

**2** Modéré

**3** Maximum

| Régimes amaigrissants et régimes santé ou thérapeutiques | Catégorie | Notation | | | | |
|---|---|---|---|---|---|---|
| | | Adaptabilité à long terme | Souplesse dans le choix des aliments | Adaptable pour les autres membres de la famille | Coût | Données scientifiques à l'appui |
| **Groupes d'aliments et substitutions (suite)** | | | | | | |
| Régime californien ou Sonoma | GA | 3 | 3 | 2 | 1 | 2 |
| Régime tricolore | GA | 2 | 3 | 2 | 1 | 3 |
| Régime volumétrique | GA | 3 | 2 | 3 | 1 | 3 |
| **Horaire strict et combinaisons** | | | | | | |
| 3-Hour Diet | HC | 2 | 2 | 2 | 1 | 2 |
| Nouveau régime Beverly Hills ou régime Hollywood | HC | 1 | 2 | 1 | 2 | 1 |
| Régime Fit For Life | HC | 2 | 2 | 1 | 1 | 1 |
| Grazing Diet | HC | 3 | 3 | 1 | 1 | 2 |
| Régime Hay | HC | 1 | 1 | 1 | 1 | 1 |
| Régime Suzanne Somers | HC | 1 | 2 | 2 | 1 | 1 |
| Régime ultrasimple | HC | 1 | 1 | 1 | 2 | 1 |
| **Autres** | | | | | | |
| 4 groupes sanguins, 4 régimes | A | 2 | 1 | 1 | 1 | 1 |
| Jeûne | A | 1 | 1 | 1 | 1 | 1 |
| Régime Rosedale | A | 2 | 2 | 1 | 3 | 2 |
| **Régimes santé ou thérapeutiques** | | | | | | |
| Régime sans additifs alimentaires | RST | 2 | 1 | 2 | 2 | 2 |
| Pyramide du régime asiatique | RS | 3 | 2 | 3 | 2 | 3 |
| Régime Candida | RST | 1 | 1 | 1 | 1 | 1 |
| Régime DASH | RST | 3 | 3 | 3 | 1 | 3 |
| Régime d'élimination | RT | 3 | 1 | 1 | 2 | 3 |
| Régime GERD | RT | 3 | 3 | 3 | 1 | 3 |
| Régime sans gluten | RT | 3 | 2 | 2 | 1 | 3 |
| Good Mood Diet (régime de la bonne humeur) | RS | 3 | 2 | 3 | 1 | 3 |
| Alimentation intuitive | RS | 3 | 3 | 3 | 1 | 3 |
| Régime lacto-ovo-végétarien | RS | 3 | 3 | 3 | 1 | 3 |
| Régime à teneur réduite en lactose | RT | 3 | 2 | 3 | 1 | 3 |
| Pyramide diététique latino-américaine | RS | 3 | 3 | 3 | 1 | 3 |
| Régime faible en sodium | RST | 3 | 2 | 3 | 1 | 3 |
| Régime Master Cleanser | RS | 1 | 1 | 1 | 1 | 1 |
| Régime méditerranéen | RS | 3 | 3 | 3 | 1 | 3 |
| Régime MyPyramid | RS | 3 | 3 | 3 | 1 | 3 |
| Régime oméga | RS | 3 | 2 | 3 | 1 | 2 |
| Outre-mangeurs anonymes | RT | 3 | 3 | 3 | 1 | 3 |
| Promesse Perricone | RS | 2 | 2 | 1 | 2 | 2 |
| Régime de grossesse | RS | 3 | 3 | 3 | 1 | 3 |
| Régime arc-en-ciel | RS | 3 | 3 | 3 | 1 | 3 |
| Alimentation vivante | RS | 2 | 1 | 1 | 2 | 1 |
| Régime TLC | RST | 3 | 3 | 3 | 1 | 3 |
| Régime végétalien | RS | 3 | 3 | 2 | 2 | 3 |
| Qu'est-ce que Jésus mangerait? | RS | 3 | 2 | 3 | 1 | 3 |

# ÊTRE AU RÉGIME AUJOURD'HUI

Selon l'Organisation mondiale de la santé (OMS), il y a dans le monde plus d'un milliard d'adultes qui ont une surcharge pondérale, dont au moins 100 millions d'obèses. Aux États-Unis, c'est le cas d'environ 64 pour cent de la population, et l'Europe, dont la population est traditionnellement plus mince, est en train de les rattraper. On estime qu'en 2009 environ 70 pour cent de la population américaine aura une surcharge pondérale. Entre-temps, en Europe, ce pourcentage sera passé de 48 pour cent à plus de 50 pour cent.

Dans l'ensemble, les gens mangent plus que jamais auparavant et ont un style de vie de moins en moins exigeant sur le plan physique. Les appareils ménagers modernes nous font peut-être économiser de l'énergie dans l'environnement, mais ils ne nous encouragent guère à brûler des calories (lire énergie). Ces facteurs réunis contribuent à l'accroissement du nombre de personnes ayant un excès de poids ou de personnes obèses partout dans le monde.

## Supersize me

| Il y a 20 ans | Aujourd'hui |
| --- | --- |
| Un bagel avait un diamètre de 7,5 cm et contenait 140 calories. | Un bagel a un diamètre de 15 cm et contient 250 calories. |
| Un sandwich à la dinde contenait 320 calories. | Un sandwich à la dinde contient 820 calories. |
| Une boisson gazeuse faisait 195 ml et contenait 85 calories. | Une boisson gazeuse fait 700 ml et contient 250 calories. |
| Une portion de frites faisait 72 g et contenait 210 calories. | Une portion de frites fait 207 g et contient 610 calories. |
| La portion de salade César au poulet était de 1 ½ tasse et contenait 390 calories. | La portion de salade César au poulet fait le double et contient 790 calories |

AUJOURD'HUI

AUJOURD'HUI

IL Y A 20 ANS

IL Y A 20 ANS

## Quelques chiffres sur les régimes

On estime qu'à tout moment environ 40 pour cent des femmes et 20 pour cent des hommes sont au régime. Environ la moitié des hommes et les trois quarts des femmes suivent un régime au moins une fois au cours de leur vie. Si les femmes sont plus susceptibles d'avoir essayé toute une variété de régimes, la prévalence des cas d'embonpoint et d'obésité augmente tant dans la population masculine que dans la population féminine. Un peu plus de 30 pour cent des gens au régime prennent des suppléments dans l'espoir de perdre du poids plus facilement. Peu importe les résultats promis, le taux de satisfaction à l'égard des régimes demeure toutefois faible. Une étude a montré que seulement 17 pour cent des répondants étaient satisfaits des régimes dont ils avaient fait l'essai.

Les gens ne suivent pas des régimes uniquement pour perdre du poids ; ils en suivent aussi pour améliorer leur santé. Environ 70 pour cent des gens au régime souhaitent jouir d'une meilleure santé. Selon une étude menée aux États-Unis – le *Continuing Survey of Food Intakes by Individuals (CSFII) 1994-1996* – environ 71 pour cent des gens au régime souhaitaient améliorer leur santé, contre 50 pour cent qui voulaient perdre du poids.

## Plus de livres : plus de poids

Pas étonnant que les livres sur les régimes et la perte de poids soient aussi populaires ! Ironiquement, la popularité de ces ouvrages a coïncidé avec une hausse plutôt qu'une baisse du poids moyen. Les Américains dépensent davantage pour les produits amaigrissants que les Européens (154 $ au lieu de 125 $ par personne en 2004). Cependant, on pense que la hausse du poids moyen en Europe devrait rattraper d'ici cinq ans celle qui prévaut aux États-Unis. La recherche de moyens pour freiner cette expansion est devenue une préoccupation planétaire, d'autant plus que, dans le monde développé, la hausse continue du taux d'obésité et l'obsession de la minceur ont fait bondir la prévalence des troubles de l'alimentation au sein de la population.

## L'obésité et les maladies chroniques

Les changements dans les modes de vie et l'augmentation du nombre de personnes obèses ont contribué à la prévalence de nombreuses maladies chroniques qu'il faut contrôler par des régimes alimentaires spéciaux. L'embonpoint et l'obésité font augmenter les risques de maladie cardiovasculaire, de diabète de type 2 et de certains types de cancer. Ils peuvent aussi aggraver d'autres affections, comme la cholécystopathie, les problèmes respiratoires, l'ostéoarthrite et l'hypertension.

# Histoire des régimes miracles

| | | |
|---|---|---|
| 1820 | Régime à l'eau et au vinaigre | Popularisé par Lord Byron |
| 1825 | Régime faible en glucides | Proposé dans *Physiologie du goût* de Jean Brillat-Savarin |
| 1830 | Régime Graham | Inventeur des biscuits Graham |
| 1863 | Régime faible en glucides de Banting | « Banting » est devenu synonyme de régime amaigrissant |
| 1903 | Horace Fletcher fait la promotion du « fletchérisme » | Mastiquer les aliments 32 fois |
| 1917 | Compte des calories | Proposé par Lulu Hunt Peters dans son ouvrage *Diet and Health, with Key to the Calories* |
| 1925 | Régime « cigarette » | Fumez une Lucky Strike au lieu de manger un bonbon |
| 1928 | Régime inuit à base de viande et de gras | Caribou, poisson cru et graisse de baleine |
| 1930 | Régime Hay | Interdiction de consommer des glucides et des protéines au même repas |
| | Régime du D$^r$ Stoll | Première des boissons amaigrissantes |
| 1934 | Régime aux bananes et au lait écrémé | Commandité par la United Fruit Company |
| 1950 | Régime à la soupe au chou | Principal effet secondaire : des flatulences |
| | Régime pamplemousse | Aussi connu sous le nom de régime Hollywood |
| 1960 | Régime macrobiotique zen | Créé par le philosophe japonais George Oshawa |
| 1961 | Les calories ne comptent pas | La FDA a déposé des accusations au sujet des prétentions de ce régime |
| 1964 | Le régime pour buveurs (Drinking Man's Diet) | La Harvard School of Public Health a déclaré ce régime mauvais pour la santé |
| 1970 | Régime de la belle au bois dormant | Administration de sédatifs aux sujets pendant plusieurs jours |
| | Régimes aux protéines liquides | Les boissons protéinées étaient faibles en vitamines et en minéraux |
| 1981 | Régime Beverly Hills | Seulement des fruits pendant 10 jours, mais sans restriction |
| 1985 | Fit for Life | Éviter les combinaisons de protéines et de glucides |
| | Régime de l'homme des cavernes | Régime de l'ère paléolithique |
| 1986 | Régime Rotation | Rotation du nombre de calories consommées d'une semaine à l'autre |
| 1987 | Régime Scarsdale | Régime faible en calories et en glucides |
| 1990 | Régime à la soupe au chou | Un régime des années 1950 qui refait surface sur l'Internet |
| 1994 | Régime riche en protéines et faible en glucides | Version du D$^r$ Atkins |
| 1995 | Sugar Busters – couper le sucre pour faire fondre la graisse | Élimine les glucides raffinés |
| 1996 | 4 groupes sanguins, 4 régimes | Régime basé sur le groupe sanguin |
| 1999 | Jus, jeûne et détoxification | Régimes indémodables qui réapparaissent combinés |
| 2000 | Crudivorisme (alimentation vivante) | Régime à base d'aliments biologiques crus non transformés |
| 2001 | Régime riche en protéines et faible en glucides | Mise à jour d'un régime de 1994 |
| 2004 | Régime à la noix de coco | Tous les gras sont remplacés par de l'huile de noix de coco |
| 2005 | Régime pour les tricheurs | Obligation de faire des écarts pendant les week-ends |
| 2006 | Régime au sirop d'érable | Propose une boisson à base de sirop d'érable et de citron |

# TIREZ LE MAXIMUM DE VOTRE RÉGIME

*À chacun son régime !* vous aidera à évaluer même les régimes qui ne figurent pas dans le présent ouvrage. En appliquant l'information donnée ici, vous pourrez classer et évaluer d'autres régimes en fonction des principes qui les sous-tendent, de leurs avantages et désavantages et des données scientifiques qui les étayent pour déterminer s'ils vous conviennent. L'évaluation d'un régime, quel qu'il soit, doit porter sur sa valeur nutritive, la variété des aliments proposés, les portions, les proportions (des groupes d'aliments), etc. Vous devez aussi en mesurer les effets graduels, déterminer s'il convient à votre style vie, voir si vous pouvez le suivre à long terme et voir s'il comporte des activités physiques.

### Régimes santé

La meilleure stratégie pour rester en bonne santé et maintenir un poids idéal consiste à adopter un style de vie sain que vous conserverez jusqu'à la fin de vos jours. Un mode de vie sain doit inclure des activités physiques qui vous plaisent, comme de la marche, du vélo, de la danse ou, encore, des activités de tous les jours, comme le jardinage ou le ménage. Il doit aussi reposer sur la consommation modérée d'aliments très peu transformés contenant une quantité adéquate d'éléments nutritifs. De nombreuses options alimentaires ont été mises au point pour guider les gens et les aider à adopter de bonnes habitudes alimentaires.

Divers régimes dits thérapeutiques ou santé sont proposés pour aider les gens à prendre soin de leur santé et à prévenir les maladies. Dans les pays où il y a prévalence élevée de maladies chroniques, comme les maladies cardiaques, les accidents cérébraux vasculaires, le cancer, le diabète, les troubles respiratoires et l'hypertension, on met de plus en plus l'accent sur la promotion de la santé et la prévention des maladies par la gestion des facteurs de risque, notamment l'alimentation, la consommation d'alcool et le tabagisme.

### Régimes thérapeutiques

Le traitement de toutes les maladies comporte une composante alimentaire. Celle-ci peut aider à ralentir la progression de la maladie, un facteur important de la qualité de vie. Vous trouverez dans le présent ouvrage des régimes souvent prescrits pour maîtriser certaines maladies : régimes sans additifs ou anti-allergènes, régime d'élimination, régime anti-hypertension, régime pour réduire les reflux gastriques, régime sans gluten, régime à

teneur réduite en sodium et régime fondé sur des changements dans les habitudes de vie. Vous y trouverez aussi divers autres régimes populaires auprès du public pour différentes raisons, et les principes sur lesquels ils se fondent.

Les maladies chroniques coûtent cher aux gens et à la société. Le coût global des maladies chroniques (qui ont remplacé les maladies contagieuses comme principale cause de décès dans de nombreuses régions du monde) constitue un fardeau financier énorme tant pour les individus que pour la société, car près de 80 pour cent de la population mondiale vit dans des régions où les maladies chroniques sont la principale cause de décès. C'est d'ailleurs pourquoi on insiste beaucoup sur la prévention des maladies et la promotion de la santé. Sur le plan des politiques, la promotion de la santé consiste à fournir aux consommateurs des directives alimentaires et comportementales faciles à comprendre et à suivre. De bonnes habitudes, comme manger des aliments appropriés à son état de santé, s'adonner à une activité physique et, au besoin, prendre des médicaments, ralentira la progression de la maladie.

## Perdre du poids

La plupart des régimes amaigrissants qui figurent dans le présent ouvrage procurent une perte de poids temporaire car, peu importe le régime suivi ou ses prétentions, tous sont hypocaloriques. Mais voilà leur point faible : la perte de poids temporaire est attribuable à l'élimination d'eau. Or, de nombreuses recherches ont montré que pour être efficace, un régime amaigrissant doit aider le sujet à maintenir un poids santé pour le restant de ses jours. Plus le régime est extrême, plus il est difficile de le suivre longtemps. La clé de votre succès à long terme résidera donc dans l'adoption d'un régime individualisé qui convient à vos besoins. En outre, des études suggèrent que les régimes qui contrôlent les calories et la taille des portions sont plus faciles à suivre à long terme que les régimes à teneur restreinte en glucides et en matières grasses.

En dernière analyse, la perte de poids survient en raison de la restriction de l'apport en calories et de la fidélité au régime, quel qu'il soit. Pour une perte de poids à long terme, les calories doivent être restreintes, mais il ne faut pas que la personne au régime soit forcée de renoncer complètement à ses aliments préférés. En outre, une phase de transition doit être prévue pour lui permettre d'adopter graduellement une alimentation saine qu'elle conservera pour le restant de ses jours. Naturellement, un style de vie actif peut aussi l'aider à garder un poids santé et à rester en bonne forme physique.

## Maintenir un poids santé

En général, au lieu de changer leurs habitudes alimentaires, les gens se mettent au régime pour une brève période et, une fois leur régime fini, ils reviennent aux anciennes habitudes qui leur avaient fait prendre du poids. La solution pour perdre du poids et ne pas le reprendre dépend de deux choses : la quantité d'énergie ou de calories alimentaires consommées et l'énergie dépensée en activité physique. Quand on consomme plus de calories qu'on en dépense, on prend du poids ; quand on dépense plus de calories qu'on en consomme, on perd du poids. En gardant ce principe de base à l'esprit, vous pourrez intégrer régime amaigrissant et programme d'exercice dans votre vie de tous les jours, en prenant soin de vous assurer qu'ils sont efficaces et sans danger.

Quand on veut perdre du poids, il faut chercher à réduire son pourcentage de gras corporel. Bien que la plupart des gens souhaitent perdre du poids pour améliorer leur apparence, il est important de bien comprendre que votre objectif ultime devrait être de rester en santé et de prévenir les lésions que cause l'excès de gras corporel. Tout régime amaigrissant doit viser une réduction du gras corporel, qui constitue un facteur de risque de cardiopathie, d'hypertension, de diabète de type 2 et de certains types de cancer.

# COMMENT PERDRE DU POIDS

La triste vérité est que la plupart des gens souffrent d'embonpoint ou d'obésité parce qu'ils mangent trop et ne font pas assez d'activité physique. Si d'autres facteurs peuvent aussi être en cause, comme le profil génétique, le taux métabolique, etc., leur rôle est minime. Voici des facteurs favorisant la prise de poids :

- Une augmentation de la consommation d'aliments à teneur élevée en calories (denses en énergie), particulièrement les aliments achetés ou consommés à l'extérieur.

- Certains comportements, comme l'adhésion à un régime très sévère, suivie de rechutes périodiques se caractérisant par des excès de table.

- La consommation excessive d'aliments transformés riches en sucres raffinés et en gras.

- Un mode de vie excessivement sédentaire, comportant trop de télé, de travail ou de jeux à l'ordinateur.

- Des portions toujours plus grosses.

- Une consommation réduite d'aliments à teneur élevée en fibres, comme les fruits, les légumes et les grains entiers.

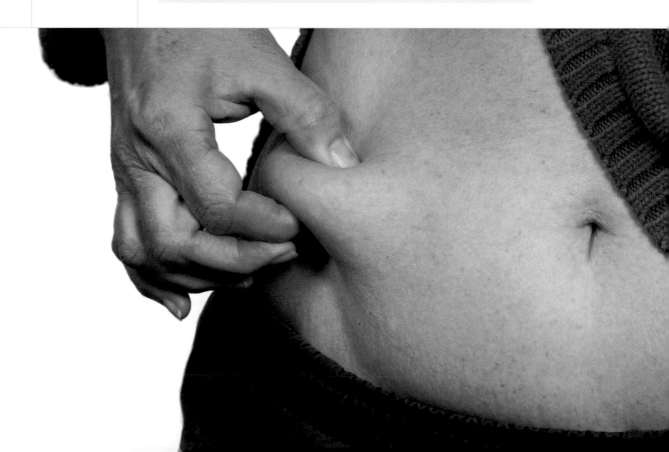

## Le poids et le métabolisme

La glande thyroïde aide à réguler le métabolisme. Lorsque cette glande est hyperactive (hyperthyroïdie), le métabolisme augmente et entraîne une perte de poids. Dans le cas contraire (hypothyroïdie), le métabolisme ralentit, ce qui cause une prise de poids. Bien que l'activité de la glande thyroïde ait un lien avec le métabolisme, dans les faits, seule une très petite proportion de la prise de poids lui est attribuable.

## Une fourchette de poids santé

Bien qu'il existe plusieurs méthodes pour déterminer rapidement si une personne a un poids susceptible d'augmenter ses risques de maladie, toutes les méthodes de calcul des risques signifient des choses différentes et doivent être évaluées en conséquence.

**L'indice de masse corporelle (IMC)** Ce chiffre est calculé en utilisant une formule qui incorpore la taille et le poids. Il constitue une bonne estimation, mais ne convient pas aux personnes qui sont très musclées. Un IMC se situant entre 19 et 24,9 est considéré sain ; entre 25 et 29,9 il indique une surcharge pondérale, et de l'obésité lorsque supérieur à 30.

**Rapport taille-hanches** Ce rapport aide à déterminer la répartition et la distribution des cellules adipeuses. Pour le calculer, il faut mesurer la circonférence de la taille et celle des hanches, puis diviser la circonférence de la taille par celle des hanches. Si le rapport obtenu est supérieur à 0,9 pour un homme et à 0,8 pour une femme, le sujet court des risques plus élevés de développer certaines maladies.

**Tour de taille** Cette mesure aide à déterminer la distribution des cellules adipeuses (cette distribution étant associée à certains risques de maladie). Un tour de taille supérieur à 89 cm pour les femmes et à 101,5 cm pour les hommes indique une surcharge pondérale.

**Autres vérifications** Il existe d'autres façons de déterminer le taux de gras corporel, par exemple les pèse-personnes capables de calculer le gras corporel par impédance bioélectrique. Une autre technique, qui requiert un peu d'expérience, consiste à estimer l'épaisseur d'un repli cutané. Une autre méthode, plus coûteuse et moins accessible, est la pesée dans l'eau.

## Perte de poids : différentes approches

Quelle est l'efficacité réelle à long terme de la plupart des stratégies de perte de poids ? Les données ne sont pas concluantes, mais semblent indiquer que la plupart des régimes amaigrissants sont inefficaces à moins que les personnes qui les suivent changent leurs habitudes alimentaires et leurs activités physiques. Un grand nombre de régimes populaires fournissent moins d'énergie (calories) et procurent une perte poids à court terme, mais la plupart d'entre eux n'ont pas démontré leur efficacité et leur valeur nutritive à long terme. >

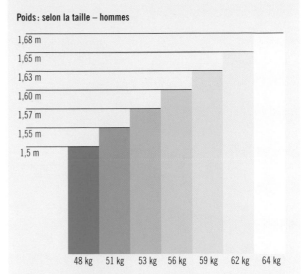

Poids : selon la taille – hommes

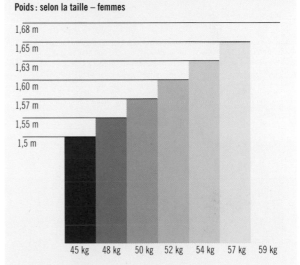

Poids : selon la taille – femmes

**Poids** Ces tableaux ne tiennent pas compte de la forme physique des sujets. Toutefois, plus le poids est élevé plus les risques de certaines maladies augmentent ; les tableaux de poids peuvent donc donner une idée de la forme physique. Pour les hommes, calculer 49 kg pour 1 m 50 et ajouter environ 1 kg pour chaque cm de plus (ou soustraire 1 kg pour chaque cm de moins). Pour les femmes, calculer 45,5 kg pour la même taille et ajouter environ 800 g pour chaque cm de plus (ou soustraire 800 g pour chaque cm de moins). Pour calculer le maximum et le minimum, ajouter ou soustraire 10 pour cent au chiffre obtenu.

### Combattre la faim

Un estomac vide se contracte, ce qui envoie au cerveau des signaux qui provoquent une « sensation » associée à l'appétit et à la faim. Pour combattre la faim, n'oubliez pas d'inclure dans votre régime une collation riche en protéines (un bâtonnet de fromage faible en gras par exemple), buvez beaucoup de liquides, particulièrement de l'eau, et tenez-vous occupé (pour éviter de penser à la nourriture et d'avoir faim).

### Des idées pour vous soutenir quand vous suivez un régime amaigrissant

Plus vous vous investirez dans votre programme de saine alimentation et d'exercice, plus il vous sera facile de ne pas y déroger.

- Où que vous soyez, à la maison, au travail ou ailleurs, sachez créer une atmosphère propice à l'activité physique et à de saines habitudes alimentaires.
- Quand vous mangez à l'extérieur, privilégiez des restaurants qui proposent des menus santé.
- Évitez les excès de gras et de sucre.
- Consommez plus d'aliments à teneur élevée en fibres, comme des fruits, des légumes et des grains entiers.

### L'activité physique

À quelles activités aimez-vous vous adonner? Êtes-vous plutôt du genre à ne pas faire assez d'exercice? Nombreux sont les gens dont le mode de vie et les habitudes ne s'accordent pas avec les recommandations gouvernementales. Par exemple, si les Britanniques donnent l'impression d'avoir une meilleure

alimentation, moins de la moitié d'entre eux font hebdomadairement les 150 minutes d'exercice recommandées. Aux États-Unis, il est recommandé de faire environ 30 minutes d'exercice par jour; or, seulement 46 pour cent de la population suit cette recommandation et 24 pour cent des gens sont inactifs.

Nous sommes nombreux à avoir adhéré au principe voulant que, pour faire de l'exercice, il faut utiliser des machines, s'inscrire à un gymnase ou participer à des séances exténuantes. Pourtant, l'activité physique peut faire partie de notre vie quotidienne et prendre la forme de promenades dans le parc, de séances de danse ou même de marche sur place en écoutant la radio ou en regardant la télévision. La clé du succès consiste à prendre plaisir à ce que l'on fait. Si vous y mettez de la bonne volonté, l'exercice cessera vite d'être un fardeau, une tâche ingrate ou, pire, une punition.

### Autres méthodes de perte de poids

Bien que les régimes amaigrissants et l'exercice soient les deux méthodes préférées et habituelles pour traiter l'obésité, les médicaments d'ordonnance et la chirurgie sont parfois indiqués dans le cas de personnes atteintes d'obésité morbide extrême. Des médicaments, comme la Sibutramine (Meridia) et Orlistat (Xenical), peuvent être prescrits à une personne pour l'aider à perdre du poids. Ces médicaments ne doivent être pris que sous la surveillance d'un médecin, car ils peuvent avoir des effets secondaires. Certains ont d'ailleurs été retirés du marché, par exemple la Fenfluramine (Pondimin) et la dexfenfluramine (Redux), en raison de leurs effets secondaires potentiellement mortels. >

## Dix façons d'augmenter votre niveau d'activité physique

1. Faites des étirements pour augmenter votre souplesse avant, pendant ou après avoir pris une douche.

2. Utilisez la salle de bains la plus éloignée de votre bureau.

3. Étirez-vous les jambes en alternance et posez les pieds sur un tabouret quand vous êtes assis (pour regarder la télévision par exemple).

4. Faites les cent pas ou marchez sur place pendant que vous parlez au téléphone.

5. Stationnez un peu plus loin et marchez ou courez jusqu'à votre destination.

6. Prenez les escaliers quand il y a moins de trois étages à monter.

7. Faites des sauts avec écart pendant que vous faites réchauffer votre repas.

8. Allez parler à un collègue au lieu de lui envoyer un courriel.

9. Balayez, passez la vadrouille ou faites du jardinage tous les jours et jouez avec vos enfants.

10. Dansez sur deux ou trois chansons le matin ou pendant la soirée.

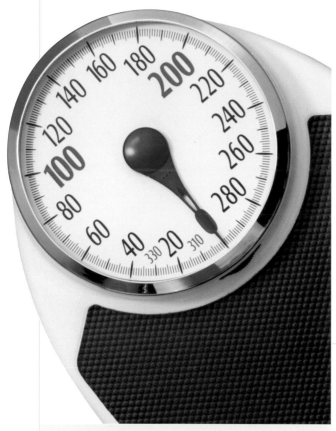

## Cinq étapes pour mettre au point votre propre régime amaigrissant

1. Choisissez un paramètre, par exemple l'IMC, le taux de gras corporel ou le poids, et fixez-vous un but à atteindre.

2. Trouvez des façons de manger moins et de faire plus d'exercice tous les jours et mettez-les en pratique.

3. Planifiez vos menus et l'heure de vos repas : prenez un petit-déjeuner de roi, déjeunez comme un prince et dînez comme un pauvre.

4. Déterminez les quantités que vous devriez manger : contrôlez la taille de vos portions et choisissez de plus petites assiettes.

5. Trouvez des façons de vous accorder à l'occasion les aliments que vous préférez.

Les interventions chirurgicales sont réservées aux obèses morbides. Il y a la gastroplastie verticale, le pontage gastrique et la gastroplastie par pose d'un anneau ajustable. La gastroplastie consiste en l'agrafage d'une petite section de l'estomac. Lors d'un pontage (by-pass) gastrique, la partie inférieure de l'estomac est agrafée à l'intestin grêle afin d'empêcher la digestion de la nourriture en la détournant de l'estomac. Dans la gastroplastie avec anneau, on réduit la taille de l'estomac à l'aide d'un anneau d'étranglement.

### Troubles de l'alimentation

Il existe une variété de mauvaises habitudes alimentaires chaotiques qui peuvent entraîner des complications de santé. On « joue au yo-yo » avec son poids quand on connaît des fluctuations constantes de poids occasionnées par des régimes successifs. Cette habitude est très dure pour le corps et, selon l'état de santé général d'une personne, elle peut devenir dangereuse.

Dans certains cas, la nourriture peut prendre une importance excessive et provoquer de l'anorexie, une forme extrême de privation de nourriture qui résulte d'une image déformée de soi. Même si elle est très maigre, la personne anorexique estime avoir du poids à perdre, de sorte qu'elle suit de manière obsessive des régimes amaigrissants très stricts et des programmes d'exercice exténuants qui lui font perdre énormément de poids. L'anorexie peut entraîner des conséquences graves pour la santé, voire la mort. La boulimie comporte des cycles d'alimentation excessive suivis de purges. Les personnes qui en souffrent prennent (habituellement en secret) laxatifs et lavements, suivent des programmes d'exercice excessifs et ainsi de suite, pour se soulager

de la culpabilité d'avoir trop mangé. La frénésie alimentaire ressemble à la boulimie, mais sans les épisodes de purge.

Bien que les troubles alimentaires soient plus fréquents chez les femmes, ils existent aussi chez les hommes et leur prévalence augmente partout dans le monde. Si vous soupçonnez une personne de souffrir d'un trouble de l'alimentation, n'hésitez pas à lui conseiller de consulter un professionnel.

### Comment réussir à maintenir un poids santé à long terme

Le mot « régime » a quelque chose de temporaire. Évidemment, un comportement temporaire ne produit que des changements transitoires et ne s'attaque pas aux comportements sous-jacents responsables de la situation. Les meilleurs programmes de perte de poids, et les plus sains, qui aident à perdre du poids et du gras corporel pour de bon, sont ceux qui visent les objectifs suivants :

Une réduction graduelle mais constante de l'apport en énergie (calories), accompagnée d'une augmentation de la dépense en énergie par l'activité physique. Il est important de se rappeler que l'exercice physique fait augmenter le volume musculaire et joue un rôle clé dans l'utilisation des réserves de graisses comme source d'énergie.

Ne vous fiez pas aux régimes qui promettent des résultats immédiats ou rapides, car ils défient les lois scientifiques du métabolisme. Leurs prétentions sont trompeuses et peuvent même être dangereuses. Un simple calcul de l'équilibre énergétique montre qu'on ne peut pas perdre plus de 500 g à 1 kg par semaine, même en s'affamant complètement. Par exemple, pour perdre 500 g de gras corporel, il faut avoir un « bilan calorique    >

## Pas de secrets : cinq étapes pour promouvoir la santé à vie

1. **Identifiez les changements que vous pouvez faire pour améliorer votre alimentation et votre niveau d'activité physique, mettez-les en œuvre et adoptez-les pour le restant de vos jours.**

2. **Cessez de fumer.**

3. **Buvez moins d'alcool ; si vous n'en buvez pas, ne commencez surtout pas à en boire.**

4. **Maintenez un poids santé.**

5. **Passez des examens médicaux tous les ans, plus particulièrement si vous êtes à risque de souffrir de maladie cardiaque, de cancer, de diabète, d'hypertension ou d'ostéoporose.**

Combiner régime et exercice mène à une perte de poids plus importante et à un style de vie plus sain. Pour conserver un poids santé après le régime, il est conseillé de continuer à faire de l'exercice.

négatif de 3500 calories», soit un déficit calorique de 500 calories par jour (obtenu en diminuant la consommation de calories ou en augmentant l'activité physique). Donc, si votre apport quotidien en calories est de 2000 calories, vous devez le réduire de 500 calories pour perdre 500 g en une semaine. Même si vous jeûnez et ne consommez que de l'eau, vous ne perdrez qu'environ 2 kg par semaine. Mais cela n'est ni conseillé ni sage. Votre corps perdra du muscle et de l'eau, d'importantes composantes corporelles, ce qui est très mauvais.

On ne doit pas entreprendre un régime à la légère et sans motif grave. Avant de suivre un programme amaigrissant, consultez votre médecin de famille et soumettez-vous à un examen médical pour vous assurer que vous ne courez aucun danger. Quand on modifie son alimentation et qu'on se met à suivre un régime hypocalorique, il se produit des changements métaboliques au bout de seulement deux ou trois semaines. L'apport réduit en calories agit comme un signal qui provoque le ralentissement du taux métabolique. Pour s'adapter à la quantité réduite d'énergie dont il dispose pour assurer ses fonctions physiologiques, l'organisme compense en économisant ses dépenses en énergie. En langage de «régimes», on dit qu'on a atteint un «plateau». Pour dépasser ce stade, il est suggéré d'augmenter son niveau d'activité physique ou de réduire encore davantage son apport en calories. La meilleure façon d'y arriver consiste cependant à faire les deux à la fois: faire plus d'activité physique et consommer moins de calories.

Lorsque vous voulez suivre un régime amaigrissant, choisissez-en un qui peut être adapté à votre mode de vie et à votre état de santé. Planifiez de le suivre longtemps. Il ne faut pas oublier que lorsqu'on revient à ses anciennes habitudes alimentaires après un régime amaigrissant, on reprend le poids perdu, ce qui peut avoir des conséquences négatives sur la progression de certaines maladies.

## Promotion de la santé et gestion des maladies

Pour promouvoir sa santé, il faut tenter de contrôler et d'améliorer sa santé en «gérant» des facteurs comme son alimentation, son degré d'activité physique, son stress et son environnement, et cela dans le but de maximiser sa qualité de vie.

Les maladies chroniques, comme les maladies cardiaques, les accidents vasculaires cérébraux, le cancer, les maladies respiratoires et le diabète, sont les principales causes de décès et d'invalidité, et cela partout dans le monde. Pour réduire au minimum les risques que ces maladies ne progressent ou s'aggravent ou pour les écarter complètement, on peut notamment adopter de meilleures habitudes alimentaires. En matière d'alimentation, le plus grand problème est la consommation d'aliments à forte densité énergétique (très caloriques) riches en sucre, en gras saturés ou en sel, ou les trois. Ces aliments sont associés à des risques plus élevés de nombreuses maladies chroniques. Or, des facteurs comme l'hypercholestérolémie, l'hypertension artérielle, l'obésité et la dépendance à l'alcool peuvent être renversés par l'alimentation et l'activité physique. De nombreuses recherches scientifiques ont montré qu'une personne peut réduire ses risques de maladies chroniques en modifiant certains de ses comportements de manière permanente.

## Pas de secrets : cinq étapes pour maintenir un poids santé à vie

**1** Mangez des portions raisonnables.
- Pour la viande, la volaille et le poisson, la portion ne devrait pas dépasser la taille d'un jeu de carte ou d'un pain de savon.
- Pour les pâtes, le riz et les autres grains, une balle de tennis (la moitié pour un régime réduit en calories)
- Pour les légumes, une balle de tennis ; la moitié pour les légumineuses.
- Un morceau de fromage, quatre dés à jouer.

**2** Visez une perte de poids lente et graduelle en adoptant une bonne alimentation et en faisant régulièrement de l'exercice.

**3** Ayez une alimentation variée qui privilégie les différents grains, les fruits, les légumes, les produits laitiers faibles en gras, la volaille, la viande et le poisson maigres, les légumineuses, les noix et les graines.

**4** Buvez beaucoup d'eau.

**5** Limitez votre consommation de gras, de sucres ajoutés et d'aliments raffinés.

# CONNAISSANCES ESSENTIELLES

## Compteur de calories rapide

1 verre/ 227 g de boisson frappée à la vanille = 256 calories
1 verre/245 g de lait écrémé = 83 calories
250 ml (1 tasse) de yogourt aux fruits faible en gras = 225 calories
250 ml (1 tasse) de yogourt nature sans gras = 127 calories
125 ml (½ tasse) de crème glacée à la vanille riche en gras = 266 calories
125 ml (½ tasse) de crème glacée à la vanille légère = 125 calories

163 g d'ailes de poulet panées (du commerce) = 494 calories
90 g bifteck de surlonge grillé = 218 calories
90 g de côtelettes d'agneau (surlonge) grillées = 200 calories
90 g de filet de porc rôti = 139 calories
90 g de thon grillé = 118 calories
90 g de crevettes vapeur = 84 calories

1 cannette/355 ml de boisson gazeuse = 136 calories
1 cannette/355 ml de thé glacé régulier = 128 calories
250 ml (1 tasse) de jus de pamplemousse = 94 calories
250 ml (1 tasse) de boisson énergisante aromatisée aux fruits = 66 calories
1 cannette/355 ml de boisson gazeuse diète = 4 calories
Eau embouteillée = 0 calories

1 petite portion de frites/74 g = 245 calories
1 patate douce moyenne, au four/114 g = 103 calories
1 grosse orange/184 g = 86 calories
1 pomme moyenne/138 g avec la pelure = 72 calories
90 g d'épinards cuits = 21 calories
62 g de chou-fleur cuit = 14 calories

1 morceau de tarte aux pommes du commerce/125 g = 296 calories
1 morceau de gâteau au chocolat avec glaçage/64 g = 235 calories
1 beignet moyen/45 g = 192 calories
3 doigts de dame/33 g = 120 calories
1 morceau de gâteau des anges/28 g = 72 calories
2 gaufrettes à la vanille faibles en gras/12 g = 53 calories

60 g d'arachides rôties = 332 calories
60 g de croustilles = 310 calories
60 g de graines de soja rôties = 271 calories
60 g de bretzels = 215 calories
2 galettes de riz brun/18 g = 70 calories
122 g de bâtonnets de carottes = 50 calories

Données obtenues du *USDA Nutrient Data Laboratory*

## Conversion mesures impériales en métriques

| Pour convertir | en | multipliez par |
|---|---|---|
| Onces | grammes | 28,3495 |
| Livres | kilos | 0, 4536 |
| Chopine (sèches) | litres | 0,5506 |
| Chopines (fl.) | litres | 0,4732 |
| Pintes (sèches) | litres | 1,1012 |
| Pinte (fl.) | litres | 0,9463 |
| Gallons | litres | 3,7853 |
| Pouces | cm | 2,54 |
| Pieds | mètres | 0,3048 |

## Quelques trucs pour briser la barrière de l'exercice

### 5 raisons pour ne pas faire d'exercice

### Que faire pour y remédier

1. Vous êtes trop occupé.

Intégrez l'exercice dans votre horaire quotidien et donnez-lui la priorité. Faites de l'exercice pendant que vous regardez la télévision et prévoyez des activités physiques dans votre vie quotidienne. Au travail, par exemple, prenez l'habitude de prendre les escaliers !

2. Vous détestez l'exercice.

Trouvez des activités qui vous plaisent et adonnez-vous-y comme exercice ; par exemple, dansez ou faites des promenades avec des amis.

3. Votre poids vous empêche de bouger.

Commencez lentement, en faisant des exercices sur une chaise, du yoga ou de légers étirements.

4. C'est trop fatigant.

N'en faites pas trop pour commencer. Par exemple, faites 10 minutes d'exercice de 2 à 3 fois par jour.

5. Vous n'avez pas d'argent pour acheter une machine ou vous inscrire à un gymnase.

Vous n'avez pas besoin d'acheter d'équipement spécial ni de vous inscrire à un gymnase. Utilisez des boîtes de conserve ou d'autres contenants de 2 à 4,5 kg remplis d'eau comme poids et sautez à la corde !

# RÉGIMES

Les régimes amaigrissants présentés dans cet ouvrage sont divisés en sept grandes catégories :

- **Les régimes de modification du comportement,** qui mettent l'accent sur une série de stratégies dont le régime alimentaire, l'activité physique et la gestion du stress.
- **Les régimes axés sur un aliment,** qui mettent l'accent sur la consommation de un ou plusieurs aliments.
- **Les régimes faibles en glucides, en protéines ou en matières grasses** sont regroupés ensemble, car ils mettent tous l'accent sur la restriction de l'un des principaux macronutriments (glucides, protéines ou gras).
- **Certains régimes mettent l'accent sur les groupes alimentaires,** les guides d'alimentation ou les échanges alimentaires.
- **Certains autres insistent davantage sur l'horaire** ou les combinaisons de repas et de collations.
- **Certains régimes font appel à des produits commerciaux** (repas ou collations) de substitution.
- **D'autres** régimes proposent des méthodes complètement originales.

Les catégories se fondent sur certains principes communs (comme une teneur peu élevée en glucides), même si leurs auteurs les rangeraient dans d'autres catégories. Par exemple, le régime Suzanne Somers a été rangé dans la catégorie « horaire strict et combinaisons », mais il pourrait aussi bien figurer dans la catégorie « régime de vedettes ».

# AMAIGRISSANTS

## Des faits fascinants

Il existe de nombreux types de régimes amaigrissants, y compris les régimes suivants :

- **Régimes de modification du comportement**
- **Régimes basés sur le groupe sanguin**
- **Régimes de vedettes**
- **Régimes supervisés en clinique**
- **Régimes commerciaux**
- **Régimes de substitution**
- **Régimes miracle**
- **Jeûnes ou régimes à base de jus**
- **Régimes basés sur le type génétique**
- **Régimes basés sur les groupes ou les guides alimentaires**
- **Régimes axés sur un ou plusieurs aliments**
- **Régimes riches en fibres ou régimes volumétriques**

- **Régimes riches en protéines**
- **Régimes de style de vie**
- **Régimes hypocaloriques**
- **Régimes faibles en glucides**
- **Régimes faibles en matières grasses**
- **Régimes faibles en protéines**
- **Régimes de substitutions**
- **Régimes de restrictions**
- **Régimes basés sur l'horaire des repas ou la combinaison des aliments**

De nombreux régimes peuvent être rangés dans plus d'une catégorie. Par exemple, un régime faible en matières grasses peut aussi être faible en glucides, ce qui en fait un régime riche en protéines. Un régime faible en glucides peut aussi comporter des substitutions d'aliments.

**Il est important de boire au moins huit verres d'eau par jour.**

# RÉGIME BEST LIFE

Un régime en trois parties qui promet une perte de poids permanente grâce à la modification des comportements, l'augmentation du degré d'activité physique, l'adoption d'une meilleure alimentation et la résolution de problèmes alimentaires clés.

**RÉGIME À LONG TERME**

**SOUPLESSE**

**RÉGIME FACILE À SUIVRE EN FAMILLE**
● ● ●

**COÛT**

**DONNÉES SCIENTIFIQUES À L'APPUI**

### Origine du régime

Bien que Bob Greene, un physiologiste de l'exercice, ait publié son régime en 2006, celui-ci n'est devenu populaire qu'après avoir été consacré par *The Oprah Winfrey Show*. L'approche pratique du régime de Bob Greene devrait connaître un succès encore plus retentissant grâce aux nombreuses vedettes qui l'adoptent.

### Comment fonctionne-t-il?

Ce régime en trois parties initie progressivement la personne qui le suit à une alimentation plus saine et à un mode de vie moins sédentaire.

La phase 1, qui dure au moins quatre semaines, a pour but d'augmenter le taux du métabolisme en augmentant l'intensité et la fréquence de l'activité physique. Cette phase du régime comporte trois repas structurés et interdit à la personne qui le suit de manger au moins deux heures avant le coucher.

La phase 2, qui doit aussi durer au moins quatre semaines, met l'accent sur la perte de poids, la réduction de l'apport en calories et les choix d'aliments. En réalité, on ne s'attend pas vraiment à une perte de poids importante avant la phase 2, qui comprend l'intensification de l'activité physique, l'élimination des aliments faibles en éléments nutritifs, la sensibilisation aux signaux de la faim et

**voir aussi**
**régime Miami (South Beach)** 64
**pyramide diététique méditerranéenne** 160
**régime tlc** 176

# menu type

Quand vous faites vos courses, recherchez le sceau Best Life.

| | samedi | dimanche | lundi | mardi |
|---|---|---|---|---|
| **matin** | Omelette au poivron et épinards, 1 tasse de petits fruits frais, yogourt faible en gras | Gruau à l'ancienne avec fruits secs et noix hachés, 1 tasse de lait écrémé | Café moka au lait écrémé, 1 muffin aux fruits à haute teneur en fibres, 1 pomme | Céréales Kashi® avec des noix, 1 tasse de lait écrémé, ½ pamplemousse |
| **midi** | Taboulé avec morceaux de viande maigre | Pain pita au blé entier fourré de dinde maigre et de légumes, 1 agrume | Roulé aux légumes et légumineuses sur tortilla au blé entier, salade verte et vinaigrette | Sandwich au beurre d'arachide et poire sur pain de grains entiers, ½ tasse de carottes |
| **soir** | Soupe aux légumes, crevettes à la méditerranéenne avec tomates, 1 agrume | Fajitas au bœuf ou au poulet, légumes vapeur assaisonnés | Pâtes de blé entier et sauce Marinara, poulet grillé, salade verte et vinaigrette | Poisson grillé au citron, petit épi de maïs, pois mange-tout |
| **collation 1** | Boisson frappée (*smoothie*) café-banane | Céréales riches en fibres, 1 tasse de lait écrémé ou de soja | Craquelins de grains entiers, fromage faible en gras | ¾ tasse de yogourt saupoudré de noix |
| **collation 2** | Petit bol de sorbet aux fruits | Crème glacée légère nappée d'un peu de sauce au chocolat | Petit morceau de chocolat noir | Crème glacée légère |

l'évaluation des causes psychologiques de l'hyperphagie (consommation excessive de nourriture).

Pendant la phase 3, la personne au régime s'attache à établir le degré de forme physique qu'elle recherche et à adapter son régime alimentaire en conséquence. Cette dernière phase est conçue pour devenir une alimentation « à vie ».

Le régime favorise la stabilisation et le maintien permanent du poids grâce à des choix alimentaires plus judicieux et une meilleure compréhension de la valeur nutritive des aliments. Dans ce régime, le concept des calories de « toutes provenances » a été introduit afin de permettre à la personne qui le suit d'inclure des aliments populaires et d'éviter de s'imposer des choix d'aliments exagérément restrictifs. Les données scientifiques corroborent l'efficacité des régimes amaigrissants qui combinent alimentation, activité physique et stratégies comportementales ou préconisent l'adoption d'une saine alimentation et une gestion permanente du poids.

## Avantages et désavantages

Le régime Best Life met l'accent sur la perte de poids permanente en insistant sur l'importance d'évaluer les composantes émotionnelles qui portent une personne à trop manger. Bien que le régime laisse entendre qu'il incombe à chacun de surmonter par lui-même ses problèmes émotionnels liés à l'alimentation, il peut parfois être utile de consulter un conseiller professionnel pour des problèmes particuliers.

L'ouvrage renvoie les lecteurs à un site Web affilié qui propose un service d'abonnement à la consommation, moyennant des frais mensuels. On y offre aussi un essai sans risque de 10 jours. Bien que certains renseignements soient fournis gratuitement, la grande majorité des trucs et recettes ne sont accessibles que pour les membres.

## Vous convient-il?

Ce régime convient aux personnes qui veulent perdre du poids et maintenir un poids santé sans avoir recours à des régimes miracles et qui souhaitent adopter pour de bon un style de vie plus sain. Il ne convient pas aux personnes qui visent une perte de poids rapide et qui ne veulent (peuvent) pas faire d'activité physique.

## Disponibilité

Tous les aliments compris dans ce régime se vendent dans tous les commerces d'alimentation. Le régime s'est associé à plusieurs entreprises alimentaires – Green Giant, Yoplait, Cascadian Farms et Cheerios, pour ne nommer que celles-là – pour développer un sceau d'approbation Best Life instantanément reconnaissable sur des produits sélectionnés.

## Changements dans le mode de vie

Ce régime se base sur la modification des comportements et l'activité physique.

**Truc santé**
- Les seuls aliments que ce régime permet de consommer à volonté sont les légumes sans gras ajouté.

| mercredi | jeudi | vendredi | Ressources |
|---|---|---|---|
| Boisson frappée (*smoothie*) au lait de soja et fruits, 1 tranche de pain de grains entiers avec beurre d'arachide | Yogourt faible en gras garni de céréales riches en fibres, noix de Grenoble et fruits frais | Une barre de céréales riche en fibres, lait écrémé ou lait de soja, morceaux de fruits, 3 c. à soupe de noix | www.thebestlife.com<br><br>www.eatbetteramerica.com<br><br>*The Best Life Diet,* Greene, B. Simon & Schuster, 2008. |
| Salade verte avec poulet et fruits frais, craquelins au blé entier et fromage faible en gras | Sandwich à la grecque sur pita au blé entier, ½ tasse de carottes, ½ portion d'agrume | Poulet grillé, salade de haricots et d'épinards avec vinaigrette faible en calories, 1 petit pain de grains entiers | |
| Salade verte, bifteck avec copeaux de fromage, patate douce au four, yogourt nature faible en gras et crème sure | Salade de poulet Southwest, petite portion de croustilles de tortillas cuites au four | Poulet asiatique avec légumes sautés, riz brun | |
| 1 poignée d'amandes, café latte au lait écrémé | Lait fouetté au chocolat, riche en protéines et faible en calories | Craquelins de grains entiers avec gelée de fruits, 1 tasse de lait écrémé | |
| Maïs soufflé léger | ¼ tasse de noix enrobées de chocolat | 1 portion de croustilles aux légumes cuites au four | |

RÉGIME À LONG TERME
●●●

SOUPLESSE
●●●

RÉGIME FACILE À
SUIVRE EN FAMILLE
●●●

COÛT
●

DONNÉES SCIENTIFIQUES
À L'APPUI
●●●

# RÉGIME CHANGE ONE
## (RÉGIME DU *READER'S DIGEST*)

Comme son nom l'indique, ce régime préconise l'ajustement d'un facteur à la fois, ainsi que le contrôle des portions et la gestion des aspects de la vie de tous les jours qui ont une influence sur les choix alimentaires.

### Origine du régime

Le régime a été mis au point par John Hastings, un éditeur du *Reader's Digest,* en collaboration avec deux nutritionnistes agréés et d'autres spécialistes des régimes amaigrissants.

### Comment fonctionne-t-il?

Les éléments clés de ce régime de 12 semaines (qui propose aussi une option accélérée de perte de poids) sont les suivantes: respecter la taille des portions et manger sainement.
Les quatre premières semaines sont axées sur la modification de ses habitudes de vie – un petit pas à la fois. Les semaines 1, 2, 3 et 4 sont consacrées à l'amélioration des repas: petit-déjeuner la 1re semaine, déjeuner la 2e, collations la 3e et dîner la 4e. Pendant les huit semaines qui restent, la personne au régime considère les suggestions proposées pour pouvoir manger au restaurant et pendant les fêtes; pour bien «aménager» sa cuisine; et pour s'autoévaluer, gérer son stress, faire de l'activité physique, accepter ses rechutes et persévérer.

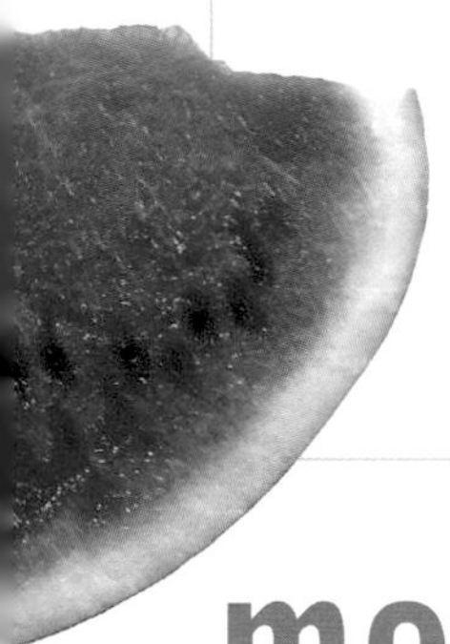

# menu type

Ce régime met l'accent sur un petit

|  | samedi | dimanche | lundi | mardi |
|---|---|---|---|---|
| **matin** | ½ tasse de fromage cottage faible en gras, mini bagel, quartiers de pamplemousse | ¼ tasse de céréales au son, 1 tasse de lait 1%, framboises | 2 tasses de céréales au blé soufflé, 1 tasse de lait 1%, 1 orange | Frittata aux légumes, pain au blé entier grillé, fraises |
| **midi** | Salade du chef, 4 bâtonnets de pain, melon miel | Sandwich au jambon, salade aux épinards et à l'orange avec vinaigrette pomme et miel, cantaloup | Sandwich au fromage, salade verte aux pacanes, vinaigrette au vinaigre de cidre, banane | Burger nature, salade César, pastèque |
| **soir** | Bœuf Stroganoff, haricots verts, tranches de tomates au vinaigre balsamique | Saumon grillé, mesclun avec cœurs de palmier, asperges grillées, petit pain | Pétoncles, pâtes cheveux d'ange, choux-fleurs et brocolis, salade verte | Poitrine de poulet, riz jaune, haricots noirs cubains, choux de Bruxelles |
| **collation** | Glace aux fruits | Bonbons Jelly Beans | Noix | Maïs soufflé au four à micro-ondes |

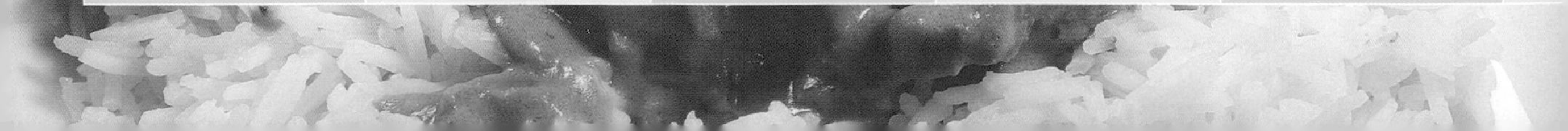

L'ouvrage propose des menus de 1300 calories – qui peuvent être modifiés à 1600 calories – se composant d'un repas le matin de 300 calories, d'un repas le midi de 350 calories, d'un repas le soir de 450 calories et de collations totalisant 200 calories.

Selon les recherches, un régime amaigrissant qui est axé sur le contrôle de la taille des portions et de l'apport calorique et qui recommande un certain degré d'activité physique constitue à long terme une stratégie efficace de gestion du poids. Le livre et le site Web (qui vous permettent d'adhérer au régime et d'avoir accès à de nombreux services, ainsi qu'à des recettes) sont populaires.

## Avantages et désavantages

Le régime intègre lentement les changements, ce qui peut aider les gens à apprendre à adopter des comportements plus sains. Il est toutefois faible en calcium, de sorte qu'il peut être préférable de consulter un diététiste pour obtenir un menu plus adéquat. Bien que ce régime ne vous oblige pas à compter les calories, vous devez surveiller la taille de vos portions pour vous assurer de ne pas dépasser l'apport calorique recommandé.

## Vous convient-il ?

Plutôt modéré, ce régime plaira aux personnes qui veulent perdre du poids en introduisant lentement des changements à leur mode de vie et en surveillant non seulement ce qu'elles mangent mais aussi d'autres facteurs qui influencent leur comportement alimentaire. Même si la proportion des calories provenant des protéines, des glucides et du gras est équilibrée et correspond aux valeurs recommandées, personne ne devrait entreprendre un régime amaigrissant sans d'abord consulter son médecin. Si vous souhaitez suivre le régime Change One mais avez besoin d'un apport calorique plus important que le

### Trucs santé

- Les boissons permises sont le café et le thé avec de la crème en poudre faible en calories et un succédané de sucre ; beaucoup d'eau (minérale, pétillante aromatisée ou non) ; les boissons gazeuses diète ; les jus de fruits (les fruits et l'eau sont préférables) ; et un verre de vin ou une bière par jour (100 calories).
- Les collations de noix ou de graines : 30 pistaches, une poignée de graines de citrouille, 10 arachides, de 16 à 20 amandes, 1 c. à soupe de beurre d'arachide.

menu proposé, consultez un diététiste ou un professionnel de la nutrition, qui saura vous guider.

## Disponibilité

Tous les aliments compris dans le régime Change One se vendent dans tous les commerces d'alimentation.

## Changements dans le mode de vie

Le régime met l'accent sur la nécessité d'acquérir les compétences voulues pour gérer certains problèmes liés à l'alimentation, comme les grignotines entre les repas, les sorties au restaurant, pour se doter d'une cuisine saine, pour gérer son stress et ses rechutes et faire de l'exercice physique une habitude de vie.

## changement par semaine.

| mercredi | jeudi | vendredi | **Ressources** |
|---|---|---|---|
| ½ tasse de céréales chaudes au blé concassé, 1 tasse de lait 1 %, 1 pomme | ½ bagel, fromage yogourt*, yogourt avec tranches de mangue | ¾ tasse de céréales au son de blé, 1 tasse de lait 1 %, 1 tangerine | www.changeone.com<br><br>www.everydiet.org/change_one.htm<br><br>*Change One,* Hastings, J., Reader's Digest, 2003. |
| Rouleau au chili végétarien, salade aux épinards avec vinaigrette faible en gras, bleuets | 1 tasse de soupe à l'orge, petit pain, feuilles de navet, 1 orange | Sandwich à la dinde, salade de betterave, tranches d'ananas | |
| Poulet grillé, laitue et tomate, petit pain de blé entier, salade de chou | Haricots noirs, riz, petites laitues mélangées, carottes vapeur | Crevettes grillées, orzo aux pois et raisins, ratatouille |  |
| Petit bretzel | Croustilles de maïs cuites au four | Brownie léger | |

\* Recette dans *Change One*, de J. Hastings.

RÉGIME À LONG TERME
● ● ●

SOUPLESSE
● ● ●

RÉGIME FACILE À
SUIVRE EN FAMILLE
● ● ●

COÛT
●

DONNÉES SCIENTIFIQUES
À L'APPUI
● ● ●

# RÉGIME DE LA FEMME FRANÇAISE

Cet anti-régime met l'accent sur un rapport équilibré entre ce que l'on mange et le plaisir qu'on en retire. Il préconise une stratégie de vie basée sur la qualité plutôt que la quantité : manger avec sa tête et non son estomac.

### Origine du régime
Ce régime tire son origine du livre de Mireille Guiliano, *Ces Françaises qui ne grossissent pas,* publié en 2005.

### Comment fonctionne-t-il ?
Défini comme un « véritable mode de vie », le régime de la femme française propose des stratégies de vie aux femmes qui souhaitent perdre jusqu'à une douzaine de kilos. L'ouvrage est basé sur l'expérience de l'auteur, une Française qui vit maintenant aux États-Unis.

Mme Guiliano traite des attitudes et comportements contrastants des Américaines et des Françaises à partir de ses observations et de sa propre expérience. Elle propose à toute personne qui suit son régime un plan en quatre étapes axé sur le « recasting » à court terme (environ trois mois), afin de l'aider à atteindre une sorte d'état mental zen français.

Au cours de la phase 1, il faut dresser un inventaire de ce que l'on mange, pour bien en prendre conscience. Ainsi, la personne au régime a l'occasion d'évaluer ses habitudes alimentaires et de déterminer d'où viennent ses excès. Elle peut cerner les circonstances ou les situations qui la portent à trop manger et voir quels sont les types d'aliments qu'elle doit éliminer ou consommer plus modérément. Si vous suivez ce régime, vous devrez réfléchir aux raisons pour lesquelles vous voulez perdre du poids et à la façon dont vos habitudes alimentaires et vos choix alimentaires vous empêchent d'atteindre cet objectif.

La phase 2 du processus de « recasting », qui peut prendre de un à trois mois, se veut un processus graduel de réorientation de la quantité vers la qualité. L'auteur conseille à ses lectrices de ne pas précipiter cette phase ;

**voir aussi**
régime You, on a Diet 40
régime Mayo 102

## Trucs santé
- Intégrez les bonnes habitudes alimentaires dans votre mode de vie. Mangez trois repas et faites une promenade tous les jours.
- Mangez du yogourt bioactif entièrement naturel. Vous pouvez le fabriquer vous-même ou vous le procurer dans le commerce – ajoutez-y simplement des fruits frais, du germe de blé et un peu de miel. Délicieux !

## Ressources
www.mireilleguiliano.com/
frenchwomen.htm

diets.aol.com/a-z/french_women_
diet_main

*Ces Françaises qui ne grossissent pas,* M. Guiliano, Lafon, 2005.

certaines femmes ont réellement besoin de trois mois pour passer à travers. Au cours de cette période, il est crucial d'intégrer une grande variété d'aliments dans son alimentation, tout en cultivant des attitudes et des comportements positifs, qui favorisent le succès. Par exemple, prenez plaisir à faire vos courses et à préparer vos repas ; apprenez à aimer boire de l'eau ; prenez le temps de savourer chaque plat ; mangez des portions raisonnables et évitez de vous tenter inutilement en gardant des aliments caloriques dépourvus de toute valeur nutritive ; privilégiez plutôt les collations santé.

Parmi les suggestions utiles proposées, il y a les façons de composer avec les tentations. Par exemple, il suffit de changer d'itinéraire pour éviter un facteur déclencheur, comme une épicerie fine. Ce régime vous apprend aussi à éviter la faim en la gérant efficacement, c'est-à-dire en vous permettant de petites collations satisfaisantes. Il ne faut jamais se priver, au contraire, mais planifier à l'occasion, par exemple pendant le week-end, un festin composé de ses aliments préférés.

Quand on mange au restaurant, le secret consiste à privilégier les plats peu copieux se composant d'ingrédients de qualité, accompagnés d'un verre de vin.

La phase 3 en est une de stabilisation, mais l'auteur ne précise pas en quoi elle est différente de la 2e. On peut recommencer à manger de tout, mais en quantités raisonnables.

À la phase 4, la personne au régime a atteint le poids qu'elle visait, et elle a intégré dans sa vie les nouvelles habitudes alimentaires qui conviennent à ses goûts et à son rythme métabolique.

Quelques recommandations utiles :

1. Évitez les deux extrêmes : vous affamer et vous gaver.
2. Évitez de laisser la nourriture et les régimes vous obséder.
3. Ne sautez pas de repas et ne vous privez pas de manger.
4. Mangez des noix comme collation ou ajoutez-en dans des plats.
5. Privilégiez les aliments naturels au lieu de substituts synthétiques et mangez-en modérément.
6. Mangez tous les jours trois repas contenant des glucides, des protéines et des matières grasses.
7. Ne remplacez pas de repas par des boissons frappées.
8. Mangez du yogourt à culture active.
9. Mangez sans excès et sans culpabilité.
10. Mangez avec modération du pain et du chocolat de grande qualité.
11. Mangez des fruits et des légumes de saison. Mangez-les frais, lorsqu'ils sont le plus savoureux.
12. Variez les assaisonnements ; utilisez des fines herbes et des épices fraîches ou séchées.
13. Mangez de petites portions se composant d'aliments de grande qualité.
14. Si vous trichez, empressez-vous de revenir sur la bonne voie.
15. Intégrez l'activité physique dans votre vie quotidienne, en commençant par une activité peu exigeante, comme la marche, que vous remplacerez progressivement par de l'exercice plus rigoureux (toujours prendre les escaliers au lieu de l'ascenseur). Utilisez des poids pour augmenter la force musculaire.
16. Planifiez vos repas à l'avance.
17. Savourez chaque bouchée, mangez lentement, détendez-vous et prenez le temps d'apprécier le moment – s'alimenter n'est pas une activité « multitâches ».
18. Prenez du plaisir à manger et mettez l'accent sur les « bons » aliments plutôt que sur les « mauvais ».

Bien que ces recommandations ne soient pas l'apanage du régime de la femme française, force est de constater que les approches comportementales, incluant le contrôle des portions, l'exercice physique régulier et la maîtrise de soi, peuvent constituer des méthodes efficaces de gestion du poids à long terme.

## Avantages et désavantages

Le régime de la femme française met l'accent sur l'adoption d'une attitude intelligente envers l'alimentation et le contrôle des portions, en vue de changements lents mais permanents. Il comporte toutefois plusieurs lacunes : basé principalement sur l'attitude et les changements comportementaux, il manque de structure et ne propose pas de restrictions alimentaires ou de menus à suivre.

## Vous convient-il ?

Ce régime plaira aux personnes qui n'aiment pas les régimes structurés, préférant une approche basée sur le style de vie et les valeurs. Les personnes qui ont besoin qu'on leur dise ce qu'il faut manger, quand, où et comment auront de la difficulté à suivre ce régime.

## Disponibilité

Pratiquement tous les aliments compris dans ce régime se vendent dans tous les commerces d'alimentation.

## Changements dans le mode de vie

Bien que l'exercice ne fasse pas vraiment partie de ce régime, il est conseillé de faire une promenade ou une autre forme d'exercice tous les jours, dans la bonne tradition française.

Ce régime préconise le « syndrome de la fermeture à glissière » comme mécanisme de contrôle. Au lieu d'être obsédé par votre poids, servez-vous de vos vêtements pour guider vos choix d'aliments, vos portions et votre degré d'activité. À vous de juger s'ils sont confortables, ou trop serrés, et d'agir en conséquence.

**RÉGIME À LONG TERME**
●●

**SOUPLESSE**
●●●

**RÉGIME FACILE À SUIVRE EN FAMILLE**
●●

**COÛT**
●●

**DONNÉES SCIENTIFIQUES À L'APPUI**
●

# RÉGIME SCENTSATIONAL

Ce régime unique en son genre fait appel à l'odeur des aliments pour supprimer l'appétit, augmenter la satiété et contrôler les fringales.

### Origine du régime
En 1996, le D<sup>r</sup> Alan R. Hirsch, neurologue et psychiatre au Cleveland Clinic Center, en Ohio, a observé que les gens qui perdent temporairement l'odorat (souvent en raison de médicaments) mangeaient davantage et prenaient du poids. Quand ils recouvraient l'odorat, cependant, ils se remettaient à perdre du poids. Cette surprenante découverte est devenue la base du régime Scentsational.

### Comment fonctionne-t-il?
Le régime se base sur la dichotomie psychologique et physiologique qui veut que «quand on a senti un aliment, c'est comme de l'avoir mangé». Lorsque les odeurs pénètrent dans les narines pendant l'inhalation, leur senteur se multiplie par 1000 fois, ce qui pousse le cerveau à émettre des signaux neurologiques de satiété, qui envoient au corps le message qu'il a assez mangé et qu'il est repu.

Apparemment, plus l'organisme a un contact intime avec une odeur, plus la sensation de satiété est rapide. Les odeurs des aliments chauds se propagent plus vite et entraînent plus rapidement l'état de satiété. Toutefois, il existe peu de données scientifiques corroborant le rôle de l'odeur des aliments dans la perte de poids. Une entreprise du nom de NutriSystem tente

**voir aussi**
**régime NutriSystem** 74

# menu type
Tenez-vous loin des buffets et des bars à salade

| | samedi | dimanche | lundi | mardi |
|---|---|---|---|---|
| **matin** | Pamplemousse, hoummos avec pain pita, lait écrémé | Thé vert chaud, bagel avec fromage à la crème aux framboises | Chocolat chaud, flocons de blé avec lait écrémé, fraises | Jus d'orange, céréales de riz chaudes, œufs brouillés |
| **midi** | Bifteck au poivre avec linguinis, courge vapeur et tranches de pomme | Sandwich à la dinde avec laitue et tomate, raisins blancs, café chaud | Riz blanc avec haricots rouges, haricots verts vapeur, jus d'orange | Sandwich à la salade de thon sur pain de blé entier, courgettes vapeur, jus de canneberge |
| **soir** | Pomme de terre cuite au four avec beurre à l'ail et viande hachée, jus de bleuets | Soupe au brocoli et fromage, chapelure, tranches de mangue | Jambon cuit au four, purée et pommes de terre et bâtonnets de carottes, raisin rouge | Burrito à la viande, salade verte, lait écrémé |
| **collation** | Kiwi | Crème glacée à la menthe poivrée | Jus de canneberge, beurre d'arachide, craquelins salés | Bâtonnets de céleri et de carottes |

présentement de mettre ce principe à profit pour fabriquer de l'eau fortement aromatisée pour favoriser la perte de poids.

## Avantages et désavantages

Facile à suivre et imprégné de bonnes odeurs, le régime Scentsational préconise de l'exercice régulier pour accélérer la perte de poids. Ce régime a pour désavantage d'obliger ses adeptes à s'en remettre à des inhalateurs qui libèrent l'odeur de certains aliments – par exemple, des odeurs naturelles sucrées de pomme verte, de banane et menthe poivrée – comme coupe-faim. Il existe toute une gamme d'odeurs pour prévenir la monotonie.

Si vous suivez ce régime, on vous suggère d'éviter les buffets et les bars à salade, car la multiplicité des odeurs qui s'en dégagent vous empêchera de vous concentrer sur une odeur à la fois pour atteindre la satiété. Vous devrez aussi réduire votre consommation de la plupart des produits laitiers (incluant le lait), car leur odeur fade ne stimule pas suffisamment le centre de satiété du cerveau.

## Vous convient-il ?

Les adultes qui veulent perdre peu de poids (entre 2,5 et 7 kilos) pourraient ne pas apprécier ce régime, mais il est carrément contre-indiqué pour les personnes qui souffrent d'allergies, de problèmes de sinus, d'asthme et de congestion nasale récurrente.

## Disponibilité

La plupart des aliments compris dans ce régime se vendent dans tous les commerces d'alimentation, mais on

Hoummos et pain pita

recommande les aliments à l'odeur naturellement sucrée. Pour contrôler vos fringales, choisissez de préférence des aliments chauds et odorants (soupes, café, chocolat et thés) et des plats épicés.

## Changements dans le mode de vie

Habituez-vous à humer des odeurs neutres sucrées (comme la pomme verte, la banane et la menthe poivrée) avant de manger, à manger lentement en mastiquant bien vos aliments et à privilégier les plats chauds et épicés. Évitez les bars à salade et les produits laitiers.

## et restreignez la consommation de produits laitiers.

| mercredi | jeudi | vendredi |
|---|---|---|
| Cidre de pomme chaud, céréales soufflées au chocolat, œuf cuit | Banane, gruau avec lait écrémé, œuf cuit | Muffin aux pommes vertes avec cannelle, café avec crème à café en poudre et succédané de sucre |
| Chili avec craquelins, bâtonnets de céleri, salade de fruits frais avec fromage à la crème | Salade de poulet épicé, jus de grenade | Soupe minestrone, saumon au four et pommes de terre bouillies, tranches de melon miel |
| Poitrine de poulet grillée, riz sauvage et haricots, épinards frais, jus d'orange | Soupe au chou, bifteck de surlonge avec sauce aux champignons, jus de tomate | Spaghettis au blé entier à la sauce bolognaise, légumes vapeur, lait écrémé |
| Biscuits Graham, jus de raisin | Biscuits aux brisures de chocolat noir, jus de pomme verte | Quartiers d'orange |

**Note : Ce régime ne contient pas de menu spécifique.**

### Ressources

www.scentsationalhealth.com

www.ScentSationalTechnologies.com

*Scentsational Weight Loss: At Last a New Easy Natural Way to Control Your Appetite,* Alan R. Hirsch, Element Books, 1997.

Offrez-vous quelques bonbons à la menthe poivrée.

RÉGIME À LONG TERME
●●●

SOUPLESSE
●●

RÉGIME FACILE À
SUIVRE EN FAMILLE
●●●

COÛT
●

DONNÉES SCIENTIFIQUES
À L'APPUI
●●●

# RÉGIME SUPERMARKET (DU SUPERMARCHÉ)

Ce guide alimentaire équilibré, qui met l'accent sur les aliments nutritifs en vente dans les supermarchés, comprend trois catégories de menus : le menu à 1200 calories (camp d'entraînement), à 1500 calories (continuez sur la bonne voie) et à 1800 calories (maintenez votre poids santé).

### Origine du régime

Appuyé par un magazine mensuel pour femmes très populaire aux États-Unis, le régime du supermarché de *Good Housekeeping* a récemment été repris dans un livre écrit par un diététiste. Fondé sur des données scientifiques liées à la nutrition et la sélection des aliments, il s'agit d'un régime relativement nouveau, et donc peu connu, qui devrait gagner en popularité.

### Comment fonctionne-t-il ?

Le régime combine un apport réduit en calories avec une augmentation de la dépense en énergie par de l'exercice régulier. Vous trouverez dans le livre qui fait l'objet de ce régime de l'information détaillée pour vous aider à suivre le régime, y compris des trucs pour faire vos courses, bien lire les étiquettes et choisir vos aliments judicieusement. Les aliments interdits sont les aliments riches en gras et en sucre, les « calories vides » et les boissons sucrées artificiellement. Les « gâteries » recommandées sont les fruits et légumes faibles en calories mais riches en fibres.

Le programme étape par étape est conçu pour amener la personne qui le suit à modifier son alimentation et ses habitudes alimentaires et à adopter un mode de vie qui favorise la perte de poids. Pour suivre le régime du

**voir aussi**
pyramide diététique méditerranéenne 160
régime MyPyramid 162

# menu type

Ce programme étape par étape est conçu pour amener

| | samedi | dimanche | lundi | mardi |
|---|---|---|---|---|
| **matin** | Céréales chaudes, lait, fruits, noix, café ou thé | Gaufres aux fruits, lait, boisson | Boisson frappée (*smoothie*) aux fraises, pain grillé, café | Muffin au son, fruits, lait, café ou thé |
| **midi** | Soupe aux tomates, cannelloni au thon, salade de haricots, boisson | Soupe aux champignons, salade Waldorf à la dinde, boisson | Pomme de terre au four et chili, salade, fruit, thé | Repas de cafétéria, bar à salade, fruit, boisson |
| **soir** | Flétan grillé, pomme de terre au four, légumes, salade de mesclun, yogourt, boisson | Filet mignon, tomates grillées, purée de pommes de terre, pois mange-tout, salade d'épinards aux fraises | Burger sur pain, pommes de terre bouillies, carottes, haricots verts, salade verte, boisson | Poulet rôti, riz brun, sauté de courgettes, oignon et champignons, salade d'épinards aux noix ou aux fruits |
| **collation 1** | Lait au chocolat faible en gras, biscuit | Craquelins au blé entier et saumon fumé | Yogourt nature, pomme | Yogourt glacé faible en gras |
| **collation 2** | Noix mélangées salées | Maïs soufflé sans gras, yogourt | Noix mélangées | Fruits et noix |

supermarché, il faut renoncer aux aliments et aux habitudes de vie qui conduisent à l'embonpoint.

Les deux premières semaines du programme à 1200 calories « survoltent » la perte de poids, mais sans exagérer. Pendant la 2e et la 3e étape de ce régime peu calorique, riche en fibres et faible en glucides et en matières grasses, vous devrez vous attacher à adopter des habitudes alimentaires responsables et à vous adonner à des activités physiques qui conviennent à votre sexe et à votre poids pour atteindre votre objectif, tout en combattant la faim. Le régime propose divers menus faciles à préparer, ainsi que des suggestions de repas en famille, et des trucs utiles pour faire les courses.

### Avantages et désavantages

Le régime du supermarché est une approche scientifique pratique et sans chichi qui propose des lignes directrices sensées. Ce n'est pas une mode passagère. Les listes d'aliments de substitution proposées pour réguler la taille des portions et le nombre de calories s'accompagnent de menus variés et équilibrés qui se préparent rapidement (5 à

Légumes sautés avec riz brun et petites quantités d'huile monoinsaturée, comme de l'huile d'arachide.

20 minutes). Ce régime est la preuve qu'il est possible de remplir le garde-manger d'aliments sains pour préparer des repas que toute la famille appréciera. Cependant, vous devrez faire preuve de patience et de persévérance, car les résultats ne sont pas immédiats.

### Vous convient-il ?

Le régime Supermarket plaira aux personnes qui sont à la recherche d'une alimentation équilibrée qui leur permette de maintenir un poids santé. Les enfants peuvent suivre ce régime, tant que les repas et les portions sont adaptés à leur âge.

### Disponibilité

Tous les aliments compris dans ce régime se vendent dans tous les commerces d'alimentation. Les suggestions de repas sont d'un coût abordable et la plupart sont faits maison.

### Changements dans le mode de vie

Le régime met l'accent sur la pratique régulière de l'exercice et l'adoption de nouveaux comportements plus sains.

### Aliments interdits

- Croustilles et collations frites
- Trempettes grasses
- Beignets
- Biscuits et craquelins
- Boissons sucrées
- Miel, gelées et jello
- Gâteaux à la crème ou avec glaçage au beurre
- Crème glacée
- Toutes les sortes de bonbons

### Aliments à consommer à volonté

- Aliments et boissons très faibles en calories ou sans calories

## la personne au régime à se convertir à une nouvelle alimentation et à un nouveau mode de vie.

| mercredi | jeudi | vendredi |
|---|---|---|
| Boisson frappée (*smoothie*) aux pêches, pain grillé, café ou thé | Céréales froides, lait, fruits, café ou thé | Œufs, pain grillé, lait, fruits, café ou thé |
| Soupe aux lentilles, salade d'épinards avec fruit, pain grillé, café | Sandwich au fromage grillé, salade de poulet, boisson | Soupe aux légumes, salade de pois chiches, pain grillé, boisson |
| Bifteck grillé (glacé à l'orange), patate douce, asperges, choux-fleurs, salade César, boisson | Saumon grillé (glacé au miel et limette), pain à l'ail, brocolis, haricots verts, salade printanière avec noix | Poulet au couscous et épinards, taboulé, hoummos et pains pita rôtis, boisson |
| Yogourt aux fruits, biscuit | Craquelins au blé entier, fromage à la crème | Pomme, fromage Cheddar |
| Bretzel, lait | Yogourt aromatisé sans gras | Yogourt glacé, craquelins |

### Ressources

www.msnbc.msn.com/id/16694314

*Good Housekeeping Book, The Supermarket Diet.* J. Jibrin, Hearst/ Sterling Publishing, 2007.

**Remarque :** Le nombre de calories varie selon l'étape du régime. Les menus des trois étapes du régime sont fournis à titre d'exemples. * *The Supermarket Diet,* Jibrin, J.

RÉGIME À LONG TERME

SOUPLESSE

RÉGIME FACILE À
SUIVRE EN FAMILLE

●

COÛT

●●

DONNÉES SCIENTIFIQUES
À L'APPUI

●●

# RÉGIME DAVID KIRSCH
## (NEW YORK ULTIMATE)

D'une durée de huit semaines, ce régime amaigrissant en trois étapes est axé sur l'alimentation, l'exercice et la réflexion, et met l'accent sur l'enseignement de résultats qui peuvent être maintenus à vie.

### Origine du régime

Ce régime a été mis au point par David Kirsch, l'auteur de *The Ultimate New York Body Plan* (2004) et le fondateur et propriétaire du Madison Square Club, un centre de conditionnement physique de New York qui se spécialise dans l'entraînement personnel.

### Comment fonctionne-t-il?

Sur le plan nutritif, ce régime en trois étapes se range parmi les approches faibles en glucides et riches en protéines. La première étape, la plus stricte, interdit des aliments figurant sur six listes, A, B, C, D, E et F, mais permet certaines boissons protéinées. Les pains et autres féculents, les produits laitiers, les aliments sucrés, les fruits, la plupart des gras et l'alcool sont exclus. Il faut compter deux semaines (ou plus) avant d'obtenir la perte de poids escomptée. La première étape, véritable coup de fouet à l'organisme pour déclencher la perte de poids, consiste en un régime strict combiné à une période d'exercice de 45 à 90 minutes par jour, dont

voir aussi
régime You, on a Diet, 40
régime Miami (South Beach), 64

# menu type

Voici un exemple de menu de la 1ʳᵉ phase,

| | samedi | dimanche | lundi | mardi |
|---|---|---|---|---|
| **matin** | Boisson David's Protein Meal Replacement Shake* | Boisson David's Protein Meal Replacement Shake* | Boisson David's Protein Meal Replacement Shake* | Boisson David's Protein Meal Replacement Shake* |
| **midi** | Dinde rôtie, choux de Bruxelles, légumes verts mélangées | Poitrine de poulet avec salsa mexicaine, épinards vapeur, légumes verts mélangés | Poitrine de poulet, épinards vapeur, légumes verts mélangés | Pain de viande à la dinde, brocolis vapeur, légumes verts mélangés |
| **soir** | Boisson David's Protein Meal Replacement Shake* | Flétan grillé, épinards vapeur, salade verte | Chili à la dinde, purée de choux-fleurs, salade verte | Boisson David's Protein Meal Replacement Shake* |
| **collation 1** | Burger au saumon | Blanc d'œuf brouillé à la dinde | 10 amandes crues | Blancs d'œuf cuits durs |
| **collation 2** | Burger à la dinde | 10 amandes crues | Thon pâle en morceaux | 10 amandes crues |

certaines activités avec un ballon ou des poids. Cette période d'exercice peut être découpée en séances plus courtes de dix minutes, par exemple. À la deuxième étape, une portion de glucides par jour peut être incluse dans la collation du matin ou le repas du midi. La troisième étape comprend quatre semaines de menus types, qui représentent une alimentation à adopter pour la vie. Les deux premières étapes sont, en fait, des régimes faibles en calories et en glucides. La troisième étape propose des menus mais inclut certains repas où on peut «tricher» et boire un verre de vin. Sans ces repas, la troisième étape aussi serait un régime hypocalorique; la consommation totale dépend de l'apport en calories de ces repas «délinquants».

## Avantages et désavantages

Ce régime constitue une approche hautement structurée à l'égard de l'alimentation, de la perte de poids et de l'exercice. Il s'attarde sur les composantes de la perte de poids et du maintien d'un poids santé, ce qui fait souvent défaut aux autres régimes. Toutefois, certaines personnes pourraient avoir de la difficulté à suivre ce régime strict faible en glucides et en calories, dont le volet exercice exige en plus une bonne forme physique. La

### Pensez-y bien...

Aliments interdits pendant la 1re étape :

A = alcool

B = boulangerie

C = café et glucides

D = produits laitiers

E = collations sucrées

F = fruits et la plupart des gras

Collations approuvées pendant la 1re étape :

Thon pâle en morceaux

Saumon sauvage en conserve

Blancs d'œuf cuits durs

Blancs d'œuf brouillés

Amandes crues

prolongation indue de la première étape peut finir par entraîner des carences en calcium, en vitamine A et en vitamine C et réduire dangereusement les taux d'autres vitamines et minéraux.

## Vous convient-il?

Ce régime plaira aux personnes qui aiment les repas faibles en glucides et qui apprécient un régime structuré basé sur une saine alimentation et de l'exercice pour perdre du poids et ne pas le reprendre. Les personnes qui doivent restreindre leurs activités physiques pour des raisons de santé ou qui souffrent de maladies particulières devraient consulter leur médecin avant d'entreprendre ce régime.

## Disponibilité

Tous les aliments compris dans ce régime se vendent dans tous les commerces d'alimentation, mais certains produits à base de dinde peuvent être plus difficiles à trouver. On peut se procurer la poudre de lactosérum utilisée dans la fabrication des boissons protéinées dans des commerces spécialisés.

## Changements dans le mode de vie

La stratégie du présent régime comprend de l'activité physique.

Poulet asiatique au piment.

qui comprend des substituts de repas liquides.

| mercredi | jeudi | vendredi |
|---|---|---|
| Blancs d'œuf et champignons shiitake | Boisson David's Protein Meal Replacement Shake* | Blancs d'œuf, dinde hachée et tomates |
| Saumon grillé, asperges vapeur, légumes verts mélangés | Boisson David's Protein Meal Replacement Shake* | Pain de viande à la dinde, caponata, légumes verts mélangés |
| Salade de dinde, choux-fleurs vapeur, légumes verts mélangés, tomates | Boisson David's Protein Meal Replacement Shake* | Poulet asiatique au piment, pak-choï, salade verte |
| Saumon grillé | Burger à la dinde | 10 amandes crues |
| Blancs d'œuf brouillés | 10 amandes crues | Blancs d'œuf brouillés |

## Ressources

http://davidkirsch.com

www.weightlossresources.co.uk/diet/reviews/new_york_body_plan.htm

*The Ultimate New York Diet*, David Kirsch, McGraw Hill, 2006.

* La recette de la boisson protéinée de David Kirsch et les recettes de plats semblables à ceux qui figurent dans le menu se trouvent dans le livre de David Kirsch, *The Ultimate New York Diet*.

RÉGIME À LONG TERME

SOUPLESSE

RÉGIME FACILE À
SUIVRE EN FAMILLE

COÛT

DONNÉES SCIENTIFIQUES
À L'APPUI

●●

# RÉGIME YOU, ON A DIET

Un régime alimentaire et un mode de vie qui met l'accent sur les changements du «tour de taille et non du poids».

### Origine du régime

Ce régime a été mis au point par les Drs Michael F. Roizen et Mehmet C. Oz, auteurs de *You, the Owner's Manual* (2005), *You, on a Diet* (2006) et *You, The Smart Patient* (2006). Les deux premiers ouvrages visent à aider le lecteur à mieux comprendre le corps humain.

### Comment fonctionne-t-il?

Le régime inclut trois repas complets et des aliments riches en fibres pour combattre les fringales. Pendant la première phase du régime, la phase de «réinitialisation», d'une durée de deux semaines, il faut toujours manger les mêmes types d'aliments (par exemple, des céréales de grains entiers pour le petit-déjeuner). Ces aliments incluent les grains entiers, les noix, les fruits, les légumes, les viandes maigres (on peut, si on veut, substituer du poulet au bœuf) et le poisson. Le régime recommande 150 ml de sauce tomate par semaine ainsi qu'un supplément quotidien de multivitamines.

Ce livre explique comment notre corps entrepose et brûle le gras et pourquoi notre tour de taille en dit plus long sur notre état de santé que le nombre de kilos que nous faisons. Il propose un programme d'activité physique que chacun peut adapter à ses besoins. Le régime insiste sur l'importance de faire de l'exercice tous les jours, y compris de la marche, des étirements et des séances de musculation trois fois par semaine.

Les auteurs de ce régime mettent l'accent sur l'importance de consommer régulièrement des aliments sains en quantité contrôlée et suggèrent des stratégies comportementales pour affronter diverses situations, comme la faim, les rechutes et les sorties au restaurant ou autres occasions de commettre de petits écarts. Vous

voir aussi
**régime Low-Carb** 62
**régime Sonoma** 104

## menu type La répétition de la première semaine

|  | samedi | dimanche | lundi | mardi |
|---|---|---|---|---|
| matin | Céréales de grains entiers riches en fibres, ½ tasse de lait de soja additionné de calcium, fruit | Boisson frappée (*smoothie*) ananas et banane avec poudre de soja | Gruau, ½ tasse de lait écrémé, fruit | Omelette à trois blancs d'œuf, légumes mélangés |
| midi | Salade César, poulet grillé, vinaigrette faible en calories | Soupe aux tomates et aux lentilles, bâtonnets de céleri et de carottes | Salade repas, 120 g de poisson | Soupe aux légumes mélangés, salade de romaine et tomate |
| soir | Poisson grillé, légumes vapeur, jus de tomate | Salade romaine, lanières de poulet grillé | Chili au tofu et haricots en sauce tomate, riz brun, panaché à l'orange* | Pizza végétarienne au blé entier, jus de pamplemousse* |
| collation 1 | 2 kiwis | 1 orange | Yogourt faible en gras aux petits fruits frais | Pomme à la cannelle cuite au four |
| collation 2 | Poire, yogourt faible en gras | Maïs soufflé nature, eau pétillante | Maïs soufflé nature, eau pétillante | 30 g d'amandes crues |

Pomme à la cannelle cuite au four, un dessert facile à faire.

## gâteries

AU CHOIX :

- Soupe You (dans le livre)
- Légumes
- Edamame (haricots de soja frais)
- Pain pita au blé entier rôti
- Pomme cuite au four
- Yogourt faible en gras
- Gomme à mâcher sans sucre
- Amandes

y trouverez aussi un menu d'une semaine et une liste des denrées de base.

### Avantages et désavantages

Ce régime à court terme comprend un plan d'une semaine que vous concoctez vous-même à partir d'une variété d'options. Vous répétez ensuite ce régime pour une deuxième semaine. Même s'il est court, il est absolument indispensable de le refaire une deuxième fois.

### Vous convient-il ?

Ce régime plaira aux gens qui s'intéressent au fonctionnement de leur corps, aux liens entre le tour de taille et la gestion du poids et, enfin, aux mesures à prendre pour conserver un poids santé. Les personnes qui doivent éviter certaines activités physiques pour des raisons de santé devraient consulter un médecin avant d'entreprendre ce régime.

### Disponibilité

Tous les aliments compris dans ce régime sont vendus dans tous les commerces d'alimentation.

### Changements dans le mode de vie

L'activité physique quotidienne fait partie intégrante de ce régime, qui repose aussi sur diverses techniques de gestion du comportement.

**Pensez-y bien...**
- Si vous faites une rechute, n'abandonnez pas. Concentrez-vous sur vos objectifs et remettez-vous en selle !

## simplifie la planification des menus.

| mercredi | jeudi | vendredi |
| --- | --- | --- |
| Céréales de grains entiers riches en fibres, ½ tasse de lait écrémé ou de lait de soja fortifié, Fruit | Gruau, ½ tasse de lait écrémé, fruit | 2 œufs brouillés, saucisse de dinde |
| Salade repas, 120 g de poulet grillé | Burger végétarien sur pain de blé entier, salade d'épinards | Salade repas, 120 g de dinde grillée |
| Poulet rôti, tomates à l'étuvée, eau pétillante | Saumon grillé au gingembre, riz brun, eau pétillante | Pâtes à la primavera, panaché au jus de raisin |
| 1 prune | Maïs soufflé nature, eau pétillante | Boisson frappée (*smoothie*) au yogourt faible en gras avec fraises |
| Yogourt faible en gras avec petits fruits frais | Pomme cuite au four | ½ tasse de céréales de grains entiers et raisins |

### Ressources

www.realage.com/doctorCenter/YouOnADiet

*You, On a Diet*, M. F. Roizen et M. C. Oz, Simon & Schuster, 2005.

\* Choisir des jus additionnés de calcium.

# RÉGIME ATKINS

Bien que la popularité de ce classique des régimes faibles en glucides et riches en matières grasses et en protéines ait beaucoup fluctué au fil des ans, le régime Atkins continue d'influencer une gamme de régimes semblables.

RÉGIME À LONG TERME

SOUPLESSE
●●●

RÉGIME FACILE À
SUIVRE EN FAMILLE

COÛT
●●●

DONNÉES SCIENTIFIQUES
À L'APPUI

### Origine du régime

On peut retracer jusqu'au XIXe siècle l'origine des régimes faibles en glucides ou sans glucides visant une perte de poids rapide, mais elle pourrait remonter encore plus loin.

Le régime Atkins a connu une grande popularité dans les années 1960 lorsque des patients cliniquement obèses ont été admis en clinique pour un traitement médical. Les médecins ont tenté de réduire le poids de ces malades en éliminant temporairement les glucides de leur alimentation pour traiter des maladies connexes.

Publié dans les années 1990, *Dr Atkins, New Diet Revolution* a connu un succès instantané et toutes sortes d'articles (certains favorables, d'autres moins) ont commencé à circuler dans les médias. Le nouveau régime Atkins fait la promotion de cinq « règles » différentes en matière de nutrition : consommation élevée de protéines ; consommation élevée de fibres ; consommation élevée de vitamines et de minéraux ; élimination des gras trans ; et consommation de petites quantités de sucre. Bien que l'exercice physique soit encouragé, l'accent est mis sur une alimentation riche en protéines et faible en glucides.

Avant que des données scientifiques ne viennent étayer ce régime, l'enthousiasme du public combiné à d'astucieuses stratégies de marketing

**voir aussi**
régime Miami (South Beach) 64

# menu type

Les menus se composent d'une variété de viande et

|  | samedi | dimanche | lundi | mardi |
|---|---|---|---|---|
| **matin** | Jus de courgette, poivron et abricot, œufs au four et pancetta, café ou thé | Jus de cerise et pomme, frittata au bacon et asperges, thé ou café | Jus de légumes mélangés, œuf ou bacon, fromage, café ou thé | Jus de tomate, carotte et poivron, jambon, tomate, champignons sautés, thé ou café |
| **collation** | Trempette aux épinards à la turque, légumes | Roulés au canard de Pékin | Brocolis et choux-fleurs avec fromage à la crème | Céleri, beurre d'arachide |
| **midi** | Beignets de poisson aux fines herbes, légumes méditerranéens grillés | Salade de porc et de pêches, aubergine sautée, tofu | Rôti de bœuf, haricots verts, carottes, salade verte | Côtelette de veau, salade grecque, courge butternut grillée, haricots verts |
| **collation** | Cornets au saumon fumé | Omelette Denver | Fromage | Fromage cottage et pêches |
| **soir** | Côtelettes de porc grillées, salade de petites betteraves, feuilles de laitue | Brochettes de dinde grillée, salade d'endive et de pamplemousse | Poisson frit, frittata aux courges, courgettes et poivron rouge, salade César | Mérou grillé, frittata au bacon et aux asperges, salade verte |

et une couverture médiatique agressive avait déjà catapulté ce régime sous les projecteurs et scellé sa popularité. Aujourd'hui, la société Atkins Corporation fait la promotion non seulement du régime Atkins, mais aussi d'une gamme de produits de marque, dont des aliments et des suppléments à utiliser pendant le régime. Il existe divers sites Web et clubs auxquels les consommateurs peuvent adhérer pour recevoir des bulletins d'information, télécharger des recettes, participer à des groupes de discussion et même suivre des cours sur le régime.

Au fil des ans, de nombreux régimes faibles en glucides ont été commercialisés sous toutes sortes de noms. Le D<sup>r</sup> Robert C. Atkins, le plus célèbre de ces défenseurs, a publié *The Atkins No Carbohydrate Diet* en 1972. À l'origine, le régime était extrêmement strict et a été subséquemment modifié pour y inclure fruits et légumes. Après une chute de popularité et quelques modifications de plus, le régime Atkins a retrouvé la faveur du public, mais il demeure toujours controversé.

Le régime Miami (ou South Beach) est une variante du régime faible en glucides qui connaît une certaine popularité. Il propose une alimentation à base de fruits, de légumes et de quantités modérées de grains, et inclut des phases de transition. Un grand nombre de personnes en surpoids ou obèses ont recours à des régimes faibles en glucides pour perdre rapidement du poids. Au début, la perte de poids est principalement attribuable à la perte d'eau, mais elle est souvent très motivante.

Aujourd'hui, « Atkins » ou « faible en glucides » s'emploient indifféremment pour signifier la restriction des glucides et un apport élevé en protéines (et en matières grasses) provenant de la viande, du poisson et d'autres sources. Ce régime a connu une grande popularité auprès du public en grande partie à cause des protéines et du gras qu'il permet, car les gens se sentent repus plus longtemps qu'avec d'autres régimes.

de poisson servis avec des légumes pour contrôler la consommation de glucides.

| mercredi | jeudi | vendredi |
|---|---|---|
| Jus de tomate et épinards, omelette au saumon fumé, café ou thé | Jus de concombre, céleri et pomme, œufs et tomates sur tortilla au maïs, café ou thé | Jus de carotte, œufs brouillés avec fenouil et saumon fumé, thé ou café |
| Tomates et fromage mozzarella | Salsa au céleri et à la tomate, bâtonnets de fromage | Carottes, brocolis et choux-fleurs, trempette au fromage |
| Bifteck aux légumes grillés et à la ricotta, feuilles de laitue | Pesto aux légumes mélangés, salade César au thon avec noix | Soupe au bœuf et au maïs, salade Reuben, noix mélangées |
| Tortilla au maïs, fromage | Olives aux fines herbes, haricots blancs et trempette aux anchois | Brochettes de poulet à la japonaise |
| Poulet grillé à la sauce aigre-douce, légumes mélangés, salade | Rôti d'agneau au romarin, courge butternut rôtie, frittata au bacon et feta | Poulet de Cornouailles braisé, choux de Bruxelles, purée d'épinards |

### Ressources

www.atkins.com

www.atkinsexposed.org/atkins

*D<sup>r</sup> Atkins' New Diet Revolution*, R. Atkins, HarperCollins, 2002.

## Comment fonctionne-t-il?

Le régime Atkins recommande une consommation restreinte de glucides pendant les deux premières semaines, soit pendant la phase d'attaque. Ensuite, on réintroduit graduellement une petite quantité de glucides. Pendant la phase de stabilisation, on peut consommer de faibles quantités de glucides pour contrôler la libération de l'insuline.

La consommation de quantités très restreintes de glucides déclenche un état de jeûne dans l'organisme, car le cerveau, le système nerveux et le sang dépendent tous du glucose obtenu des glucides pour fonctionner de manière optimale.

Lorsque l'alimentation ne fournit pas la quantité minimale requise, le corps dégrade les protéines des muscles et ses réserves en gras pour obtenir de l'énergie. Les protéines ou les gras excédentaires sont dégradés en cétones – des substances toxiques qui, une fois libérées dans la circulation sanguine, doivent être purgées par les reins. Cela peut entraîner de la déshydratation, car l'élimination de ces substances nocives retire beaucoup d'eau des tissus du corps.

La perte de poids que produit le régime Atkins est surtout attribuable à la perte d'eau par les reins, combinée à la combustion de gras. Pour aider à minimiser la perte d'eau et à éliminer les cétones, il est fortement recommandé de boire de grandes quantités d'eau.

Une étude à long terme sur le régime Atkins montre que la perte de poids survient principalement au début du régime, mais qu'un an plus tard les résultats ne diffèrent pas beaucoup entre un régime faible en matières grasses et un régime faible en glucides.

Si vous suivez le régime Atkins ou un régime semblable, gardez à l'esprit que les régimes faibles en glucides ne sont indiqués que pour une courte période. Les personnes souffrant d'obésité extrême devraient consulter un médecin ou un nutritionniste avant d'entreprendre un tel régime. Une surveillance médicale est importante pour contrôler la déshydratation et la cétose.

Les régimes faibles en glucides ne sont habituellement recommandés que pour trois à quatre semaines car, suivis plus longtemps, ils peuvent causer des effets secondaires graves.

## Avantages et désavantages

La corporation Atkins fait la promotion de toute une gamme de produits complémentaires qui ne sont toutefois pas nécessaires pour obtenir les résultats espérés. Le régime Atkins entraîne une perte de poids initiale rapide et peut être efficace pour donner le coup d'envoi!

Des études à court terme visant à évaluer les progrès de personnes suivant le régime Atkins font état de taux de satiété élevés, d'une amélioration temporaire des taux de lipides ou d'une stabilisation de la glycémie, de la perte d'une certaine quantité de gras corporel et de la conservation des protéines de l'organisme.

**Pensez-y bien...**

• En l'absence de glucides alimentaires, votre organisme dégradera des protéines et du gras pour obtenir l'énergie dont il a besoin, ce qui entraîne la production de substances acides appelées cétones.

Il n'existe pas d'études d'une durée de plus d'un an. Les données à long terme sont difficiles à obtenir et il n'y a pas d'information sur les conséquences prolongées du régime, car les sujets arrivent rarement à le suivre sur une longue période.

Avant d'entreprendre le régime Atkins, prenez soin de bien réfléchir aux conséquences possibles qui y sont associées :

- La déshydratation : lorsqu'elle est prolongée, la perte de grandes quantités d'eau n'est pas bonne pour l'organisme.
- Le manque de calcium : lorsqu'il est prolongé, le manque de calcium peut affaiblir les os et accélérer la survenue de l'ostéoporose.
- Les troubles rénaux : l'élimination des cétones de l'organisme peut entraîner un stress pour les reins.
- Les taux de cétones dans le sang : leur présence entraîne une surproduction d'acide urique, un facteur de risque de la goutte (le gonflement douloureux des articulations) et des calculs rénaux.
- Les troubles digestifs : une carence en fibres alimentaires, obtenues normalement d'aliments comme les grains entiers, les légumes et les fruits, peut perturber la régulation du système digestif et causer indirectement constipation, diverticulose et autres problèmes intestinaux.
- La modification des lipides sanguins : les données montrent une amélioration à court terme des lipoprotéines à faible densité (LDL), du cholestérol et des triglycérides, mais on ne sait rien des effets à long terme du régime.
- Le manque de variété alimentaire : l'ennui gustatif peut avoir un effet boomerang et le poids perdu est repris une fois le régime terminé.
- Le sentiment de privation : certaines personnes sont incapables de réduire leur consommation de riz, de pain, de céréales, de fruits et de sucreries, et encore moins de renoncer complètement à ces aliments.

> **Trucs santé**
> Pendant le régime :
> • Buvez beaucoup d'eau
> • Choisissez de la viande et du poisson maigres
> • Mangez beaucoup de légumes
> • Faites régulièrement un suivi médical

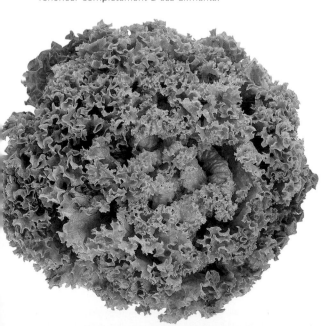

## Vous convient-il ?

Les adolescents et toute personne souffrant de troubles rénaux, cardiaques, circulatoires ou d'autres maladies devraient consulter un médecin.

## Disponibilité

Les produits Atkins vont des barres pour le petit-déjeuner aux boissons frappées en passant par les suppléments et les bonbons, sans compter les logiciels et les livres. Ils sont en vente dans tous les commerces d'alimentation.

## Changements dans le mode de vie

La version récente du régime recommande environ 30 minutes d'exercice par jour (comme des exercices cardiovasculaires et des poids), particulièrement lorsque la perte de poids s'est stabilisée.

RÉGIME À LONG TERME

SOUPLESSE

RÉGIME FACILE À
SUIVRE EN FAMILLE

COÛT

●

DONNÉES SCIENTIFIQUES
À L'APPUI

● ●

# RÉGIME HANCHES ET CUISSES

Ce régime faible en matières grasses est modérément riche en glucides et en protéines et il cible plus particulièrement la perte de poids dans la région des hanches et des cuisses.

### Origine du régime

Rosemary Conley a écrit *The Hip and Thigh Diet* en 1988, suivi de *The Complete Hip and Thigh Diet* en 1989.

### Comment fonctionne-t-il?

Le régime hanches et cuisses est fondé sur le principe qu'un programme d'alimentation contrôlé est efficace, car il prévient les épisodes impulsifs de frénésie alimentaire que provoquent les régimes trop sévères ou trop axés sur le calcul des calories.

Le matin, les céréales, les fruits, la viande, le poisson ou la volaille maigre et les légumes sont au menu. À midi, on se régale de fruits, de sandwichs, de salades de viande ou de fruits de mer ou de légumes (y compris de pommes de terre, si désiré). Le soir, on peut se permettre des fruits, des légumes, des potages, de la viande, du poisson ou de la volaille maigre, des pâtes et même du sorbet ou du yogourt pour dessert.

Les apports quotidiens recommandés sont de 1 tasse à 1 ½ tasse de lait écrémé ou faible en gras, 360 g de fruits, 180 g de protéines, 360 g de légumes, 180 g de grains, 150 g de yogourt faible en gras et du jus de fruits en quantités modérées. La viande rouge doit être limitée à deux fois par semaine. Un repas type comprend de la viande maigre, de la volaille, des

Pour le repas du midi, rien de mieux qu'un morceau de poisson cuit au four ou grillé, accompagné de légumes.

**voir aussi**
régime **David Kirsch** 38
régime **You, on a Diet** 40

# menu type

Ce régime propose une grande variété d'aliments,

|  | samedi | dimanche | lundi | mardi |
|---|---|---|---|---|
| **matin** | 1 pamplemousse entier (180 g), 150 g de yogourt | 30 g de bacon très maigre, 120 g de champignons, 150 g de yogourt, ½ tasse de nectar de pêche | 4 craquelins de blé entier, ½ tasse de lait écrémé | 120 g de pêches dans leur jus, 150 g de yogourt |
| **midi** | ½ tasse de lait écrémé, 1 ½ tasse de soupe aux légumes, 6 craquelins de blé entier | 180 g de poitrine de poulet rôtie, 180 g de raisin, ½ tasse de lait écrémé | ½ tasse de lait écrémé, salade de fruits, 360 g de laitue avec haricots rouges et maïs | ½ tasse de lait écrémé, 120 g de prunes, 180 g de salade de thon, 4 craquelins au seigle |
| **soir** | ½ tasse de lait écrémé, 180 g d'aiglefin poché au vin blanc, 180 g de prunes | 180 g de pâtes cuites, 240 g de tomates en boîte, 2 pommes, ½ tasse de lait écrémé | 150 g de yogourt, 120 g d'agrumes, 2 tranches de pain de grains entiers | Salade mélangée, légumes-feuilles, tomates, oignon, céleri, concombre et vinaigrette, 1 pomme, ½ tasse de lait écrémé |

légumineuses, des quantités modérées de glucides féculents et une quantité illimitée de légumes. L'auteur utilise des témoignages pour montrer que la perte de poids cible surtout les hanches et les cuisses. Bien que les études scientifiques corroborent l'utilité des régimes relativement riches en glucides et en protéines et faibles en matières grasses pour la perte de poids à long terme, il n'existe pas de données confirmant que ce type de régime peut cibler les hanches et les cuisses en particulier.

## Avantages et désavantages

Lorsqu'il est bien planifié, ce type de régime alimentaire peut être équilibré, malgré les restrictions s'appliquant aux noix, aux graines et à certains produits laitiers. Il peut toutefois être faible en bons gras.

Une surabondance de témoignages semble soutenir les prétentions du régime, mais aucune recherche scientifique n'a corroboré que le poids perdu se situait uniquement autour des hanches et des cuisses.

## Vous convient-il?

Ce régime plaira aux personnes qui sont lasses de compter les calories et qui en ont assez des régimes très stricts.

Certains affirment que ce régime peut aider les personnes qui ont des épisodes de frénésie alimentaire. Il importe cependant de souligner ici que toute personne souffrant d'un trouble alimentaire devrait chercher de l'aide auprès d'un spécialiste en nutrition (comme un diététicien) ou un médecin au lieu de se fier à des témoignages.

## Disponibilité

Tous les aliments compris dans ce régime se vendent dans tous les commerces d'alimentation.

## Changements dans le mode de vie

Le régime recommande la pratique régulière d'exercice physique.

## aliments interdits

- margarine
- crème
- huile et aliments frits
- viande et poisson gras
- peau de poulet
- fromage et œufs
- jaunes d'œuf
- noix
- graines de tournesol
- avocats
- crème glacée et puddings
- chocolat

## aliments à consommer à volonté

- concombre
- céleri
- carottes
- tomates
- poivrons
- pommes de terre nature
- thé sans sucre ou café noir (ou avec une partie du lait écrémé)

### Truc santé

- Choisissez des yogourts naturels faibles en gras et ajoutez-y des fruits. Les mélanges maison contiennent en général moins de calories que les préparations commerciales.

mais restreint la consommation de viande rouge.

| mercredi | jeudi | vendredi |
|---|---|---|
| 60 g de jambon maigre, 2 tomates, 1 petit pain de blé entier, ½ tasse de lait écrémé | 60 g de céréales de grains entiers, ½ tasse de lait écrémé, ½ tasse de jus d'orange | 5 pruneaux, 2 tranches de pain de grains entiers, 1 c. à café de marmelade d'orange, ½ tasse de lait |
| 2 pommes de terre bouillies, 150 g de yogourt, 2 oranges, tranchées | 180 g de fèves au four, ½ tasse de lait écrémé, 360 g d'ananas | 225 g de salade de fruits frais, 150 g de yogourt |
| Morue au four avec 120 g de riz brun, poires farcies au fromage cottage, ½ tasse de lait écrémé | 1 pomme de terre au four, 180 g de poitrine de dinde sans peau servie avec canneberges, 150 g de yogourt | Sauté de lanières de bœuf et légumes, couscous, ½ tasse de lait écrémé, 1 orange |

## Ressources

www.annecollins.com

www.skinnyondiets.com

*The Complete Hip and Thigh Diet,* Rosemary Conley, Warner Books, 1989.

Remarque : Tous les yogourts sont faibles en calories et toutes les vinaigrettes ont une teneur réduite en huile.

RÉGIME À LONG TERME

SOUPLESSE

RÉGIME FACILE À SUIVRE EN FAMILLE

COÛT


DONNÉES SCIENTIFIQUES À L'APPUI

# RÉGIME ORNISH

Ce régime végétarien très pauvre en matières grasses est à base de glucides complexes, comme les grains, les fruits et les légumes. En plus de promouvoir la perte de poids, il pourrait aider à réduire les risques de maladies cardiovasculaires.

Les croustilles de tortillas cuites au four sont faibles en gras, tandis que la salsa fournit des légumes riches en composés phytochimiques.

### Origine du régime

Dean Ornish est cardiologue et professeur de médecine clinique à l'université de Californie à San Francisco. Depuis les années 1990, ses nombreux articles de recherche ont montré qu'il est possible, en changeant d'alimentation et de mode de vie, d'améliorer sa santé, et plus particulièrement sa santé cardiovasculaire, et de réduire ses réserves de graisses. Son livre *Eat More, Weigh Less* a figuré sur la liste des best-sellers du *New York Times* en 2002.

### Comment fonctionne-t-il?

Basé sur des principes végétariens, ce programme, qui vise la résorption des maladies cardiovasculaires, préconise la consommation d'aliments frais, de glucides complexes et d'une variété de fruits et de légumes pour obtenir l'apport recommandé en glucides et en protéines. Les aliments de ce régime fournissent assez d'énergie et de fibres pour éviter le ralentissement du métabolisme et la sensation de faim.

Seulement 10 pour cent de l'apport en calories (énergie) provient des matières grasses, ce qui en fait un régime très sévère. De plus, il limite la consommation des glucides simples, comme le sucre et le miel. Les matières grasses et les sucres simples sont tellement restreints qu'ils empêchent la

**voir aussi**
régime Pritikin 58

# menu type

Ce régime protège des maladies cardiaques mais il requiert

|  | samedi | dimanche | lundi | mardi |
|---|---|---|---|---|
| **matin** | Muffin aux pommes, aux noix de Grenoble et à la cannelle, yogourt aux fruits, tofu, gelée, pêches, boisson chaude | Omelette de blancs d'œuf aux légumes, lait de soja, salade de fruits frais, pain grillé, boisson chaude | Céréales, yogourt, pain grillé, petits fruits, jus d'orange, boisson chaude | Gruau aux raisins et à la cannelle, lait, pain grillé, gelée, boisson chaude |
| **midi** | Salade de couscous, aubergine grillée, salade de concombre, oignon, tomate et fines herbes, fruit frais, thé chaud | Pâtes, salade de légumes avec vinaigrette au gingembre, soupe à l'oignon avec tofu, pain, fruit, thé | Pomme de terre au four, salade de pois chiches et d'olives, vinaigrette au citron et à l'estragon, salade verte, fruit frais, thé glacé | Salade de verdure, hoummos, taboulé, pain, courge butternut cuite au four, salade de fruits frais, eau |
| **soir** | Riz basmati, tofu grillé, salade verte mélangée, carottes à la crème, petits pois, choux-fleurs, fruits séchés | Légumes : pomme de terre, aubergine, haricots verts, petits pois et courgette avec sauce tomate, salade de chou et brocolis ou choux-fleurs aux noix, pain | Bruschetta aux tomates séchées, pâtes aux poivrons rouges, haricots verts et blancs, asperges grillées et poivrons, fruits et noix | Riz avec ocra et tomates, poivrons verts vapeur avec oignon, betteraves et brocolis, laitues, poire cuite au four avec raisins secs, salade de fruits |
| **collation 1** | Boules de melon | Mélange de fruits séchés | Carottes miniatures | Croustilles cuites au four, salsa |
| **collation 2** | Yogourt | Pêches | Pomme | Pain aux bananes et aux noix |

consommation d'un nombre excessif de calories et la teneur élevée du régime en fibres procure une sensation de satiété.

Il existe des preuves scientifiques sérieuses montrant que ce régime contribue réellement à réduire les risques de maladies coronariennes. La perte de poids est obtenue grâce à l'apport peu élevé en calories.

## Avantages et désavantages

En plus de promouvoir la perte de poids, le régime Ornish est bon pour la santé cardiaque. Il recommande un apport élevé en composés phytochimiques, présents dans les légumes. Les gros mangeurs de viande habitués à un régime occidental typique pourraient avoir de la difficulté à s'adapter à ce régime.

## Vous convient-il?

Les végétariens, les semi-végétariens et toutes les personnes qui aiment une grande variété d'aliments et de préparations apprécieront ce régime. Les personnes qui peuvent se passer de viande et d'aliments frits, tout comme les personnes qui se soucient de leur santé et les personnes qui aiment les aliments frais, n'auront pas de difficulté à suivre ce régime. Lorsqu'il est bien planifié, il peut être moins coûteux qu'un régime ordinaire, car la viande de bonne qualité est souvent très chère.

Les enfants en pleine croissance, particulièrement les filles, devraient éviter ce régime. Les femmes qui souhaitent devenir enceintes ou qui le sont déjà, les adultes souffrant d'une forme d'anémie ou d'ostéoporose et les personnes qui doivent limiter leur consommation de potassium devraient consulter un médecin avant d'entreprendre ce régime. Une fois au régime, il faut prendre des suppléments de fer, de calcium, de zinc et de vitamine $B_{12}$ en quantités suffisantes.

### Pensez-y bien...

• La restriction des matières grasses provenant des noix et du poisson peut réduire les risques de maladies coronariennes, mais ces aliments sont essentiels à la santé, car ils contiennent des acides gras oméga-3.

## Disponibilité

Tous les aliments compris dans ce régime se vendent dans tous les commerces d'alimentation et aucun aliment particulier ou exotique n'est recommandé.

## Changements dans le mode de vie

Ce régime amaigrissant préconise un changement complet de style de vie; il faut apprendre à gérer son stress, renoncer au tabac, méditer et s'habituer à faire de l'exercice modéré.

## aliments à consommer à volonté

• concombre
• céleri
• épinards
• légumes-feuilles
• laitues diverses

## aliments interdits

• gras et huiles
• noix
• graines
• avocats
• farine blanche
• riz blanc

d'importants changements dans le mode de vie.

| mercredi | jeudi | vendredi |
|---|---|---|
| Crêpe aux fruits, petits fruits frais, yogourt nature, pain grillé, gelée, boisson chaude | Muffin aux pommes et aux canneberges, lait de soja, compote de fruits frais, boisson chaude | Tofu brouillé, pain grillé, gelée, yogourt, melon et petits fruits frais, boisson chaude |
| Roulé aux légumes grillés, pain sans levain, soupe aux haricots mélangés, cantaloup, orange, tisane | Haricots blancs, laitue et tomates séchées, bâtonnets de pain, soupe aux haricots noirs, salade verte mélangée, banane, thé chaud | Salade de haricots à l'italienne, polenta au poivre noir, sauce au poivron, champignons shiitake, salade verte, gélatine aux fruits |
| Riz à l'espagnole, salade d'épinards, noix de Grenoble et fraises, pois mange-tout, petits pois, choux-fleurs et oignon, ananas grillé | Raviolis aux épinards et sauce tomate, soupe aux pois cassés et aux lentilles, salade verte avec vinaigrette au gingembre, pomme cuite au four avec raisins secs | Lasagne aux légumes, aubergines, courgettes, oignons et poivrons verts grillés, salade César avec vinaigrette au vinaigre, croûtons, compote de fruits |
| Pêches et petits fruits | Céleri et tofu en crème | Raisin et noix |
| Yogourt, carottes | Oranges | Banane |

## Ressources

www.ornish.com

*Eat More, Weigh Less,* Dean Ornish, Quill, HarperCollins, 2002.

**Remarque :** Ce menu type est une adaptation végétarienne du régime *Eat More, Weigh Less.* Tous les yogourts sont sans gras, tous les pains sont de blé entier et tous les grains sont entiers, y compris le riz brun et les pâtes de blé entier.

RÉGIME À LONG TERME
●●●

SOUPLESSE
●●

RÉGIME FACILE À
SUIVRE EN FAMILLE
●●●

COÛT
●

DONNÉES SCIENTIFIQUES
À L'APPUI
●●●

# INDICE GLYCÉMIQUE (IG)

Les glucides à libération lente et les aliments à index glycémique faible procurent une sensation de satiété et repoussent la faim.

### Origine du régime

Dans les années 1980, alors qu'il menait des recherches sur les aliments pour les diabétiques à l'Université de Toronto, le D$^r$ David Jenkins a observé la vitesse à laquelle l'organisme dégrade les aliments en glucose, sa source d'énergie. Avec son équipe, il a conçu l'indice glycémique (IG), afin de mesurer le potentiel qu'ont les glucides simples et complexes d'élever la glycémie. C'est ainsi qu'il a découvert que les grains entiers ou mélangés, les légumineuses, les produits laitiers et certains fruits et légumes comptaient parmi les aliments à indice glycémique faible – une découverte qui venait corroborer les recommandations déjà anciennes de médecins et de nutritionnistes du monde entier.

### Comment fonctionne-t-il?

En quantité équivalente, les glucides complexes contenus dans le pain blanc élèvent davantage la glycémie que les glucides simples dans la crème glacée, et cela malgré son contenu élevé en sucre. L'indice glycémique catégorise les aliments selon leur effet sur le taux de glucose dans le sang (libération rapide ou lente). On mesure la vitesse à laquelle un aliment est digéré en comparant son indice glycémique à celui du glucose, lequel est de 100. La plupart des aliments à indice glycémique élevé contiennent de la farine blanche et sont hautement transformés.

Le régime est basé sur des aliments qui libèrent le sucre lentement dans la circulation sanguine, ce qui procure à l'organisme un approvisionnement régulier en énergie. Cette approche a changé les idées reçues sur les glucides et sur leur rapport avec le glucose sanguin, ce qui a modifié le traitement du diabète. Les résultats de recherche qui étayent ce régime montrent qu'il peut être utilisé pour perdre du poids, car les aliments dont l'indice glycémique est

## gâteries

**Principalement des fruits, mais aussi des produits de boulangerie prépar à base de grains entiers**

**voir aussi**

**régime Low-Carb** 62

# menu type

 Les aliments à indice glycémique

|  | samedi | dimanche | lundi | mardi |
|---|---|---|---|---|
| **matin** | Gruau traditionnel, miel, graines et noix | Yogourt aux fruits | Œufs brouillés sur pain de seigle | Pain de blé entier grillé avec beurre d'arachide, lait faible en gras |
| **collation de mi-matinée** | 2 prunes | 1 pomme ou 1 poignée de framboises | ½ pamplemousse | 2 prunes |
| **midi** | Salade de thon et haricots | Salade d'avocat et de poulet | Côtelette de porc grillée, tomate et épinards | Poitrine de poulet grillée, salade de thon et haricots |
| **collation de l'après-midi** | 10 raisins | 1 orange ou 1 poire | 10 raisins | 1 orange ou 1 poire |
| **soir** | Poitrine de poulet et légumes au four | Morue au four, haricots verts, carottes et riz | Truite au four avec amandes, tomate et brocolis | Salade d'avocat et de jambon |
| **boissons** | Thé, café décaféiné, tisanes, eau | Thé, café décaféiné, tisanes, eau | Thé, café décaféiné, tisanes, eau | Thé, café décaféiné, tisanes, eau |

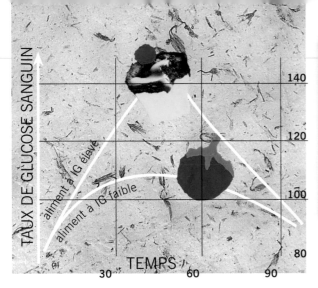

Graphique : TAUX DE GLUCOSE SANGUIN / TEMPS
- aliment à IG élevé
- aliment à IG faible
- 140, 120, 100, 80
- 30, 60, 90

élevé n'apaisent pas la faim pendant longtemps. En revanche, les aliments à indice glycémique faible, au cœur de ce régime, se digèrent plus lentement et procurent une sensation de satiété plus durable. Les aliments sucrés hautement transformés causent une hausse subite de la glycémie, ce qui oblige le pancréas à produire plus d'insuline. Lorsque la poussée d'énergie diminue, la faim revient. Lorsque le taux de sucre dans le sang est élevé, l'organisme s'en sert au lieu d'utiliser du gras. Donc, pour perdre du poids, il faut garder son taux d'insuline faible.

Certaines variantes du régime proposent des listes d'aliments à indice glycémique élevé, moyen ou faible (60 ou moins est considéré faible). D'autres variantes regroupent les aliments en trois catégories : rouge (à éviter si on veut perdre du poids), jaune (à consommer à l'occasion) et vert (à consommer à volonté).

## Avantages et désavantages
Parfaitement sensé sur le plan médical et nutritionnel, le régime IG a aussi l'avantage d'être varié. Parmi les bienfaits démontrés cliniquement, il faut mentionner la réduction des taux de glucose et d'insuline (idéal pour les diabétiques). Les valeurs associées à l'IG de nombreux aliments ont été calculées, mais elles ne l'ont pas été pour les repas et les combinaisons d'aliments, en raison des variations infinies.

## Vous convient-il ?
Le régime IG aide à réduire les risques de maladies cardiaques, d'accidents vasculaires cérébraux, de diabète de type 2 et de cancer de la prostate et du côlon. Les livres et les sites Web qui y sont consacrés font de ce régime une option intéressante à long terme. Vous devrez peut-être garder sur vous un tableau des indices glycémiques le temps de vous familiariser avec le système. Il est relativement facile de bien manger à la maison ct au restaurant sans faire d'entorse au régime.

## Disponibilité
Tous les aliments compris dans ce régime se vendent dans tous les commerces d'alimentation.

## Changements dans le mode de vie
Activité physique recommandée.

### aliments interdits
- certaines viandes et volailles
- certains légumes
- certains féculents et produits de boulangerie
- le lait entier
- l'alcool
- les sucreries et les bonbons

faible préviennent les fringales causées par les baisses de la glycémie.

| mercredi | jeudi | vendredi |
|---|---|---|
| Céréales de grains entiers, pain de blé entier grillé | Céréales de grains entiers, pain de blé entier grillé | Pain de blé entier grillé avec beurre d'arachide |
| 1 pomme ou une poignée de framboises | Compote de pommes sans sucre | 2 prunes |
| Sandwich à la salade de dinde | Œuf poché, muffin au blé entier | Poitrine de poulet grillée, salade |
| 10 raisins | 1 orange ou 1 poire | 10 raisins |
| Bifteck avec guacamole | Bœuf cuit sur le BBQ avec champignons | Salade d'avocat et de jambon |
| Thé, café décaféiné, tisanes, eau | Thé, café décaféiné, tisanes, eau | Thé, café décaféiné, tisanes, eau |

### Ressources
www.gidiet.com

*The Low G.I. Diet Revolution*, J. Brand-Miller, K. Foster-Power et J. McMillan-Price, Marlowe and Co., 2004.

*Living the G.I. Diet*, R. Gallop, Workman Publishing Co., 2004.

RÉGIME À LONG TERME

SOUPLESSE

RÉGIME FACILE À
SUIVRE EN FAMILLE

COÛT

DONNÉES SCIENTIFIQUES
À L'APPUI

# RÉGIME L.A. SHAPE

Relativement nouveau et idéal pour le mode de vie moderne trépidant, ce régime repose sur la morphologie d'une personne et sur un programme d'alimentation personnalisé pour déterminer ses besoins précis en protéines.

### Origine du régime

Ce régime a été mis au point par David Heber, fondateur et directeur du centre pour la nutrition humaine de l'Université de l'État de Californie, président du Scientific and Medical Advisory Board de Herbalife International (distributeur mondial de suppléments nutritionnels) et auteur de *What Color is Your Diet?* (De quelle couleur est votre régime?) publié en 2003.

### Comment fonctionne-t-il?

Selon l'auteur du régime L.A. Shape, la morphologie et les différences dans la distribution de la graisse corporelle constituent des facteurs clés pour établir le régime idéal d'une personne. Les cellules lipidiques dans le haut du corps (forme de pomme) et le bas du corps (forme de poire) ont des fonctions différentes et leur distribution influence le succès ou l'échec d'un régime amaigrissant. En se basant sur la morphologie et sur la masse maigre, on peut déterminer les besoins alimentaires en protéines de manière à réduire les fringales.

Ce régime faible en glucides et en matières grasses et riche en protéines propose des stratégies de vie et d'autres recommandations diététiques. Par exemple, il recommande les glucides sains, les fruits et légumes colorés et les bons gras pour réduire les fringales, et s'accompagne de recettes pour confectionner des boissons frappées protéinées «énergisantes». Les substituts de repas se composent de poudre de protéines de soja (ajoutée pour atteindre la quantité de protéines visée), de 1 tasse de lait écrémé ou de lait de soja, de

**voir aussi**
**régime Atkins** 42

# menu type

Le remplacement des repas par des boissons frappées est

| | samedi<br>Un substitut de repas (hommes) | dimanche<br>Un substitut de repas (hommes) | lundi<br>Deux substituts de repas | mardi<br>Deux substituts de repas |
|---|---|---|---|---|
| **matin** | Boisson frappée au soja et bleuets (avec protéines ajoutées, selon le cas)<br>1 tasse de café ou de thé | 7 blancs d'œuf, ciboulette, fines herbes, 1 tasse d'épinards, 1 tranche de pain de blé entier grillé, 1 tasse de café | Boisson frappée à la citrouille et aux bananes | Boisson frappée aux fraises et au kiwi |
| **midi** | Salade de fruits de mer (thon dans l'eau, goberge, tomates, céleri, persil et oignons verts), vinaigrette L.A. Shape Green Goddess, 1 tranche de pain de blé entier | Boisson frappée à l'ananas, à l'orange et à la noix de coco | Boisson frappée au chocolat et aux framboises | Boisson frappée au chai et latte |
| **soir** | Barre protéinée, banane | 60 g de noix de soja, 1 orange | 30 g de noix de soja grillées | ½ barre protéinée |
| **collation** | Pain de viande au poulet et à la dinde, brocolis et carottes vapeur, ½ tasse de riz brun, pomme à la cannelle cuite au four | Brochettes de crevettes et légumes, 2 c. à soupe de sauce BBQ, salade de légumes | Soupe «rapide» au poulet, salade verte, vinaigrette L.A. Shape Green Goddess | Cocktail de fruits de mer, salade verte, vinaigrette L.A. Shape Green Goddess |

1 tasse de fruits frais ou surgelés et de glaçons. Les repas comprennent de 90 à 180 g de poulet, de poisson ou de dinde, 2 tasses de légumes vapeur, 4 tasses de salade avec vinaigre de riz ou vinaigre de vin et un fruit pour dessert.

## Avantages et désavantages

Personnalisé pour combler les besoins particuliers de chaque personne, ce régime se base sur la morphologie plutôt que sur la perte de poids et propose des stratégies comportementales en plus d'une alimentation à base de viande maigre, de fruits et de

### Le succès du régime dépend de six éléments :

1. Pour bien commencer, une première semaine d'attaque vous permet deux substituts de repas et un repas par jour.
2. Un régime personnalisé et des trucs pour identifier vos aliments déclencheurs, déterminer votre poids santé et réguler votre apport en protéines.
3. Vous devez apprendre à faire vos courses, à déterminer ce que vous devez manger dans des situations « à haut risque » et à vous préparer des plats simples et sains.
4. Vous devez adopter des stratégies de prévention des rechutes et de modification du comportement
5. Vous devez adopter un régime d'entretien.
6. Vous devez faire de l'exercice régulièrement.

légumes. Les boissons frappées prises quotidiennement à la place de repas ne favorisent pas l'adoption de bonnes habitudes alimentaires, qui comprennent la consommation de trois repas par jour. À long terme, la consommation de ces boissons en plus de repas réguliers peut entraîner une consommation excessive de calories. Comme la fraîcheur des produits est très importante, vous devrez faire des courses souvent.

## Vous convient-il ?

Le régime L.A. Shape plaira aux personnes actives et en santé qui préfèrent un régime structuré et qui aiment les boissons frappées aux fruits. Il ne convient pas vraiment aux personnes qui aiment bien manger trois repas par jour, et il risque de déplaire aux personnes peu disposées à manger beaucoup de fruits et à prendre des suppléments.

## Disponibilité

Tous les aliments compris dans ce régime se vendent dans tous les commerces d'alimentation.

## Changements dans le mode de vie

Pour suivre ce régime, il faut se fixer des objectifs, prendre des mesures pour lutter contre le stress et prévenir les rechutes, s'entourer d'un réseau de soutien, faire de l'exercice régulièrement, prendre des suppléments de vitamines et de minéraux et faire preuve de discipline.

## aliments interdits

- viandes rouges grasses
- beurre
- fromage
- noix
- pizza
- vinaigrettes crémeuses
- mayonnaise
- boissons gazeuses
- jus de fruits
- riz
- haricots
- crème glacée
- alcool (y compris la bière)

## gâteries

AU CHOIX :

- poisson
- viande maigre
- fruits frais
- boissons frappées aux fruits
- légumes

...mporaire, et celles-ci doivent être remplacées par de bonnes habitudes alimentaires.

| mercredi<br>Deux substituts de repas | jeudi<br>Un substitut de repas (femmes) | vendredi<br>Un substitut de repas (femmes) |
|---|---|---|
| Boisson frappée aux bananes et aux noix de Grenoble | Boisson frappée au soja et aux bleuets (avec protéines ajoutées, selon le cas) | 7 blancs d'œuf, oignon, ciboulette, fines herbes, 1 tranche de pain de blé entier grillé, cantaloup |
| Boisson frappée à l'ananas, à l'orange et à la noix de coco | Salade de fruits de mer (thon dans l'eau, goberge, tomates, céleri, persil et oignons verts), vinaigrette L.A. Shape Green Goddess | Boisson frappée aux bananes |
| ½ tasse de fromage cottage sans gras, ½ tasse de fruits frais | 1 banane ou 1 orange | 1 tasse de mûres ou de bleuets frais ou surgelés |
| Brochettes de poulet et légumes, 2 c. à soupe de sauce BBQ, salade de légumes | Pain de viande au poulet et à la dinde, brocoli et carottes vapeur, pomme à la cannelle cuite au four | Chili au soja, salade verte, vinaigrette L.A. Shape Green Goddess, 1 pomme |

## Ressources

www.lashapediet.com

www.chasefreedom.com/la_shape

*Le régime L.A. Shape, 14 jours pour une perte de poids généralisée,* David Heber, Éditions du Trésor caché, 2006.

RÉGIME À LONG TERME

SOUPLESSE

RÉGIME FACILE À
SUIVRE EN FAMILLE

COÛT

DONNÉES SCIENTIFIQUES
À L'APPUI
●

# RÉGIME NEANDERTHIN OU PRÉHISTORIQUE

Un régime faible en glucides basé sur l'alimentation des chasseurs-cueilleurs du Paléolithique.

### Origine du régime

Le régime a été mis au point par Ray Audette, pour lui-même, afin de lutter contre les effets du diabète et de l'arthrite dont il souffrait.

### Comment fonctionne-t-il?

Selon la prémisse de ce régime, l'alimentation préhistorique serait meilleure que l'alimentation moderne. Selon Audette, notre alimentation, présentement basée sur l'agriculture, sur la révolution industrielle et sur la technologie, est en grande partie responsable de nos nombreux problèmes de santé, y compris l'obésité. Le régime neanderthin est conçu pour prévenir l'obésité, que l'auteur considère comme une réaction du système immunitaire à une alimentation qui résulte de la technologie moderne.

Ce régime «préhistorique» se compose de viande, de légumes, de fruits, de noix et de petits fruits. Il est censé constituer un moyen sain et efficace de perdre du poids. Selon l'auteur, pour manger plus efficacement, nous devrions suivre un régime semblable à celui qui prévalait avant l'invention de l'agriculture et de la technologie.

Le critère utilisé pour déterminer si on peut manger un aliment est le suivant : «Pourrais-je manger cet aliment si je vivais nu dans la savane, avec un bâton pointu pour seule arme?»

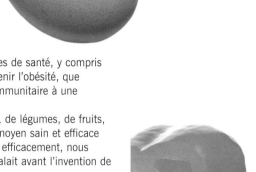

voir aussi
**régime Atkins** 42
**régime Scarsdale** 60
**alimentation vivante** 174

# menu type

Si vous ne pouvez pas le chasser

| | samedi | dimanche | lundi | mardi |
|---|---|---|---|---|
| **matin** | Pemmican, pomme, beurre d'amande, tisane à la menthe poivrée | Côtes levées de porc, œufs brouillés, salsa, thé Earl Grey | Bacon, œufs, jus de pamplemousse | Côtelettes de porc, œufs, cantaloup |
| **midi** | Flétan grillé, artichauts, champignons et oignons, pastèque, jus | Poulet rôti, choux-fleurs vapeur, salade de légumes sauvages, eau Perrier | Chili, salade verte, brocolis vapeur, thé glacé | Poulet rôti, courge jaune vapeur, concombre tranché, eau minérale |
| **soir** | Soupe au poulet, salade d'épinards avec concombre, tomate et avocat, thé vert glacé | Chili vert, bâtonnets de carottes et de céleri, tranches d'ananas, thé | Côtes levées de porc, salade de laitues sauvages, choux-fleurs vapeur, tisane | Viande hachée avec pâtes, choux-fleurs vapeur, tranches de poivrons, thé glacé |
| **collation 1** | Couenne de porc, papaye | Noisettes, prune | Amandes, pomme | Lait de noix, melon |
| **collation 2** | Glace aux fruits | Salade de poire et de pêche | Pemmican | Pacanes |

**Pensez-y bien...**

Ce régime à «dix commandements» comprend une liste de 5 groupes d'aliments permis et de 5 groupes d'aliments interdits.

• Mangez de la viande, du poisson, des fruits, des légumes, des noix et des graines et des petits fruits

• Ne mangez pas de grains (y compris de grains de maïs et de blé), de légumineuses (y compris les arachides et le soja), de pommes de terre et autres féculents, de laitage (y compris le beurre) et de sucre (incluant les édulcorants à base de maïs).

Ce régime préconise une «alimentation naturelle», qui se définit comme une alimentation exempte de tout aliment transformé grâce à la technologie. Selon l'ouvrage de Ray Audette, les humains sont génétiquement adaptés au régime paléolithique, en raison de la sélection naturelle.

Or, cela présume que nous n'avons pas évolué depuis cette époque. Tous les changements que nous devons à l'agriculture, à la révolution industrielle et à la technologie ne nous procureraient aucun avantage sur le plan nutritionnel, si bien que nous devrions les rejeter.

En fait, le régime neanderthin est un régime faible en glucides et riche en protéines et en matières grasses.

## Avantages et désavantages

Le régime préconise la consommation d'aliments le plus frais possibles. Un grand nombre des viandes et des poissons recommandés dans le régime ou les noix sont difficiles à trouver et peu de gens les connaissent. Bien qu'il soit généralement recommandé de limiter sa consommation d'aliments raffinés, certaines des restrictions sont inutiles: le blé entier, le maïs, le seigle, les haricots, l'igname, le lait et le fromage peuvent faire partie d'une saine alimentation. En outre, compte tenu du mode de vie sédentarisé de l'homme moderne, la grande place accordée à la viande peut faire augmenter les risques de certaines maladies chroniques.

## Vous convient-il?

Le régime plaira aux personnes qui aiment la viande et les légumes et qui peuvent renoncer facilement aux grains. Le régime préconise la consommation de viande sauvage et pourrait ne pas convenir aux personnes qui souffrent de certaines maladies. Il ne faut pas entreprendre ce genre de régime sans supervision médicale.

## Disponibilité

La plupart des aliments compris dans ce régime se vendent dans tous les commerces d'alimentation, mais certains ne se trouvent que dans des commerces spécialisés.

## Changements dans le mode de vie

Augmenter l'activité physique et boire beaucoup d'eau. Pour suivre ce régime, il faut modifier de manière importante sa façon de faire l'épicerie.

## ou le cueillir, ne le mangez pas

| mercredi | jeudi | vendredi | Ressources |
|---|---|---|---|
| Bifteck de faux-filet saignant, poire, thé vert | Croquettes de viande de gibier, jus de légumes | Omelette, jus d'orange | www.beyondveg.com |
| Crevettes bouillies, asperges vapeur, carottes, tisane à la menthe poivrée | Ragoût de lapin aux tomates, céleri, poivrons, fenouil, oignons verts, poireau, cidre chaud | Salade de thon, salade de légumes sauvages, avocat, céleri et tranches de concombre, eau | www.lowcarb.ca/atkins-diet-and-low-carb-plans/neanderthin-diet.html *Neanderthin*, R. Audette, St. Martin's Press, 1999. |
| Hamburger, tranches d'avocat, salade verte, épinards vapeur, thé chaud | Poulet rôti, brocolis vapeur, tranches de tomates, thé glacé | Chili, tranches de poivron, bâtonnets de carottes, thé glacé | |
| Avelines, banane | Légumes tranchés | Noix de Grenoble, orange | |
| Viande séchée | Mélange du randonneur | Huîtres et citron | |

**Remarque**: Les jus doivent être fraîchement pressés. Les recettes sont présentées dans le livre *Neanderthin*.

RÉGIME À LONG TERME

SOUPLESSE

RÉGIME FACILE À
SUIVRE EN FAMILLE
●●●

COÛT
●

DONNÉES SCIENTIFIQUES
À L'APPUI

# RÉGIME THE NEW SUGAR BUSTERS !

Un régime qui propose des changements permanents dans le mode de vie en éliminant les aliments et les boissons à indice glycémique élevé.

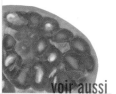

Burger au tofu avec fromage sans gras

### Origine du régime

*Sugar Busters! Cut Sugar To Trim Fat* a été publié en 1995. Les auteurs de l'ouvrage sont H. Leighton Steward, un ancien PDG, Morrison E. Bethea, chirurgien en cardiologie respiratoire, Samuel S. Andrews, endocrinologue et Luis A. Balart, gastroentérologue. Une version révisée et mise à jour, intitulée *The New Sugar Busters! Cut Sugar To Trim Fat,* a été publiée récemment.

### Comment fonctionne-t-il ?

Selon les auteurs, la consommation du bon type de glucides, soit ceux qui sont au bas de l'échelle de l'indice glycémique, peut entraîner une réduction de la résistance à l'insuline. Les glucides permis sont ceux qui entraînent la plus faible production d'insuline. Selon cette théorie, l'insuline force l'organisme à entreposer le sucre et le gras excédentaires sous forme de graisse. (Mais les calories excédentaires, qu'elles proviennent de glucides, de protéines ou de matières grasses, sont entreposées sous forme de graisse.)

Les collations sont interdites tard en soirée, car elles font augmenter le taux d'insuline et encouragent la production de cholestérol. Il est donc préférable de se résigner à éviter de manger en soirée, car les

**voir aussi**
régime Low-Carb 62
régime Miami (South Beach) 64

## menu type

Ce menu met l'accent sur les aliments

| | samedi | dimanche | lundi | mardi |
|---|---|---|---|---|
| **matin** | Œuf brouillé (à l'huile de colza), pamplemousse, lait écrémé | Crêpe à la farine de blé entier, mûres fraîches, bacon de dos, café décaféiné | Gruau de grains entiers, une petite orange, lait écrémé | Omelette à l'oignon, aux champignons et aux tomates, raisin, thé vert chaud (nature) |
| **midi** | Soupe aux légumes, pain de grains entiers, salade de feuilles vert foncé avec noix de Grenoble et fraises, eau | Soupe aux pois cassés, sandwich au beurre d'arachide et à la gelée sans sucre ajouté, lait écrémé | Salade d'épinards et mandarines, soupe à l'orge et aux légumes, lait écrémé | Salade de thon (dans l'eau) sur laitue romaine, craquelins aux grains entiers, bâtonnets de céleri, lait écrémé |
| **soir** | Filet de porc maigre, épinards vapeur, riz pilaf aux grains entiers avec amandes effilées, lait écrémé | Mahi-mahi grillé, riz Basmati brun, courgette vapeur, pain de blé entier, eau | Saumon grillé, patate douce cuite au four, asperges vapeur, eau | Bifteck maigre, haricots verts vapeur, tranches d'abricot, petit pain de blé entier, eau |
| **collation 1** | Noix de soja (une poignée) | Graines de citrouille (une poignée) | Œuf cuit dur | ½ avocat avec jus de citron |
| **collation 2** | Nectarine | Grenade | Crème glacée sans sucre ajouté | Kiwi |

collations sont souvent très caloriques. Le taux d'insuline serait moins perturbé si la collation consistait en de la viande maigre ou une autre protéine et de l'eau.

Selon les auteurs du régime, la majeure partie de notre graisse provient du sucre et non des matières grasses. Cependant, tout excès de graisse découle d'une surconsommation de calories, peu importe leurs sources. Tout régime qui restreint ou interdit la consommation de certains aliments, comme Sugar Busters !, fait nécessairement diminuer l'apport calorique total, ce qui entraîne une perte de graisse corporelle et pourrait aider à réduire la résistance à l'insuline. Certaines données scientifiques corroborent l'hypothèse voulant qu'une diminution de l'apport quotidien en calories favorise la perte de poids et qu'un poids santé peut aider à prévenir la résistance à l'insuline et le diabète de type 2.

## Avantages et désavantages

Ce régime encourage le choix d'aliments riches en fibres et faibles en gras total et en gras trans saturés, et préconise la réduction de la taille des portions. La nouvelle version de Sugar Busters ! propose un guide pour faire les courses, des recettes et un livre pour enfants.

Ce régime recommande toutefois d'éviter certains aliments sains et la charge glycémique des repas n'est pas calculée — on tient compte uniquement de l'indice glycémique de certains aliments et de certaines boissons. Il peut être irréaliste et même frustrant de devoir renoncer à tout jamais aux aliments et aux boissons que le régime interdit.

De plus, il devient difficile de manger au restaurant, car il faut calculer l'indice glycémique des aliments et des boissons. En outre, comme les changements proposés sont permanents, il peut être difficile d'éviter les aliments « inacceptables » pour le restant de ses jours.

## Vous convient-il ?

Puisque Sugar Busters ! se présente comme un mode de vie – et non comme un régime amaigrissant – il peut convenir aux personnes qui souhaitent modifier leurs habitudes alimentaires de manière permanente. Il peut aussi être utile aux personnes qui souffrent de diabète de type 2 et de résistance à l'insuline ou aux personnes qui souhaitent perdre du poids.

Les aliments de ce régime sont sains et conviennent à la plupart des gens, lorsque les menus sont bien équilibrés, ce qui peut être difficile sans conseils.

## Disponibilité

Tous les aliments compris dans ce régime se vendent dans tous les commerces d'alimentation.

## Changements dans le mode de vie

Le régime encourage l'activité physique.

### aliments interdits

- bœuf
- maïs
- pommes de terre blanches ou rouges
- bananes (mûres)
- ananas
- raisins secs
- pastèque (en grande quantité)
- poulet frit
- fèves au four
- boissons gazeuses ordinaires

### Trucs santé

- Buvez du lait écrémé ou du lait de soja avec vos repas et vos collations pour augmenter votre consommation de calcium.
- Buvez de six à huit verres d'eau par jour.

## dont l'indice glycémique est faible.

| mercredi | jeudi | vendredi |
|---|---|---|
| Céréales de grains entiers avec lait écrémé, tranches de pêches fraîches, café décaféiné | Œuf poché, 1 tranche de pain de blé entier, jus d'orange fraîchement pressée | Céréales de grains entiers riches en fibres avec lait écrémé, framboises fraîches, thé vert chaud (nature) |
| Burger au tofu avec fromage sans gras, oignon, laitue et tomate, tangerine, lait écrémé | Pita au blé entier avec hoummos, taboulé, tranches de pomme, lait écrémé | Assiette de fruits, fromage cottage sans gras, cantaloup et melon miel, soupe aux haricots noirs, eau |
| Poulet grillé, choux-fleurs et carottes vapeur, coupe de fraises et bleuets, eau | Mérou grillé, carottes et choux-fleurs vapeur, coupe de fraises et de bleuets, eau | Poitrine de dinde rôtie, pois mange-tout vapeur, couscous aux grains entiers, lait écrémé |
| Bâtonnets de céleri et beurre d'arachide | Prune | Bâtonnets de fromage sans gras |
| Yogourt sans gras nature avec bleuets | Noix de Grenoble (une poignée) | Poire fraîche |

## Ressources

www.sugarbusters.com/books_pyrimad.php

www.glycemicindex.com

*The New Sugar Busters ! Cut Sugar To Trim Fat*, H. L. Steward, M. Bethea, S. Andrews, et L. Balart, Ballantine Books, 2003.

Remarque : Il faut utiliser uniquement des pains et des gruaux de blé ou de grains entiers et boire de six à huit verres d'eau par jour.

RÉGIME À LONG TERME

SOUPLESSE

RÉGIME FACILE À
SUIVRE EN FAMILLE

COÛT

DONNÉES SCIENTIFIQUES
À L'APPUI

# RÉGIME PRITIKIN

Mis au point pour garder le cœur en santé, ce régime faible en matières grasses favorise aussi la perte de poids. Il comprend des listes de substitution d'aliments, de l'exercice et la gestion du stress.

### Origine du régime

Conçu pour résoudre un problème personnel, le régime Pritikin a été mis au point dans les années 1950 par Nathan Pritikin, fondateur du Pritikin Longevity Center. Son fils Robert Pritikin a écrit plusieurs ouvrages faisant la promotion du régime. Bien que la popularité du régime continue de fluctuer, le centre, lui, connaît beaucoup de succès et est très respecté pour ses traitements et ses recherches.

### Comment fonctionne-t-il?

Mis au point à l'origine comme régime de prévention et de traitement des maladies cardiaques, le régime Pritikin est présenté aujourd'hui comme un mode de vie sain basé sur l'alimentation, l'exercice et la gestion du stress. Ce régime très faible en matières grasses et riche en fibres, qui exige la pratique quotidienne d'exercice, a connu beaucoup de succès parce qu'il s'est révélé efficace pour faire maigrir.

Dans ce régime, seulement 10 à 15 pour cent des calories proviennent des matières grasses; les glucides, dont au moins 35 g de fibres, comptent pour 70 à 85 pour cent de l'apport calorique. Le cholestérol est limité à moins de 100 mg, et le sodium à 600 mg. Il faut utiliser des listes de substitution d'aliments et les aliments sont classés en trois catégories – permis, restreints, interdits.

Les croustilles de tortillas sont permises comme gâterie.

**voir aussi**
**régime Ornish** 48
**régime volumétrique** 108

# menu type

Ce régime faible en matières grasses a été mis au point

| | samedi | dimanche | lundi | mardi |
|---|---|---|---|---|
| **matin** | 1 tasse de Shredded Wheat, 1 tasse de bleuets, 1 verre de lait écrémé | 1 tasse de gruau d'avoine cuit, 2 c. à soupe de raisins secs, 1 verre de lait écrémé | ½ bagel au blé entier, ½ cantaloup, ½ tasse de fromage à la crème sans gras | ½ tasse de Shredded Wheat, ½ banane, 1 verre de lait écrémé |
| **collation 1** | ½ tasse de tranches de poivron vert | 1 tasse de jus de céleri et de légumes | ½ tasse de jus de légumes faible en sodium | 1 carotte |
| **midi** | Laitue romaine avec 15 g de dinde, pamplemousse, salsa limette et tomatillo, croustilles de maïs cuites au four, 1 tasse de mangue | 1 tasse de soupe aux lentilles méditerranéenne faible en gras, 10 craquelins au blé entier, 1 tasse d'ananas | 1 tranche de pain de blé entier, 1 tasse de salade avec vinaigrette sans gras, ½ tasse de fromage cottage, 1 poire | 1 tranche de pain de blé entier, ½ tasse de haricots cuits au four, ½ tasse de légumes vapeur, 1 pomme |
| **soir** | 1 tasse de pâtes de blé entier, 90 g de crevettes avec tomates cerises, 1 tasse de salade d'épinards, 1 tasse de raisin | 1 pomme de terre au four, 100 g de pétoncles grillés, ½ tasse de betteraves, 1 tasse de pois mange-tout, 1 tasse de salade, 1 c. à soupe d'huile de carthame, boisson frappée (*smoothie*) à la mangue | ½ tasse de pâtes de blé entier, ⅓ tasse de sauce Marinara, 100 g de lanières de poulet, panaché pêche et orange (avec ½ tasse de jus) | 100 g de bâtonnets de poisson grillés, 1 pomme de terre au four, 2 c. à soupe d'huile d'olive, ½ tasse de fromage cottage sec, 1 tasse de brocolis |
| **collation 2** | 60 g de bretzels de blé entier, 1 bâton de céleri | 1 tasse de jus d'orange, galette de riz parfumée à la cannelle | 2 galettes de riz brun, 1 tasse de tomates cerises | 3 tasses de maïs soufflé nature, 1 tasse de bâtonnets de carottes et de jicama, 1 c. à soupe de vinaigrette sans gras style ranch |

## gâteries

AU CHOIX :

- parfait au yogourt
- crème glacée à la banane
- gâteau au fromage
- gâteau aux pommes et aux dattes
- croustilles de tortillas
- sirop de fruits

Soupe aux lentilles méditerranéenne faible en gras (à gauche), idéale pour le repas du midi.

## aliments interdits

- gras animal
- huiles hydrogénées
- viandes grasses
- noix de coco
- produits laitiers entiers
- sel
- jaunes d'œuf
- boissons caféinées

Ce régime amaigrissant accéléré est un régime à 1000 calories pour les femmes et à 1200 calories pour les hommes. Il privilégie la consommation de glucides complexes à teneur élevée en fibres. La nouvelle version met aussi l'accent sur les aliments à faible densité calorique.

### Avantages et désavantages
Il s'agit d'une approche holistique qui protège le cœur et favorise la perte de poids. Basé sur les fruits, les légumes et les aliments à base de grains entiers, il plaira aux végétariens. Le régime Pritikin se veut un mode de vie permanent, mais ce genre d'alimentation faible en matières grasses et riche en glucides requiert de la planification et peut être difficile à intégrer dans son horaire quotidien. En outre, ce régime ne fournit pas suffisamment de calcium, à moins de choisir des aliments fortifiés, ce qui est un point à considérer avant de l'entreprendre.

### Vous convient-il ?
Ce régime n'est pas conçu pour vous permettre d'obtenir une perte de poids rapide ; il s'agit plutôt d'un mode de vie à l'intention des personnes en quête d'une approche holistique pour prendre soin de leur santé cardiaque tout en perdant du poids.

Ce régime extrêmement faible en matières grasses propose une version accélérée de 1000 calories (pour les femmes) et de 1200 calories (pour les hommes). Il est particulièrement important que les personnes souffrant de maladies consultent leur médecin avant d'entreprendre ce régime.

### Disponibilité
Tous les aliments compris dans ce régime se vendent dans tous les commerces d'alimentation, mais il faut lire attentivement les étiquettes et comparer les produits.

### Changements dans le mode de vie
Le régime insiste sur la gestion du stress et la pratique de l'exercice.

pour prévenir les maladies cardiaques, mais il permet aussi de perdre du poids.

| mercredi | jeudi | vendredi |
|---|---|---|
| ½ tasse de gruau d'avoine cuit, 2 c. à soupe de raisins secs, 1 verre de lait écrémé | ½ bagel au blé entier, 2 c. à soupe de raisins secs, ½ tasse de fromage à la crème sans gras | 1 tasse de flocons de blé entier, ½ banane, 1 verre de lait écrémé |
| ½ tasse de quartiers d'orange | 1 verre de jus de tomate faible en sodium | ½ tasse de jus de tomate faible en sodium |
| ½ pain pita, 1 tasse d'épinards, 2 c. à soupe d'amandes, 1 ½ tasse de fraises, 2 c. à soupe de vinaigrette sans gras, 1 tasse de bâtonnets de poivron vert | 1 tasse de soupe végétarienne Santa Fe sans gras, 1 tasse de salade, 1 kiwi | 1 pain pita, 1 tasse de légumes à l'italienne, ½ tasse de sauce Marinara faible en gras, 2 tasses de salade verte, 1 tasse de melon miel |
| ½ pain pita, 100 g de poulet rôti, ⅓ tasse de salsa, ½ tasse de cocktail de fruits, ½ tasse de yogourt faible en gras | 1 pomme de terre au four, 1 tasse de salade de légumes mélangés, 100 g de saumon grillé, une boisson frappée à la pêche (1 pêche et 1 verre de lait écrémé) | ½ tasse de riz brun, 1 tasse de brocolis et de choux-fleurs, 100 g de sole cuite au four, tranches de pomme à la cannelle |
| 1 pomme de terre au four, ½ tasse de brocolis hachés | 3 tasses de maïs soufflé nature, 1 tasse de tranches de poivron rouge | 1 galette de riz multigrains, 1 carotte |

## Ressources

www.pritikin.com

www.webmd.com/content/pages/7/3220_282.htm

*The Pritikin Principle,* R. Pritikin, Time Life Books, 2000.

# RÉGIME SCARSDALE

Ce régime très strict de 14 jours exclut les matières grasses, la plupart des produits laitiers, les glucides, les jus de fruits, l'alcool, les desserts et la charcuterie.

**RÉGIME À LONG TERME**
●

**SOUPLESSE**
●

**RÉGIME FACILE À SUIVRE EN FAMILLE**
●

**COÛT**
●●

**DONNÉES SCIENTIFIQUES À L'APPUI**
●

### Origine du régime

Mis au point par le D<sup>r</sup> Herman Tarnower, le régime Scarsdale, l'un des premiers régimes hypocaloriques à connaître le succès, a été remplacé par des variantes plus à la mode.

### Comment fonctionne-t-il?

Ce régime hypocalorique riche en protéines et faible en glucides est très contraignant, l'apport calorique tournant autour de 1000 calories par jour divisées en trois repas principaux (petit-déjeuner, déjeuner, dîner). Le régime Scarsdale met l'accent sur la viande maigre et la volaille sans peau, les légumes et les fruits. Il encourage la consommation de grandes quantités d'eau ou autres liquides, comme les boissons gazeuses sans sucre. Au bout de deux semaines de ce régime, les sujets sont encouragés à passer à un plan de stabilisation du poids qui permet une plus grande variété d'aliments.

Les deux premières semaines du régime sont très hypocaloriques et contraignantes, car elles ne permettent ni substitutions ni alcool. Ce régime produirait des cétones, mais pas en quantité excessive.

Le plan de stabilisation du poids est contraignant lui aussi, ne permettant que deux tranches de « protéines » ou de pain de blé entier par jour. Parmi

Quand on suit un menu hyperprotéiné, il est important de boire de grandes quantités d'eau.

**voir aussi**
**régime Atkins** 42
**régime Miami (South Beach)** 64

# menu type

La planification des repas est facile – le régime

|  | samedi | dimanche | lundi | mardi |
|---|---|---|---|---|
| **matin** | ½ pamplemousse, 1 tranche de pain à teneur élevée en protéines, thé nature | ½ pamplemousse, 1 tranche de pain de blé entier, café noir | ½ pamplemousse, 1 tranche de pain de blé entier, café noir | ½ pamplemousse, 1 tranche de pain à teneur élevée en protéines, thé nature |
| **midi** | ½ tasse de fromage cottage faible en gras, fruits en tranches, 6 pacanes, boisson gazeuse sans sucre | Poitrine de poulet maigre grillée, légumes mélangés (tomates, carottes, chou et brocoli), melon, thé | Tranches de dinde et de bœuf maigres, tranches de tomates, boisson gazeuse sans sucre | Grosse salade de fruits, boisson gazeuse sans sucre |
| **soir** | Poulet rôti, tranches de tomate, laitue, pamplemousse, café | Bifteck grillé London, choux de Bruxelles vapeur, salade mélangée (concombre, tomate et laitue), thé | Morue grillée, salade de carottes et de concombre, 1 tranche de pain à teneur élevée en protéines, petits fruits, café | Burger maigre grillé, salade de concombre, tomate et céleri, choux de Bruxelles vapeur, thé |
| **collation 1** | Boisson gazeuse sans sucre | Eau, céleri | Café | Thé, céleri |
| **collation 2** | Café, carottes | Thé | Thé, carottes | Boisson gazeuse sans sucre |

les aliments interdits, il y a le sucre, les pommes de terre, les spaghettis, le beurre d'arachide, les bonbons, les desserts, les aliments à base de farine, la crème, le lait entier, les viandes grasses, les vinaigrettes et les matières grasses. Certains aliments spéciaux, comme les pains à teneur élevée en protéines, doivent être achetés dans des commerces particuliers ou faits maison. Le régime permet les carottes, le céleri, les fruits et la gélatine sans sucre ajouté.

## Avantages et désavantages

Parmi ses avantages, ce régime préconise la consommation de viande maigre, de fruits et de légumes, mais il a le désavantage d'être extrêmement hypocalorique et faible en glucides, de sorte que les menus sont limités et finissent par être répétitifs. Comme bien d'autres régimes qui promettent une perte de poids rapide, les gens qui le suivent reprennent rapidement le poids perdu lorsqu'ils reprennent leurs vieilles habitudes alimentaires. Certaines des données du livre (comme les tables concernant le poids et la taille) sont périmées.

## Vous convient-il?

Le régime Scarsdale plaira aux personnes qui aiment la viande et qui recherchent un programme de perte de poids rapide. Les femmes enceintes et toute personne souffrant de diabète, de troubles rénaux et d'autres maladies doivent éviter ce régime et les autres régimes hypocaloriques riches en protéines. Conçu pour les personnes en bonne santé, il est préférable de consulter un médecin avant d'entreprendre ce régime.

### Trucs santé

- Entre les repas, les seules collations permises sont les carottes, le céleri, le café, le thé, les sodas et les boissons gazeuses sans sucre.
- Du fromage cottage faible en gras additionné de 1 c. à soupe de crème sure faible en gras, de fruits et de noix peut remplacer tout petit-déjeuner.

### Disponibilité

Tous les aliments compris dans ce régime se vendent dans tous les commerces d'alimentation.

### Changements dans le mode de vie

Bien que le régime ne prévoie pas d'exercice physique, le livre fournit un tableau des calories brûlées par différentes activités physiques. Une personne doit se peser tous les jours, et elle est encouragée à suivre le régime chaque fois que son poids dépasse de 2 kg environ son poids idéal.

## est à base de viande maigre et de légumes.

| mercredi | jeudi | vendredi |
|---|---|---|
| ½ pamplemousse, 1 tranche de pain à teneur élevée en protéines, thé nature | ½ pamplemousse, 1 tranche de pain de blé entier, café noir | ½ pamplemousse, 1 tranche de pain à teneur élevée en protéines, thé nature |
| Thon mariné dans le vinaigre, melon, eau | 2 œufs cuits durs, salade de laitue, tomate, céleri et concombre, eau | Poulet et dinde maigres, tomates grillées, boisson gazeuse sans sucre |
| Agneau maigre grillé, salade de laitue, concombre et tomate, café | Filet de porc rôti, salade d'épinards et de poivron vert, haricots verts vapeur, thé | Crevettes grillées, champignons grillés, salade verte, 1 tranche de pain à teneur élevée en protéines, thé |
| Boisson gazeuse sans sucre | Café | Thé, céleri |
| Café | Eau, carottes | Boisson gazeuse sans sucre |

### Ressources

lowcarblisa.tripod.com

thescarsdalemedicaldiet/id18.html

www.skinnyondiets.com/ TheCompleteScarsdaleMedical Diet.html

*Scarsdale Régime médical infaillible,* H. Tarnower et S. Sinclair-Baker, Stanké, 1979

**Note: Le livre contient plusieurs recettes.**

RÉGIME À LONG TERME
●●●

SOUPLESSE
●●

RÉGIME FACILE À
SUIVRE EN FAMILLE
●●

COÛT
●

DONNÉES SCIENTIFIQUES
À L'APPUI
●●

# RÉGIME LOW-CARB

Ce régime montre comment avoir une alimentation à la fois saine et faible en glucides en incorporant ce type de régime dans un mode de vie généralement sain.

### Origine du régime
Créé par Sandra Woodruff, M.S., R.D, et publié en 2004, ce régime fait l'objet d'un ouvrage plus récent qui reprend les idées du livre précédent, *The Good Carb Cookbook: Secrets of Eating Low on the Glycemic Index*.

### Comment fonctionne-t-il?
Ce programme propose deux phases. Un programme d'attaque facultatif visant une perte de poids rapide. Il est à base de légumes non féculents, de protéines maigres (viande, volaille, poisson, œufs, soja et légumineuses), de produits laitiers faibles en gras ou de produits du soja, de bons gras, comme ceux qui sont présent dans les noix et les graines, et de gras insaturés. Adéquat sur le plan nutritif, ce programme ne génère pas de cétones, contrairement à d'autres régimes faibles en glucides.

Après la phase initiale, l'auteur propose le « programme de vie Good-Carb », qui peut vous aider à adopter un régime faible en glucides pour le restant de vos jours. Les principales sources de glucides étant les fruits

Noix, graines, gras insaturés

Viandes maigres, volaille, poisson, œufs, soja, légumineuses

Lait ou lait de soja faible en gras, fromage, yogourt

Légumes non féculents

**voir aussi**
**indice glycémique** 50
**régime Miami (South Beach)** 64

# menu type

Lorsqu'il est bien planifié, ce menu procure

|  | samedi | dimanche | lundi | mardi |
|---|---|---|---|---|
| **matin** | Œufs brouillés, saucisse végétarienne, lait écrémé | Yogourt aromatisé sans gras et sans sucre, œuf cuit dur | Omelette aux légumes, saucisse végétarienne | Œufs brouillés avec jambon et épinards, lait écrémé |
| **midi** | Champignons farcis à la garniture de pizza, salade verte avec vinaigrette légère | Viande et fromage dans une feuille de laitue enroulée, bouillon | Soupe aux lentilles et à la viande, rouleaux aux légumes et à la laitue | Salade au poulet grillé et fromage faible en gras, soupe aux haricots faible en sodium |
| **soir** | Rôti de bœuf, choux-fleurs cuits | Poulet et légumes grillés, haricots cuits | Lasagne végétarienne, salade verte avec vinaigrette légère et copeaux de fromage faible en gras | Poisson grillé, haricots verts cuits, salade verte avec vinaigrette légère |
| **collation** | Viande et fromage dans une feuille de laitue enroulée | Noix mélangées | Lait aromatisé sans sucre et sans gras | Yogourt aromatisé sans sucre et sans gras |

et les grains entiers, ce régime a pour but d'éliminer le plus possible le sucre et la farine raffinés. L'auteur explique au lecteur comment utiliser l'indice glycémique et la charge glycémique pour l'aider à faire des choix alimentaires sains. L'exercice physique représente une composante complémentaire de ce régime amaigrissant, qui est indispensable à son succès.

Des recherches récentes ont montré que certains types de régimes faibles en glucides peuvent aider à perdre du poids à court terme. Une réduction de la consommation de glucides peut aider à prévenir la prise de poids à long terme, l'hyperphagie, les maladies cardiovasculaires, le diabète, le cancer et le syndrome des ovaires polykystiques.

## Avantages et désavantages

Cet ouvrage se veut un guide complet pour quiconque souhaite adopter un régime faible en glucides à long terme. Le « programme de vie Good-Carb » vous enseignera comment intégrer dans votre alimentation les meilleurs types de glucides et de grains entiers, dans les proportions voulues. Ce régime convient parfaitement aux personnes qui viennent de suivre un régime Atkins et qui souhaitent trouver une façon de réintroduire certains glucides dans leur alimentation. Le livre est facile à lire et plein de trucs utiles, en plus de proposer une centaine de recettes

> ### Pensez-y bien...
> • Aliments permis pendant la phase d'attaque: viande maigre, volaille sans peau, fruits de mer, tofu, substituts de viande végétariens, légumineuses, produits laitiers faibles en gras, légumes non féculents, bons gras (noix, graines, avocat, huile d'olive, huile de colza), margarine sans gras trans et vinaigrette faible en sucre.

Ce régime a le désavantage d'exiger beaucoup de planification et de préparation des aliments, car il diffère du régime typiquement américain riche en glucides, mais il suit en cela bien d'autres régimes.

### Vous convient-il?

Ce régime plaira aux gens qui apprécient une alimentation faible en glucides. Certaines études suggèrent qu'une alimentation plus riche (sans l'être trop) en protéines convient aux personnes vieillissantes et aux gens qui souhaitent augmenter leur masse musculaire.

La supervision d'un médecin est particulièrement importante dans le cas des personnes qui prennent des médicaments contre le diabète ou l'hypertension ou qui suivent un régime faible en glucides pour la première fois. Les personnes souffrant de troubles rénaux ou hépatiques devraient consulter leur médecin avant d'entreprendre un régime hyperprotéiné.

### Disponibilité

Tous les aliments compris dans ce régime se vendent dans tous les commerces d'alimentation.

### Changements dans le mode de vie

En plus d'exiger des changements dans les habitudes alimentaires, ce régime recommande fortement une heure d'exercice par jour.

les éléments nutritifs nécessaires à une saine alimentation.

| mercredi | jeudi | vendredi |
|---|---|---|
| Substituts d'œufs brouillés au fromage faible en gras et aux fines herbes, saucisse végétarienne, jus de tomate | Omelette au poulet épicé, tranche d'avocat, jus de tomate | Boisson frappée nourrissante, sans sucre, œuf cuit dur |
| Chili à la viande, salade verte avec vinaigrette légère | Bœuf haché dans une feuille de laitue enroulée, soupe aux légumes | Salade de maïs, soupe de haricots |
| Poulet grillé, choux de Bruxelles, salade verte avec vinaigrette légère | Filet de porc grillé, légumes vapeur, salade d'épinards | Mérou avec légumes sautés, tranches de tomate |
| Bâtons de céleri et beurre d'arachide | Salade de thon sur un lit de laitue | Amandes |

## Ressources

www.ediets.com/glee/article.cfm/cmi_2426010/cld_35/code_30171

*Secrets of Good-Carb Low-Carb Living,* Sandra Woodruff, Avery, 2004.

RÉGIME À LONG TERME

SOUPLESSE
●●

RÉGIME FACILE À
SUIVRE EN FAMILLE
●●

COÛT
●●

DONNÉES SCIENTIFIQUES
À L'APPUI

●●

# RÉGIME MIAMI (SOUTH BEACH)

Ce régime hyperprotéiné restreint initialement les glucides avant de les réintroduire en quantités limitées.

Les crevettes sont une source de protéines de qualité et elles sont peu caloriques.

### Origine du régime
Mis au point par le D$^r$ A. Agatson, ce régime, qui a figuré sur la liste des best-sellers du *New York Times,* est une variante moins sévère des régimes faibles en glucides.

### Comment fonctionne-t-il?
Le régime, en trois phases, restreint initialement la consommation de glucides «sains» pour les réintroduire graduellement dans l'alimentation. Les sources de protéines sont le poisson, le poulet, la dinde, le veau, le porc, le bœuf et l'agneau maigres, le yogourt et les fromages faibles en gras; les matières grasses proviennent des noix et de l'huile d'olive, de colza et d'arachide; les collations sont multiples. Le régime prescrit la taille des portions et met l'accent sur les produits de grains entiers et les aliments à indice glycémique faible.

Pendant les deux semaines que dure la phase 1, le régime permet les viandes maigres, le poulet, les œufs, les substituts d'œuf, le poisson et l'huile d'olive. Les principales sources de glucides sont les légumes, les salades, les noix et le lait faible en gras.

Au cours de la phase 2, on recommence à manger des glucides à indice glycémique faible, mais en quantités limitées. Cette phase dure de deux à trois semaines ou jusqu'à l'obtention de la perte de poids visée. En cas d'entorse au régime, il faut revenir à la phase 1 pour une semaine.

Le régime recommande la consommation de fruits le midi et le soir, mais pas le matin. Le pain de grains entiers, la patate douce et le riz brun ou sauvage

**voir aussi**

régime **Atkins** 42
régime **Scarsdale** 60

# menu type

Si vous faites de petites entorses à votre régime, revenez

|  | samedi | dimanche | lundi | mardi |
|---|---|---|---|---|
| **matin** | Quiche aux légumes avec épinards, jus de tomate, café décaféiné sans gras | Omelette à 2 œufs avec fromage, jus de tomate, café décaféiné sans gras | 2 œufs pochés, bacon de dos, jus de légumes, café décaféiné sans gras | Omelette à 2 œufs avec asperges, bacon de dos, jus de tomate, thé décaféiné |
| **collation 1** | Rouleau à la dinde, mayonnaise à la coriandre | Hommos et bâtonnets de céleri | Bâtonnets de mozzarella faible en gras | Bâtonnets de cheddar faible en gras |
| **midi** | Laitues mélangées garnies de poulet grillé, huile et vinaigre | Laitues mélangées garnies de lanières de bœuf grillé, huile et vinaigre | Laitues mélangées garnies de poulet grillé, huile et vinaigre | Laitues mélangées garnies de thon, huile et vinaigre |
| **soir** | Saumon grillé, asperges et champignons vapeur, salade verte avec huile d'olive | Tilapia grillé, chou vert avec flocons de bacon, aubergine et poivrons grillés, salade de roquette avec vinaigre | Morue grillée, légumes grillés, salade verte avec huile d'olive | Filet de porc grillé, tomates et poivron grillés, chou émincé |
| **collation 2** | Noix de cajou | Noix du Brésil | Amandes | Fromage ricotta faible en gras aromatisé à la vanille* |
| **collation 3** | Gélatine sans sucre | Fromage ricotta faible en gras aromatisé au citron* | Gélatine sans sucre, tomates cerises | Noix de cajou nature |

remplacent le pain blanc, les pommes de terre blanches et le riz blanc. De petites portions de riz ou de pommes de terre sont permises. La purée de choux-fleurs vapeur remplace la purée de pommes de terre. Les sandwichs sont remplacés par des rouleaux de feuilles de laitue. La phase 3 est un régime de maintien à vie qui décourage la consommation de certains glucides et matières grasses et comporte certaines règles de base auxquelles il ne faut pas déroger.

Ce régime hypocalorique, hyperprotéiné et faible en glucides permet la consommation de « bons » gras, d'aliments à teneur élevée en fibres et de glucides choisis en quantités modérées. Des études ont montré que des portions modérées de glucides, de protéines et de bons gras facilitent la gestion du poids.

## Avantages et désavantages

Le régime Miami est une variante du régime faible en glucides que tant de gens trouvent difficile à suivre. Ce régime aussi est susceptible d'être faible en calcium. La première phase, très stricte, entraîne une perte de poids rapide, probablement en raison du déficit calorique et de la perte d'eau. Les régimes semblables n'ont toutefois pas de troisième phase à long terme.

## Vous convient-il?

Le régime Miami plaira aux personnes qui souhaitent une perte de poids rapide, qui aiment les menus structurés restreignant les glucides, mais qui ne veulent pas s'astreindre à mesurer ou à peser leurs aliments. Les gens qui ne peuvent pas se passer de pommes de terre, de pain blanc, de céréales, de riz, de pâtes ou de maïs devraient l'éviter. Toute personne souffrant d'une maladie devrait consulter un médecin avant d'entreprendre ce régime.

## Disponibilité

Tous les aliments compris dans ce régime se vendent dans tous les supermarchés.

## Changements dans le mode de vie

Bien que le régime n'exige pas la pratique d'exercice, l'auteur signale que celui-ci est plus efficace quand on s'y adonne.

### aliments interdits

**PHASE 1 :**

- pain
- riz
- pommes de terre
- certains légumes
- pâtes
- produits de boulangerie
- bière

### gâteries

**AU CHOIX :**

- noix
- certains desserts au chocolat
- desserts à base de fromage ricotta
- certains petits fruits
- gélatine sans sucre

simplement à la 1ʳᵉ phase pour une semaine, pour vous remettre sur la bonne voie.

| mercredi | jeudi | vendredi |
|---|---|---|
| Omelette à 2 œufs avec brocolis, jus de légumes, bacon de dos, café décaféiné | Frittata au jambon et aux asperges, jus de tomate, café décaféiné sans gras | Omelette à 2 œufs avec poivron, bacon de dos, jus de légumes, thé décaféiné |
| Tranche de jambon roulée, bâtonnets de céleri | Bâtonnets de cheddar faible en gras | Gélatine sans sucre |
| Laitues mélangées garnies de lanières de dinde, huile et vinaigre | Laitues mélangées garnies de crevettes grillées, huile et vinaigre | Tomate grillée farcie à la salade de thon |
| Gaspacho, champignons grillés, épinards sautés, julienne de courgette et de courge jaune vapeur | Côtelette de porc grillée, courgette et courge jaune grillées, pois mange-tout vapeur | Poitrine de dinde grillée, brocolis vapeur, purée de choux-fleurs, salade de concombre |
| Pistaches | Avelines | Fromage ricotta, sirop au chocolat sans sucre |
| Gélatine sans sucre, bâtonnets de mozzarella sans gras | Fromage ricotta faible en gras aromatisé à l'amande* | Noix de Grenoble |

### Ressources

www.southbeachdiet.com

www.lowcarb.ca/atkins-diet-and-low-carb-plans/south-beach-diet.html

*Régime Miami. Des kilos en moins et la santé en plus,* Arthur Agatson, Pocket, 2005.

*Utilisez de l'extrait pour aromatiser et des édulcorants provenant préférablement de sucres complexes.

RÉGIME À LONG TERME

SOUPLESSE

RÉGIME FACILE À
SUIVRE EN FAMILLE

COÛT

DONNÉES SCIENTIFIQUES
À L'APPUI

# RÉGIME PRINCIPAL

Ce plan « d'urgence » bikini promet de vous aider à perdre de
2 à 4,5 kilos en 7 jours.

### Origine du régime

Bien que le régime ait été mis au point et publié dans *The Diet Principal*
(1987) par la comédienne Victoria Principal, il existe plusieurs régimes dits
« bikini ». Toutefois, la célébrité de l'auteur et la promesse d'une perte de
poids rapide en ont fait le plus populaire.

### Comment fonctionne-t-il ?

Selon l'auteur, le régime Principal vous garantit de perdre entre 2 et
4,5 kilos en suivant simplement le menu fixe d'une semaine. Cependant, il
ne faut pas répéter ce régime « d'urgence » plus d'une fois par année.
Extrêmement hypocalorique et faible en fibres (probablement en raison de la
petite taille des portions), ce régime comprend certains fruits, certains
légumes et certaines viandes maigres. Il faut rigoureusement respecter le
menu et s'abstenir de manger après 20 heures. La taille des portions est
fixée, mais il n'est pas nécessaire de peser les aliments. Un grand nombre
d'aliments sont interdits en raison de leur teneur en calories ou des
ingrédients qu'ils contiennent (sodium et caféine). Il est recommandé de
prendre ses repas à la maison pour éviter les tentations et les aliments trop
caloriques. Les femmes qui suivent ce régime sont encouragées à prendre un
supplément de calcium pour prévenir les risques d'ostéoporose. En dernière
analyse, le régime est efficace en raison des restrictions alimentaires
imposées et de la taille des portions.

**voir aussi**
**régime Scarsdale** 60
**régime ultrasimple** 122

# menu type
Le menu bikini doit être suivi rigoureusement pendant une

| | samedi | dimanche | lundi | mardi |
|---|---|---|---|---|
| **matin** | Eau, salade de melons, pain de blé entier grillé, thé chaud | Eau, jus de pruneau, craquelins de blé entier, café décaféiné | Eau, substitut d'œufs brouillés, pain de blé entier grillé, thé chaud | Eau, jus de pruneau, craquelins de blé entier, café décaféiné |
| **midi** | Thé léger, salade de poulet avec laitue et tomates cerises, craquelins au blé entier, limonade | Thé léger, salade de verdure, thon et tomates au vinaigre balsamique, limonade à la limette | Eau, salade verte (tous les légumes mais sans tomates), poitrine de dinde, thé chaud | Thé léger, salade de laitue, thon et tomates au vinaigre balsamique, limonade à la limette |
| **soir** | Eau, tilapia grillé, tomate tranchée, vinaigre balsamique, bâtonnets de céleri, café décaféiné | Eau, poulet grillé, légumes vapeur, craquelins au blé entier, thé glacé | Eau, légumes d'hiver vapeur au gratin (fromage quelconque), limonade | Eau, consommé, légumes vapeur, poitrine de poulet, lait écrémé |
| **collation 1** | Thé léger | Eau | Eau | Thé léger |
| **collation 2** | Eau | Thé léger | Thé léger | Eau |

**Truc santé**

- Pour apaiser votre appétit, buvez plus de huit verres d'eau par jour, dont un verre d'eau ou une tasse de thé léger avant et après chaque repas. Buvez aussi deux verres d'eau ou deux tasses de thé entre chaque repas.

## Avantages et désavantages

Ce régime d'une durée d'une semaine propose un menu détaillé très facile à suivre. Chaque menu permet une certaine variété et le livre contient des trucs utiles quand il faut manger au restaurant.

Conçu pour être suivi rigoureusement, ce régime hypocalorique n'apaise pas la faim. La perte de poids est attribuable au faible apport calorique et non au type d'aliments, et découle de la perte d'eau et de masse musculaire – et non de la perte de graisse.

## Vous convient-il ?

Le régime plaira aux personnes qui souhaitent perdre rapidement du poids grâce à un régime structuré, mais il faudra pour cela qu'elles puissent supporter la faim (ou se résigner à la supporter). Selon l'ouvrage, les femmes ne devraient pas suivre ce régime lorsqu'elles ont leurs règles ou souffrent d'une quelconque maladie. Même les femmes en bonne santé devraient consulter leur médecin avant d'entreprendre ce régime.

## Disponibilité

Tous les aliments compris dans ce régime se vendent dans tous les commerces d'alimentation et ne requièrent pas de préparation élaborée.

## Changements dans le mode de vie

Aucun. Des changements plus permanents sont suggérés pour les autres régimes proposés dans le même ouvrage, comme le régime de 30 jours (30-day Diet) et le régime à long terme, Diet for Life.

## aliments interdits

- produits laitiers
- aliments en conserve
- vinaigrettes ordinaires
- sucre
- alcool
- café et caféine
- boissons gazeuses sans sucre

## aliments à consommer à volonté

- eau
- thé et tisanes

semaine ; aucune substitution n'est permise.

| mercredi | jeudi | vendredi |
|---|---|---|
| Eau, tranches de tomate, pain de blé entier grillé, vinaigrette faible en calories, café décaféiné | Eau, substitut d'œufs brouillés, pain de blé entier grillé, café décaféiné | Eau, tranches de tomate, pain de blé entier grillé, café décaféiné |
| Eau, salade de poulet ou de dinde, craquelins au blé entier, thé | Thé léger, légumes mélangés, lait écrémé | Thé léger, salade verte aux crevettes, vinaigrette italienne faible en calories, limonade à la limette |
| Eau, légumes vapeur avec parmesan râpé, limonade | Eau, morue grillée, craquelins au blé entiers, courge d'été vapeur, thé | Eau, légumes d'été vapeur avec fromage romano râpé, thé chaud |
| Eau | Thé léger | Eau |
| Thé léger | Eau | Thé léger |

## Ressources

www.victoriaprincipal.com

diet.ivillage.com/plans/0,,8h95,00.html

*Le Régime Principal,* Victoria Principal, Michel Lafon, 1989.

RÉGIME À LONG TERME

SOUPLESSE

RÉGIME FACILE À
SUIVRE EN FAMILLE

COÛT

DONNÉES SCIENTIFIQUES
À L'APPUI

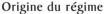

# LE JUSTE MILIEU DANS VOTRE ASSIETTE (THE ZONE)

Au lieu de compter les calories, ce régime aborde la santé et la perte de poids sous l'angle du rapport entre protéines et glucides et propose des combinaisons d'aliments qui permettent de rester dans « le juste milieu ».

### Origine du régime

Mû par le désir de ne pas mourir d'une crise cardiaque, le biochimiste et spécialiste en nutrition Barry Sears a mis au point le régime *The Zone,* qu'il a publié en 1995. Il est l'auteur de plusieurs best-sellers salués par le *New York Times,* dont certains sont traduits en français : *Le régime des stars* (2002) *Le juste milieu dans votre assiette* (2004), *Les recettes du juste milieu dans votre assiette* (2004), *Le régime oméga* (2004), et *Le régime anti-inflammatoire* (2006). Ses ouvrages se sont vendus à des millions d'exemplaires et ont été traduits en 22 langues dans 40 pays. En tant que président de l'Inflammation Research Foundation, un organisme sans but lucratif du Massachusetts, Barry Sears se consacre présentement à la recherche sur le processus inflammatoire.

**voir aussi**
**régime Miami (South Beach)** 64
**pyramide diététique méditerranéenne** 160

# menu type

Les menus de ce régime fournissent le rapport recommandé

|  | samedi | dimanche | lundi | mardi |
|---|---|---|---|---|
| **matin** | 1 muffin anglais, 1 ½ saucisse de soja, 30 g de fromage | Blancs d'œuf, oignons, champignons, épinards, 30 g de fromage, 1 tasse de salade de fruits légère | Quesadilla, 1 tasse de raisin | Bagel nature, 90 g de saumon fumé, 3 c. à soupe de fromage à la crème léger |
| **midi** | Omelette au fromage : 1 tasse de substitut Egg Beaters™, 30 g de fromage, huile d'olive en vaporisateur, ½ tasse de salsa | Salade de poulet avec 4 c. à café de mayonnaise légère dans un petit pain pita, ½ orange | 1 tranche de pain, 60 g de jambon, laitue, tomate, 30 g de fromage, ½ tasse de yogourt | 1 bol de chili, 30 g de fromage râpé |
| **soir** | 120 g de poulet, ail, oignon, poivron, champignons, épinards, 1 c. à soupe de vinaigrette à l'huile d'olive et au vinaigre, ½ tasse de raisin | 120 g de filet de porc grillé, 1 tasse de haricots verts vapeur | 120 g de poitrine de poulet, 1 tasse de haricots verts, laitue, vinaigrette à l'huile d'olive et au vinaigre | 120 g filet de porc, choucroute, 1 ¼ tasse de brocolis, 1 tasse de fraises |
| **collation 1** | Fromage à effilocher, 1 pomme | Fromage, bretzels faibles en glucides | ½ tasse de fromage cottage, pêches tranchées | Fromage à effilocher, 1 pomme |
| **collation 2** | ¼ tasse de fromage cottage, gélatine aux fruits diète | Fromage à effilocher, 1 tasse de fraises | Fromage à effilocher, 1 pomme | 1 tasse de yogourt nature |

## Comment fonctionne-t-il?

Le juste milieu, obtenu en modifiant son alimentation de manière à arriver au rapport optimal de 40 pour cent de glucides, 30 pour cent de matières grasses et 30 pour cent de protéines, est un état dans lequel le taux de sucre sanguin est stable et l'équilibre hormonal est maintenu. La prise de poids survient lorsque l'organisme «sort» de ce juste milieu.

Selon Barry Sears, l'excès de glucides alimentaires entraîne une surproduction d'insuline, qui provoque des fringales et pousse l'organisme à convertir les glucides en graisse qui s'entrepose dans l'abdomen, les cuisses, le fessier et d'autres régions du corps. En limitant sa consommation de glucides et en mangeant de 90 à 120 g de protéines maigres à chaque repas, une personne peut maintenir ses taux d'insuline et de glucagon (une hormone produite par le pancréas qui fait augmenter la glycémie) équilibrés, et maîtriser sa faim. La perte de poids est attribuable à la réduction du nombre de calories. Les repas ne doivent pas excéder 500 calories et les collations 100 calories.

## Avantages et désavantages

Le juste milieu dans votre assiette recommande des aliments comme les protéines maigres, les légumes, certains fruits, les légumes feuilles et les gras (principalement) monoinsaturés. Certaines personnes trouveront les combinaisons alimentaires difficiles à avaler et le calcul des blocs de protéines fastidieux. Un grand nombre d'aliments sont considérés mauvais et la consommation des seuls aliments recommandés peut sembler très restrictive à certains palais. Rares sont les aliments qui contiennent naturellement les bonnes proportions de glucides, de matières grasses et de protéines, si bien que des produits ZonePerfect®

(barres tendres et plats cuisinés) ont été mis au point. L'achat de ces produits peut faire augmenter les coûts du régime The Zone.

## Vous convient-il?

Le régime du juste milieu dans votre assiette plaira aux personnes qui recherchent un régime faible en glucides; toute personne qui n'aime pas faire la cuisine appréciera les barres tendres ZonePerfect®. Ce régime est difficile à suivre pour une famille très occupée, en raison du temps qu'il faut consacrer au calcul des bonnes combinaisons d'aliments.

## Disponibilité

Un grand nombre d'aliments sont soit limités, soit considérés mauvais. Des produits spécialisés, comme les produits ZonePerfect®, sont recommandés pour obtenir des résultats optimaux.

## Changements dans le mode de vie

La pratique régulière d'exercice est recommandée.

suivant: 40% de glucides, 30% de matières grasses et de 30% de protéines.

| mercredi | jeudi | vendredi | **Ressources** |
|---|---|---|---|
| Gruau, 1 c. à s. de poudre de protéines, lait de soja, compote de pommes, ½ tranche de pain, 2 c. à s. de beurre d'arachide | Substitut d'œuf Egg Beaters™, fromage, 1 tranche de pain, 1 ½ c. à café de beurre d'amande, 1 tasse de melon | Gruau, 3 c. à soupe d'amandes, 1 tasse de lait, œuf, ½ tasse de bleuets | *Le juste milieu dans votre assiette: Un régime révolutionnaire,* B. Sears, Les Éditions de l'Homme, 2004. |
| Hamburger au tofu, 15 g de fromage, ½ pain à hamburger, salade, 4 c. à café de vinaigrette à l'huile d'olive et au vinaigre | Salade de thon, 4 c. à café de mayonnaise légère dans un petit pain pita, 1 tasse de raisin | Poulet grillé, salade César, 1 c. à café de vinaigrette César, ½ bâtonnet de pain, 1 pomme | |
| Poivron farci, ½ tasse de pois chiches, oignon, champignons, 30 g de fromage, 1 tasse d'épinards, pomme | 120 g de poulet, oignon, champignons, brocolis, pois mange-tout, 1 ½ c. à café d'huile d'arachide, raisin | Filet de poisson jardinière Lean Cuisine®, 1 tasse de haricots verts, laitue, 1 c. à soupe de vinaigrette à l'huile d'olive et au vinaigre | |
| Fromage, 2 tasses de maïs soufflé | Fromage à effilocher, 1 orange | 1 bouteille de bière, 60 g de dinde tranchée | |
| 1 tasse de lait | 1 tasse de yogourt nature | 1 tasse de lait | |

**Remarque:** Tous les produits laitiers sont soit faibles en gras ou sans gras (yogourt, lait, fromage), les pains sont de blé entier et la viande et la volaille maigres.

RÉGIME À LONG TERME

SOUPLESSE

RÉGIME FACILE À
SUIVRE EN FAMILLE
●●

COÛT
●●●

DONNÉES SCIENTIFIQUES
À L'APPUI

# RÉGIME CAMBRIDGE

À l'origine extrêmement hypocalorique, le régime préconise maintenant un plan en six étapes qui diffèrent principalement par le nombre de calories permises.

### Origine du régime

Le régime découle de recherches sur l'obésité menées par le D^r Alan Howard, un chercheur à l'Université de Cambridge. D'autres découvertes ont ensuite été étudiées par le D^r Ian McLean-Baird. Aujourd'hui, le régime Cambridge est un produit distribué partout dans le monde.

### Comment fonctionne-t-il?

Ce régime en plusieurs étapes dépend de produits commerciaux spécialement mis au point, comme des poudres qu'on mélange à de l'eau ou d'autres liquides.

La première étape (dite « Sole Source » ou source unique) vise à produire une légère cétose grâce à l'ingestion limitée de glucides et de calories, de sorte que certains sachets ou Tetra Briks sont interdits à cette étape. À mesure que le sujet perd du poids, on augmente le nombre de calories (étapes) jusqu'à l'étape de maintien (6). Chaque client travaille avec un conseiller Cambridge autorisé.

Le régime préconise quatre étapes vers le succès : préparation, perte de poids, stabilisation du poids et maintien du poids, qui correspondent aux six étapes : Étape 1 – de 415 à 554 calories par jour pendant au plus 4 semaines consécutives ; Étape 2 – 790 calories par jour ; Étape 3 –

**voir aussi**
**régime Optifast** 76

# menu type

Ce menu type est celui de la 1^re étape

|  | samedi | dimanche | lundi | mardi |
|---|---|---|---|---|
| **matin** | Sachet à la vanille, café noir, 1 ½ tasse d'eau | Tetra Brik Banana Bliss, café noir, 1 ½ tasse d'eau | Sachet au caramel écossais, café noir, 1 ½ tasse d'eau | Sachet aux bananes, café noir, 1 ½ tasse d'eau |
| **midi** | Sachet au cappuccino, thé noir, 1 ½ tasse d'eau | Sachet au chocolat à la menthe, thé noir, 1 ½ tasse d'eau | Tetra Brik Chocolate Velvet, thé noir, 1 ½ tasse d'eau | Sachet Fruits of the Forest, thé noir, 1 ½ tasse d'eau |
| **soir** | Sachet Fruits of the Forest, thé noir, 1 ½ tasse d'eau | Sachet poulet et champignons, thé noir, 1 ½ tasse d'eau | Sachet aux légumes, thé noir, 1 ½ tasse d'eau | Sachet poulet et champignons, thé noir, 1 ½ tasse eau |
| **collation 1** | 1 ¾ tasse d'eau | 1 ¾ tasse d'eau | 1 ¾ tasse d'eau | 1 ¾ tasse d'eau |
| **collation 2** | 1 ¾ tasse d'eau | 1 ¾ tasse d'eau | 1 ¾ tasse d'eau | 1 ¾ tasse d'eau |

1000 calories par jour; Étape 4 – 1200 calories par jour; Étape 5 – 1500 calories par jour et Étape 6 - 1500 calories et + par jour. La perte de poids est attribuable à l'apport calorique très faible et le poids peut facilement être repris dès qu'on cesse d'utiliser les produits et qu'on augmente de nouveau son apport en calories.

## Avantages et désavantages

Chaque repas est fortifié et comble le tiers de l'apport quotidien recommandé en plusieurs vitamines et minéraux; cependant, l'apport recommandé peut varier d'un pays à l'autre. La consommation de quantités adéquates de liquides est fortement recommandée.

Les deux premières étapes consistent en un régime d'attaque très hypocalorique et pauvre en glucides, comportant peu de variété. Comme un grand nombre des conseillers Cambridge ont eux-mêmes suivi le régime, ils n'ont pas nécessairement un diplôme en nutrition. La nature extrêmement hypocalorique de ce régime le rend impropre à long terme, tout comme le coût élevé des mélanges et des barres tendres.

## Vous convient-il?

Ce régime pourrait convenir aux gens qui souhaitent maigrir mais qui n'ont pas le temps de mesurer et de préparer leurs aliments ou de compter les calories. Toute personne qui souffre d'une maladie ou qui prend des médicaments, les femmes enceintes, les femmes qui allaitent, les enfants et les adolescents doivent consulter un médecin ou un nutritionniste avant d'entreprendre ce régime. Le régime Cambridge ne convient pas aux personnes qui n'aiment pas dépendre de produits amaigrissants du commerce.

## Disponibilité

Bien que la plupart des aliments compris dans ce régime se vendent dans tous les commerces d'alimentation, il faut passer par un distributeur autorisé pour se procurer les repas Cambridge.

## Changements dans le mode de vie

Entre autres changements, une personne doit remplacer certains repas par des produits Cambridge et il lui est impossible de manger au restaurant.

**Pensez-y bien...**
• Les sachets Cambridge et les Tetra Briks contiennent une poudre qui, lorsqu'elle est mélangée à de l'eau froide ou chaude, donne des soupes ou des boissons sucrées. Les Tetra Briks sont des repas liquides. Ces deux produits sont employés comme substituts de repas.

**aliments interdits**
• alcool
• café ou thé additionné de lait
• jus de fruits purs
• boissons sucrées hypercaloriques

**aliments à consommer à volonté**
• thé ou café noir
• eau du robinet ou embouteillée (non aromatisée aux fruits)

ou « Sole Source ».

| mercredi | jeudi | vendredi |
|---|---|---|
| Sachet au cappuccino, café noir, 1 ½ tasse d'eau | Sachet Fruits of the Forest, café noir, 1 ½ tasse d'eau | Sachet aux fraises, café noir, 1 ½ tasse d'eau |
| Tetra Brik Banana Bliss, thé noir, 1 ½ tasse d'eau | Sachet au chocolat à la menthe, thé noir, 1 ½ tasse d'eau | Sachet poulet et champignons, thé noir, 1 ½ tasse d'eau |
| Sachet à la vanille, thé noir, 1 ½ tasse d'eau | Sachet aux légumes, thé noir, 1 ½ tasse d'eau | Sachet aux bananes, thé noir, 1 ½ tasse d'eau |
| 1 ¾ tasse d'eau | 1 ¾ tasse d'eau | 1 ¾ tasse d'eau |
| 1 ¾ tasse d'eau | 1 ¾ tasse d'eau | 1 ¾ tasse d'eau |

## Ressources

www.cambridge-diet.com

www.skinnyondiets.com

*The Cambridge Diet: A Manual for Practionners*, A. Howard et J. Marks, MTP Press, 1986.

**Remarque :** Pendant le premier stade du régime Cambridge, on recommande de boire 1,92 litre d'eau, en plus de l'eau utilisée pour les sachets et les produits Tetra Briks et du thé et du café sans sucre pouvant être consommés tous les jours.

RÉGIME À LONG TERME
●●●

SOUPLESSE
●●

RÉGIME FACILE À
SUIVRE EN FAMILLE
●●

COÛT
●

DONNÉES SCIENTIFIQUES
À L'APPUI
●●●

# RÉGIME JENNY CRAIG

Fondé sur le compte des calories et le contrôle des portions, ce régime amaigrissant doublé d'un programme de maintien allie trois éléments clés : le corps, l'esprit et le rapport à la nourriture.

### Origine du régime

Mis au point par Jenny Craig en 1983, ce régime a vu le jour en Australie et a été introduit aux États-Unis en 1985. Dès 1987, il y avait déjà 153 centres Jenny Craig, Inc., dont des franchises en Nouvelle-Zélande et au Royaume-Uni. Il existe présentement 640 centres Jenny Craig aux États-Unis, au Canada, en Australie, en Nouvelle-Zélande, à Guam et à Porto Rico. La société est maintenant propriété de Nestlé Nutrition.

### Comment fonctionne-t-il ?

Le succès de ce programme dépend des changements apportés dans le mode de vie : entretenir un rapport sain avec la nourriture, adopter un style de vie moins sédentaire et vivre de façon plus équilibrée. Des conseillers formés sont à la disposition des membres qui peuvent les consulter une fois par semaine dans les centres Jenny Craig (et se faire peser en privé). Ils peuvent aussi les consulter par téléphone ou « chatter » avec eux en ligne. Les centres Jenny Craig offrent toute une variété d'options et de programmes pour répondre aux besoins de leurs membres.

Bien que le régime fasse initialement une grande place à la consommation de repas préparés, les personnes qui le suivent sont encouragées à les délaisser graduellement et à apprendre à cuisiner des

**Pensez-y bien...**
- Vous pouvez manger à volonté des aliments contenant de 0 à 30 calories, comme des légumes non féculents ou des boissons sans calories.
- Des repas d'un seul service aident à contrôler les portions.

**voir aussi**
régime **NutriSystem** 74
régime **Slim-Fast** 78
régime **Weight Watchers** 80

# menu type

Ce menu type est dans le style d'un menu

|  | samedi | dimanche | lundi | mardi |
|---|---|---|---|---|
| **matin** | Banana Nut Muffin*, 1 pêche moyenne fraîche, 1 tasse de lait écrémé | Triple Grain Crisps*, 17 petits raisins, 1 tasse de lait écrémé | Breakfast Stuffed Sandwich*, 1 tasse de fraises, 1 tasse de lait écrémé | Complete Start Cereal*, 1 orange, 1 tasse de lait écrémé |
| **midi** | Italian Wedding Soup*, carottes crues, 1 tasse de salade jardinière, vinaigrette Jenny's Dressing* | Lanières de poulet avec Rice Medley*, salade jardinière, vinaigrette Jenny's Dressing* | Tuna Salad Kit*, salade jardinière, vinaigrette Jenny's Dressing* | Jenny's Personal Pizza*, salade jardinière, vinaigrette Jenny's Dressing* |
| **soir** | Turkey with Gravy*, 1 tasse de brocolis, MultiPlus* | Florentine Ravioli*, 1 tasse de courge d'été, MultiPlus* | Meatloaf with BBQ Sauce*, 1 tasse de courgette vapeur, 1 c. à café de margarine, MultiPlus* | Salisbury Steak*, 1 tasse de choux-fleurs, MultiPlus* |
| **collation 1** | 1 tasse de melon miel, Anytime Bar* | 1 kiwi, Anytime Bar*, salade de roquette avec vinaigre | ¾ tasse d'ananas frais, Anytime Bar* | 1 petite pomme, Anytime Bar* |
| **collation 2** | 3 dattes | 1 petite orange | ½ pamplemousse (gros) | ½ poire (grosse) |
| **collation 3** | Peanut Butter Bar*, 1 tasse de lait écrémé | Lemon Cake*, 1 tasse de lait écrémé | Bruschetta Veggie Chips*, 1 tasse de lait écrémé | Trail Mix*, 1 tasse de lait écrémé |

Comme collation, on peut manger des aliments contenant de 0 à 30 calories – comme des bâtonnets de carottes ou de céleri ou une salade à la vinaigrette sans gras.

plats hypocaloriques et à contrôler leurs portions. La stratégie fonctionne grâce à la réduction de l'apport calorique et à la pratique d'activités physiques. De nombreuses données scientifiques confirment l'efficacité de cette approche double pour favoriser la perte de poids.

## Avantages et désavantages

La société Jenny Craig, Inc. propose des services en permanence, jour et nuit, à tous ses membres, et son site Web comprend des exemples de recettes, des trucs et un planificateur de menus interactif. Les membres peuvent aussi obtenir de l'aide d'un groupe de conseillers médicaux – dont un expert en nutrition – mais les conseillers dans les centres ne sont pas des nutritionnistes accrédités. Les plats préparés peuvent être coûteux, particulièrement lorsqu'ils s'ajoutent aux aliments du reste de la famille. Enfin, le contrôle des portions peut être difficile une fois qu'on a abandonné les plats préparés.

## Vous convient-il ?

Ce régime plaira à toutes les personnes trop occupées ou impatientes pour compter les calories et préparer des repas. Les personnes malades et les femmes enceintes devraient consulter leur médecin avant d'entreprendre ce régime. Il ne convient pas à un enfant, à moins d'avoir été recommandé par un médecin ou par un nutritionniste compétent.

## Disponibilité

Tous les aliments compris dans ce régime se vendent dans les centres Jenny Craig ou directement en ligne.

## Changements dans le mode de vie

Le régime recommande d'adopter un mode de vie moins sédentaire et de prendre davantage conscience de la taille des portions.

### Trucs santé

- Choisissez des fruits frais au lieu de fruits en conserve pour augmenter la valeur nutritive de vos menus.
- Limitez votre consommation de certains types d'aliments – ½ tasse de cantaloup, de pamplemousse, de fraises ou de pastèque (de 20 à 30 calories) et un bonbon sans sucre (10 à 20 calories) – à trois portions par jour.
- Buvez beaucoup d'eau.
- Vous pouvez mâcher autant de gomme sans sucre que vous le voulez !

## Jenny Craig de 1500 calories.

| mercredi | jeudi | vendredi | **Ressources** |
|---|---|---|---|
| Silver Dollar Pancakes and Veggie Sausage*, ½ tasse de bleuets, 1 tasse de lait écrémé | Blueberry Muffin*, 1 petite banane, 1 tasse de lait écrémé | Sunshine Sandwich*, 1 tasse de framboises, 1 tasse de lait écrémé | www.jennycraig.com<br><br>*The Jenny Craig Story : How One Woman Changes Millions of Lives*, J. Craig, John Wiley & Sons, 2004. |
| Rotini with Meatballs*, salade jardinière, vinaigrette Jenny's Dressing* | Turkey Burger*, salade jardinière, vinaigrette Jenny's Dressing*, 1 petite pomme | Cheesy Enchiladas*, salade jardinière, vinaigrette Jenny's Dressing* | |
| Sweet and Sour Chicken*, 1 tasse de carottes, 1 c. à café de margarine, MultiPlus* | Vegetable and Chicken Potstickers*, 1 tasse de haricots verts, MultiPlus* | Teryiaki Glazed Salmon*, 1 tasse d'asperges, MultiPlus* | |
| 1 petite orange, Anytime Bar*, courgette, courge jaune | 1 petite prune, Anytime Bar* | ½ cantaloup (petit), Anytime Bar* |  |
| 2 petites tangerines | 2 c. à soupe de raisins secs | 1 petite nectarine | |
| Sourdough Bites*, 1 tasse de lait écrémé | Honey Oat Bar*, 1 tasse de lait écrémé | Chocolate Chip Bites*, 1 tasse de lait écrémé | * **Produits Jenny Craig. Le menu comprend trois repas et trois collations par jour, les collations étant prises entre les repas.** |

RÉGIME À LONG TERME

SOUPLESSE
●●

RÉGIME FACILE À
SUIVRE EN FAMILLE
●●

COÛT
●

DONNÉES SCIENTIFIQUES
À L'APPUI

# RÉGIME NUTRISYSTEM

Fondé sur le principe que les aliments à indice glycémique faible favorisent la perte de poids, ce régime propose des repas préparés qui sont livrés directement à votre domicile.

### Origine du régime

En 1972, la société américaine NutriSystem, Inc. a commencé à vendre des boissons diète protéinées. Six ans plus tard, elle proposait à ses clients des repas préparés. Si la société a officiellement fait faillite dans les années 1990 et dû fermer ses centres d'amaigrissement, neuf ans plus tard, elle vend ses produits partout dans le monde à des clients qui les commandent en ligne.

### Comment fonctionne-t-il?

Le régime se fonde sur trois repas (matin, midi et soir) dont les portions et l'indice glycémique sont contrôlés et au moins une collation ou un dessert. Les principaux repas du régime NutriSystem sont des produits préparés additionnés de fruits et de légumes frais et de produits laitiers sans gras. Il est recommandé de boire beaucoup d'eau. Quatre programmes distincts sont offerts : pour les hommes, pour les femmes, pour les végétariens et pour les personnes souffrant de diabète de type 2.

Il existe énormément de données scientifiques confirmant la théorie voulant que des changements permanents dans le mode de vie, comme des

**voir aussi**
**indice glycémique** 50
**régime Jenny Craig** 72
**régime Weight Watchers** 80

# menu type

Ce menu est un exemple du programme NutriSystem

|  | samedi | dimanche | lundi | mardi |
|---|---|---|---|---|
| **matin** | Cranberry Orange Pastry* | Blueberry Muffin* | Apple Cinnamon Oatmeal* | Scrambled Egg Mix with Cheese* |
| **midi** | Chicken Salad* | Tex-Mex Rice and Beans* | Balsamic Vinaigrette with Turkey Breast Meal* | Thousand Island Dressing with Chicken Breast* |
| **soir** | Vegetable Lasagna with Basil Tomato Sauce* | Rotini with Meatballs and Tomato Sauce* | Stroganoff Sauce with Beef and Noodles* | Chili with Beans* |
| **collation 1** | Zesty Herb Snack Mix* | Strawberry Shortcake Bar* | Almond Biscotti* | BBQ Soy Chips* |
| **collation 2** | Salade jardinière | Petit kiwi | Petite banane | Bâtonnets de carottes |

portions plus petites, un apport en calories contrôlé et une augmentation de l'activité physique, favorisent la perte de poids. Les scientifiques ne s'entendent toutefois pas sur les effets du retour à une alimentation normale après le régime de repas préparés ; en outre, ils ne sont pas tous convaincus qu'une alimentation à indice glycémique faible aide réellement une personne à perdre du poids.

## Avantages et désavantages

Les quatre programmes sont variés et suggèrent des repas différents. Le site Web de NutriSystem propose une composante interactive – journal de régime, exercice, etc. Les clients ont accès à un service de conseils jour et nuit, tant en ligne que par téléphone. Cependant, les conseillers ne sont pas des nutritionnistes autorisés et les repas préparés peuvent être coûteux à long terme. Enfin, il peut être difficile de continuer à contrôler ses portions une fois qu'on a abandonné les repas préparés.

## Vous convient-il ?

Le régime NutriSystem plaira aux personnes qui n'ont pas beaucoup de temps pour compter les calories et préparer des repas. Les personnes malades et les femmes enceintes devraient consulter leur médecin avant d'entreprendre ce régime. Il ne convient pas à un enfant à moins d'avoir été recommandé par un médecin ou un nutritionniste compétent.

### Truc santé
- *Pour compléter les repas, ajoutez-y des fruits et des légumes frais ainsi que des produits laitiers sans gras.*

## Disponibilité
Tous les aliments compris dans ce régime ne peuvent être achetés qu'en ligne ou par l'intermédiaire d'un représentant NutriSystem.

## Changements dans le mode de vie
Le régime encourage fortement la pratique d'activités physiques.

## Nourish™ à l'intention des femmes.

| mercredi | jeudi | vendredi |
| --- | --- | --- |
| Strawberry Toaster Pastry* | Peanut Butter Granola Bar* | Scrambled Eggs with Veggie Sausage Crumble* |
| Black Beans and Ham Soup* | Cheese Tortellini* | Pasta with Beef* |
| Beef Tacos* | Southwestern Style Chicken with Sauce* | Tuna Casserole* |
| Chocolate Shake* | Pretzels* | Sour Cream and Onion Soy Chips* |
| Petite pomme | Bâtonnets de courgette | Petite orange |

## Ressources

www.nutrisystem.com

www.glycemicindex.com

*NutriSystem Nourish: The Revolutionary New Weight Loss Program,* J. Rouse, John Wiley & Sons, 2004.

\* Produits NutriSystem. La collation 1 compte comme dessert dans ce régime. NutriSystem, Inc. encourage l'ajout de fruits et de légumes frais ainsi que de produits laitiers sans gras aux collations et aux repas préparés. Le régime recommande en outre la consommation de quantités adéquates d'eau.

RÉGIME À LONG TERME

SOUPLESSE

RÉGIME FACILE À
SUIVRE EN FAMILLE

COÛT
●●●

DONNÉES SCIENTIFIQUES
À L'APPUI
●●

# RÉGIME OPTIFAST®

OPTIFAST est un programme de gestion du poids qui comprend des interventions médicales, comportementales et nutritionnelles. Les portions sont contrôlées et l'apport en calories est restreint.

### Origine du régime
Propriété de Novartis Nutrition, le programme de substituts de repas OPTIFAST a été mis au point en 1974. C'était le premier régime complet conçu pour le traitement de l'obésité. Aujourd'hui, il existe des cliniques OPTIFAST aux États-Unis, au Canada, en Australie et en Espagne.

### Comment fonctionne-t-il?
La phase active de perte de poids permet uniquement la consommation des substituts de repas OPTIFAST. Comme les portions et le nombre de calories de ces produits sont contrôlés, cette phase est un régime hypocalorique. La deuxième phase, qui dure environ six semaines, est une phase de transition. Au cours de cette période, les personnes au régime peuvent réintroduire des aliments et des repas maison dans leur alimentation. Cette phase est suivie d'un régime de gestion à long terme qui comprend des fruits, des légumes, des grains et des protéines faibles en gras, en plus des substituts de repas OPTIFAST.

Le régime, qui comprend un volet éducatif pour aider les gens à changer leur mode de vie, consiste en un programme d'alimentation équilibré et fondé sur des formules contrôlées, qui est supervisé par un médecin. Pendant le régime, l'apport en calorie varie entre 800 et 1500 calories par jour. De nombreuses données scientifiques confirment que la réduction de l'apport en calories favorise la perte de poids et que les modifications du comportement aident une personne à atteindre son but.

**voir aussi**
**régime Cambridge** 70

# menu type
Ce menu correspond à la phase active de perte de poids

| | samedi | dimanche | lundi | mardi |
|---|---|---|---|---|
| **matin** | OPTIFAST 800 Vanilla Powder drink | OPTIFAST 800 Strawberry Ready to Drink | OPTIFAST 800 French Vanilla Ready to Drink | OPTIFAST 800 Chocolate Powder drink |
| **matinée** | OPTIFAST 800 Strawberry Powder drink | OPTIFAST 800 Chocolate Powder drink | OPTIFAST 800 Garden Tomato Powder Soup | OPTIFAST 800 Strawberry Ready to Drink |
| **midi** | OPTIFAST 800 French Vanilla Ready to Drink | OPTIFAST 800 Garden Tomato Powder Soup | OPTIFAST 800 Chocolate Ready to Drink | OPTIFAST 800 Chicken Powder Soup |
| **après-midi** | OPTIFAST 800 Chocolate Powder drink | OPTIFAST 800 Strawberry Powder drink | OPTIFAST 800 Vanilla Powder drink | OPTIFAST 800 Chocolate Ready to Drink |
| **soir** | OPTIFAST 800 Chicken Powder Soup | OPTIFAST 800 French Vanilla Ready to Drink | OPTIFAST 800 Strawberry Powder drink | OPTIFAST 800 Vanilla Powder drink |
| **collation 1** | OPTIFAST Nutrition Bar | OPTIFAST Nutrition Bar | OPTIFAST Nutrition Bar | OPTIFAST Nutrition Bar |

## Avantages et désavantages

Ce régime constitue une approche multidisciplinaire à l'égard de la perte de poids et de sa gestion subséquente. Les participants reçoivent un suivi médical et le site Web propose de nombreux liens vers d'excellentes ressources. Une fois le programme complété, les participants sont invités à s'inscrire à un programme à long terme.

Toutefois, le choix de produits peut devenir monotone et les substituts de repas représentent une dépense importante. Une fois qu'elle abandonne les produits OPTIFAST®, une personne peut avoir de la difficulté à contrôler les portions de ses repas maison et risque de reprendre rapidement le poids qu'elle avait perdu.

## Vous convient-il?

Le régime plaira aux personnes qui n'ont pas beaucoup de temps à consacrer à compter les calories et à préparer des repas. Un médecin procède à la sélection et à l'examen des candidats avant le début de la phase active de perte de poids. Cette phase est déconseillée aux enfants, aux femmes enceintes et aux femmes qui allaitent. Certains médecins spécialistes de l'obésité recommandent ce régime aux personnes obèses pour qui la chirurgie n'est pas indiquée.

## Disponibilité

Les produits OPTIFAST doivent être achetés d'un fournisseur OPTIFAST, en raison de la supervision médicale requise et de l'option hypocalorique. Le coût total peut varier en fonction des autres besoins alimentaires de la famille.

## Changements dans le mode de vie

Le programme encourage la pratique d'activités physiques. Il comprend aussi un volet éducatif et des techniques et ressources pour modifier les comportements.

**Remarque**
L'information fournie est tirée du programme OPTIFAST des États-Unis. Il peut y avoir des différences entre ce programme et ceux des autres pays – pour plus de détails, vérifiez le site Web ci-dessous.

**Pensez-y bien...**
• Pendant la phase active de perte de poids, renseignez-vous sur le contrôle des portions et les valeurs en calories pour rendre la transition plus facile.

— on peut varier le type et la saveur des boissons selon ses goûts.

| mercredi | jeudi | vendredi |
|---|---|---|
| OPTIFAST 800 Strawberry Powder drink | OPTIFAST 800 Vanilla Powder drink | OPTIFAST 800 Strawberry Ready to Drink |
| OPTIFAST 800 Chocolate Ready to Drink | OPTIFAST 800 French Vanilla Ready to Drink | OPTIFAST 800 Chocolate Powder drink |
| OPTIFAST 800 Vanilla Powder drink | OPTIFAST 800 Chocolate Ready to Drink | OPTIFAST 800 Garden Tomato Powder Soup |
| OPTIFAST 800 Chicken Powder Soup | OPTIFAST 800 Strawberry Powder drink | OPTIFAST 800 French Vanilla Ready to Drink |
| OPTIFAST 800 Garden Tomato Powder Soup | OPTIFAST 800 Chicken Powder Soup | OPTIFAST 800 Vanilla Powder drink |
| OPTIFAST Nutrition Bar | OPTIFAST Nutrition Bar | OPTIFAST Nutrition Bar |

## Ressources

www.optifast.com

www.optifast.com/bookshelf.do

Clinique en espagnol :
http://nc.novartisconsumerhealth.es

**Remarque :** Pendant la phase active de perte de poids, 2 OPTIFAST Nutrition Bars peuvent remplacer une portion d'OPTIFAST 800.
**En raison de leur teneur élevée en sodium, il ne faut pas consommer plus de 2 portions par jour de soupes OPTIFAST 800.**

RÉGIME À LONG TERME

SOUPLESSE

RÉGIME FACILE À
SUIVRE EN FAMILLE

COÛT

DONNÉES SCIENTIFIQUES
À L'APPUI

# RÉGIME SLIM-FAST

Ce régime de substituts de repas, principalement liquides, propose des boissons frappées pour le petit-déjeuner et le déjeuner et des barres tendres comme collations entre les repas.

### Origine du régime

Le concept original est dérivé d'une recherche utilisant un substitut de repas liquide. Metrical™, l'ancêtre de tous les substituts de repas, a été commercialisé comme régime amaigrissant dans les années 1950. Ce genre de produits apparaît et disparaît régulièrement du marché, mais Slim-Fast est un régime de substituts de repas encore populaire aujourd'hui.

### Comment fonctionne-t-il?

Lorsqu'il est suivi rigoureusement, ce régime promet une perte de poids moyenne d'environ 1 kg par semaine. Le programme recommande une canette de boisson Slim-Fast au petit-déjeuner, une deuxième pour le déjeuner, plus environ 200 calories d'aliments choisis, comme des fruits ou des légumes, et un dîner raisonnable (jusqu'à 600 calories). Pour aider à maintenir un niveau d'énergie acceptable, deux collations sont permises. On recommande de boire environ deux litres d'eau par jour pour éviter la déshydratation.

La quantité de calories supplémentaires permise au déjeuner dépendra de l'écart entre le poids du sujet et le poids visé. Le régime recommande deux barres goûter Slim-Fast entre les repas pour les personnes « occupées ». Les repas interdits sont les petits-déjeuners et les déjeuners conventionnels. Le

**voir aussi**
régime Jenny Craig 72
régime Weight Watchers 80

# menu type
### Pour les personnes pressées, les boissons frappées

| | samedi | dimanche | lundi | mardi |
|---|---|---|---|---|
| **matin** | Une boisson prête à servir Slim-Fast Optima | Une boisson prête à servir Slim-Fast Optima | Une boisson prête à servir Slim-Fast Optima | Une boisson prête à servir Slim-Fast Optima |
| **midi** | Une boisson prête à servir Slim-Fast Optima, 1 tasse de yogourt aux fruits, eau | Une boisson prête à servir Slim-Fast Optima, ½ tasse de fromage cottage avec des fruits, boisson gazeuse diète | Une boisson prête à servir Slim-Fast Optima, 1 tranche de fromage, 1 tranche de pain, boisson gazeuse diète | Une boisson prête à servir Slim-Fast Optima, ½ tasse de fromage cottage avec des fruits, eau |
| **soir** | Riz, tofu grillé, salade de trois haricots, légumes mélangés, salade verte, orange et banane | Paella avec tofu et fruits de mer, salade d'épinards et de fraises, gâteau aux carottes, petits fruits, eau | Rôti de bœuf, pomme de terre au four, carottes, salade verte, fruit, yogourt, eau | Crevettes aux oignons, à l'ail et au basilic sur un lit de pâtes, salade de tomates et de concombre, pain, boisson gazeuse diète |
| **collation 1** | Barre goûter Slim-Fast Optima, ⅛ de melon | Barre muffin Slim-Fast Optima, ½ tasse de bleuets | Barre goûter Slim-Fast Optima, 1 pomme | Barre goûter Slim-Fast Optima, 1 banane |
| **collation 2** | Barre muffin Slim-Fast Optima, ½ pamplemousse | Barre goûter Slim-Fast Optima, ⅛ de melon | Barre goûter Slim-Fast Optima, 1 banane | Barre goûter Slim-Fast Optima, 1 orange |

régime s'accompagne de recettes pour le dîner et recommande des repas surgelés faibles en calories. Les fruits et les légumes peuvent être consommés soit au dîner ou comme collation.

Lorsqu'on suit ce régime en prenant un dîner raisonnable, les repas et les collations totalisent environ 1500 calories. Il est fortement déconseillé de manger des calories vides, comme des bonbons ou des croustilles. Si vous faites le degré d'activité physique recommandé, le régime devient hypocalorique, mais vous fournit quand même tous les éléments nutritifs essentiels.

## Avantages et désavantages

Certaines données scientifiques montrent que le régime Slim-Fast est plus efficace que ses concurrents de la même catégorie. Le programme encourage l'exercice et une alimentation à teneur élevée en fibres. Il permet la consommation de quantités illimitées de boissons sans calories et propose une liste de produits carnés maigres, de légumes et de féculents.

Malheureusement, nombreux sont les candidats qui abandonnent le régime, probablement en raison du nombre limité de repas et de la monotonie des substituts de repas liquides. Les boissons frappées en cannette, les barres goûter et les collations sont présentées en portions pratiques, mais reviennent plus cher que les aliments ordinaires. Le régime peut manquer de variété et sa teneur en fibres peut être trop faible, surtout si on ne mange pas les légumes et les fruits recommandés en accompagnement.

## Vous convient-il?

Ce régime plaira aux personnes qui ont un horaire chargé qui ne leur permet pas de cuisiner à la maison ou de préparer des repas frais. Slim-Fast recommande de consulter un médecin avant d'entreprendre le régime, mais ce programme convient à la plupart des personnes, à l'exception des jeunes enfants et des femmes enceintes ou des femmes qui allaitent.

## Disponibilité

Les produits Slim-Fast sont vendus dans la plupart des commerces d'alimentation.

## Changements dans le mode de vie

Le régime recommande fortement la pratique régulière d'activité physique. Le régime propose aussi des trucs: par exemple, réduire ses portions et utiliser des assiettes plus petites, manger plus lentement pour tromper sa faim et éviter les produits sans gras trop riches en sucre.

## et les barres goûter fournissent des substituts de menus sans préparation.

| mercredi | jeudi | vendredi | Ressources |
|---|---|---|---|
| Une boisson prête à servir Slim-Fast Optima | Une boisson prête à servir Slim-Fast Optima | Une boisson prête à servir Slim-Fast Optima | www.Slim.Fast.com |
| Une boisson prête à servir Slim-Fast Optima, 1 tasse de yogourt aux fruits, eau | Une boisson prête à servir Slim-Fast Optima, 30 g de dinde, 1 tranche de pain, boisson gazeuse diète | Une boisson prête à servir Slim-Fast Optima, 1 tranche de fromage, 1 tranche de pain, boisson gazeuse diète | *The Slim-Fast Body, Mind, Life Makeover*, L. Hutton et D. Kotz, HarperCollins, 2000. |
| Poulet grillé, pommes de terre nouvelles rôties, petits pois, maïs, carottes, salade verte, fruits, eau | Tranches de dinde rôtie, riz, asperges grillées, salade de choux-fleurs et poivron rouge, eau | Darnes de saumon grillé, riz sauvage, sauce aux champignons, brocolis, carottes, compote aux pruneaux et abricots, boisson gazeuse diète |  |
| Barre muffin Slim-Fast Optima, 10 raisins | Barre goûter Slim-Fast Optima, 1 orange | Barre muffin Slim-Fast Optima, 6 fraises | |
| Barre muffin Slim-Fast Optima, 10 tomates raisins | Barre muffin Slim-Fast Optima, 6 fraises | Barre goûter Slim-Fast Optima, 1 orange | |

**Remarque:** Les shakes, barres et muffins Slim-Fast Optima sont des produits de marque. Tous les yogourts, les fromages cottages fermes ou mous et les vinaigrettes devraient être sans gras. Tous les grains, pains, et pâtes devraient être faits de grains entiers ou de blé entier.

RÉGIME À LONG TERME
●●●

SOUPLESSE
●●●

RÉGIME FACILE À
SUIVRE EN FAMILLE
●●●

COÛT
●●

DONNÉES SCIENTIFIQUES
À L'APPUI
●●●

# RÉGIME WEIGHT WATCHERS

L'approche Weight Watchers est construite sur quatre grands fondements : choix alimentaires judicieux, pratique régulière d'activités physiques, développement des compétences cognitives et environnement propice.

### Origine du régime

Le régime Weight Watchers a été mis au point par Jean Nidetch, une femme qui en avait assez d'essayer sans succès un régime après l'autre. Elle a commencé par rencontrer régulièrement des amies qui, comme elle, faisaient de l'embonpoint, afin de mettre sur pied un système de soutien. La nouvelle s'est vite répandue et le nombre de participantes a augmenté. C'est en mai 1963 que Weight Watchers, Inc. a été lancé officiellement devant 400 personnes. Jean Nidetch et ses partenaires ont vendu leur entreprise à la société H.J. Heinz en 1978. Weight Watchers International, Inc. compte maintenant 15 millions de membres qui assistent à 50 000 réunions hebdomadaires partout dans le monde. Dans les années 1970, Weight Watchers a lancé un programme de marche, devenant ainsi l'un des premiers programmes amaigrissants à mettre l'accent sur l'exercice physique. Aujourd'hui, on peut se procurer des produits alimentaires Weight Watchers, ainsi qu'une variété d'autres produits, dont des revues et des vidéos d'exercice.

### Comment fonctionne-t-il ?

Le programme Weight Watchers original a évolué avec les années, passant d'un simple régime à un système d'échange. En 1998, le système d'échange a été remplacé par un système de points, dans lequel tous les aliments et les activités physiques sont cotés. Les cotes des aliments tiennent compte du nombre de calories et de la teneur en matières grasses et en fibres dans une portion

voir aussi
**régime Jenny Craig** 72
**régime NutriSystem** 74
**régime Slim-Fast** 78

# menu type

Un menu type dans le style

| | samedi | dimanche | lundi | mardi |
|---|---|---|---|---|
| **matin** | 2 tasses de céréales de blé à la vanille, 1 verre de lait écrémé, 1 tasse de fraises, 1 tranche de pain de blé entier, 1 c. à café de margarine | Sandwich aux œufs, jambon et fromage sur un muffin anglais, latte sans gras | ½ tasse de céréales à la cannelle, 1 verre de lait écrémé, 1 tasse de jus d'orange | Bagel à l'œuf, ½ cantaloup, ½ verre de latte au lait écrémé |
| **midi** | Poitrine de poulet grillée, morceaux de poivron, riz brun, raisin | Sandwich au fromage grillé, salade verte d'accompagnement, 1 c. à soupe de vinaigrette italienne | 90 g de thon pâle, petites laitues, tomates cerises, vinaigrette hypocalorique, craquelins aux légumes | Petit hamburger, salade verte avec vinaigrette sans calories, 1 pomme, ½ verre de lait écrémé |
| **soir** | Bol de nouilles, poulet à la thaïlandaise, soupe à l'œuf, salade d'endives | Casserole au thon et aux nouilles, chou de Savoie râpé | Poulet au parmesan cuit au four, aubergine grillée, petit pain, salade, vinaigrette sans calories, 1 poire | Poulet Lo Mein, pois mange-tout vapeur, 1 tasse de bleuets |
| **collation 1\*** | Barre de caramel anglais | 1 tasse de fraises, gâteau des anges au citron | Boisson frappée (*smoothie*) fraises et banane | Yogourt à la vanille sans gras |
| **collation 2\*** | Yogourt aux fraises sans gras | Yogourt aux bleuets à la crème | Barre de mousse au chocolat Weight Watchers | Sandwich rond au chocolat à la crème glacée |

donnée. La cible qu'une personne doit viser est établie selon ses réponses à un questionnaire personnalisé et est exprimée en points, qui correspondent au déficit calorique nécessaire pour une perte de poids hebdomadaire de 400 à 800 g (après les trois premières semaines, lorsque la perte de poids est attribuable à une plus grande perte d'eau). En 2004, Weight Watchers a lancé l'option Alibase, une approche qui repose sur le choix d'aliments à faible densité calorique. Une personne doit constamment surveiller ses signaux de faim, mais elle peut se permettre de petits écarts à l'occasion. L'option Alibase semble procurer la même perte de poids que le système de points. Les deux programmes proposent les mêmes directives santé – huit recommandations qui aident les gens à choisir des aliments nutritifs conformes aux recommandations alimentaires actuelles. S'ils les suivent, les membres sont récompensés par une perte de poids de 10 pour cent, et s'ils réussissent à atteindre un poids santé (p. ex. s'ils ont un IMC entre 20 et 25 ou un poids idéal, selon un professionnel, et s'ils ont suivi par la suite un programme de maintien de six semaines), ils reçoivent un abonnement à vie à Weight Watchers. Le soutien et les échanges sont les clés du succès; ils reposent sur les réunions hebdomadaires où chaque personne présente doit monter sur le pèse-personne.

## Avantages et désavantages

De nombreuses données scientifiques confirment l'efficacité des régimes amaigrissants basés sur des aliments courants et qui comportent une surveillance régulière et des systèmes de soutien. Les grands principes du régime, comme le contrôle des portions et la consommation d'aliments à faible densité énergétique, peuvent être suivis dans divers contextes et les personnes qui suivent Weight Watchers ont accès à des recettes de plats connus plus faibles en calories que leur version originale. On peut aussi s'inscrire à une version en ligne du régime. Les services de perte de poids, y compris les services sur l'Internet sont payants.

## Vous convient-il?

Ce régime plaira aux personnes qui ont besoin d'un solide réseau de soutien et qui veulent apprendre à gérer leur poids en adoptant à vie un régime qui a fait ses preuves. Toute personne peut s'inscrire à un programme en ligne sur le site Web. Le régime se base sur la variété et le contrôle des portions de toutes les catégories d'aliments et ne risque pas de causer de préjudices à qui que ce soit. Il n'est pas idéal pour les personnes qui ne peuvent pas ou ne veulent pas faire d'exercice, suivre un régime alimentaire structuré et discuter de problèmes liés à leur poids.

Il plaira aux personnes qui ont besoin d'un système de soutien et qui veulent apprendre à gérer leur poids en adoptant un régime pour le restant de leurs jours. Le régime se base sur la variété et le contrôle des portions, mais certaines personnes peuvent avoir de la difficulté à le suivre si elles sont dans l'impossibilité de participer aux réunions de soutien, car celles-ci constituent un élément important du régime. Le plan ne devrait causer aucun préjudice aux personnes qui le suivent. Les gens peu disposés à faire de l'exercice, à suivre un régime rigide ou à discuter de leurs problèmes de poids auront de la difficulté à ne pas y déroger.

## Disponibilité

Il est possible de suivre le régime Weight Watchers en achetant des aliments que l'on trouve dans tous les commerces d'alimentation. Il existe aussi des produits de marque Weight Watchers.

## Changements dans le mode de vie

Le régime Weight Watchers a été l'un des premiers régimes à intégrer l'exercice et le comportement cognitif dans son programme.

# Weight Watchers POINTS® (1050 à 1400 calories).

| mercredi | jeudi | vendredi | Ressources |
|---|---|---|---|
| | | | www.weightwatchers.com |
| 1 tasse de flocons de son, 1 verre de lait écrémé, 1 pomme | 1 tasse de jus d'ananas, substitut d'œufs brouillés, pommes de terre rôties au four, latte sans gras | ½ tasse de céréales de son au miel, 1 verre de lait écrémé, ½ pamplemousse | |
| Fromage cottage faible en gras et quartiers d'orange, 10 craquelins au cheddar doux | Saumon grillé, ½ tasse de riz, ½ tasse de légumes sautés | Sandwich au beurre d'arachide et aux raisins secs, 1 verre de lait écrémé, 1 poire | |
| Fajita au poulet, haricots verts vapeur, salade verte, vinaigrette à l'italienne sans calories | Poulet mandarin, carottes vapeur, pois mange-tout | Côtelette de filet de porc, courgette, purée de pommes de terre | |
| Sundae à la vanille sans gras | Orange, bâtonnet de cheddar doux | Brownie faible en calories | |
| Gâteau aux carottes sans gras | Latte décaféiné sans gras | 1 verre de jus d'ananas | |

\* Certaines collations sont des produits de marque Weight Watchers.

# 3-APPLE-A-DAY-PLAN
## (RÉGIME 3 POMMES PAR JOUR)

Ce régime préconise la consommation d'une pomme à chaque repas. Les participants sont encouragés à suivre le menu, à boire beaucoup d'eau et à se mettre à la marche.

### Origine du régime
C'est la diététicienne Tammy Flynn qui a mis au point ce régime après avoir observé pendant plusieurs années les clients d'un club de santé où elle travaillait. Elle a remarqué un lien entre les personnes qui mangeaient beaucoup de pommes et la perte d'une plus grande proportion de graisse. Se basant sur les succès de ses clients, elle a mis au point une stratégie alimentaire complète, y compris des menus. Publié à compte d'auteur en 2003, son ouvrage a été publié par Broadway Book en 2005.

### Comment fonctionne-t-il ?
Manger une pomme fraîche avant chaque repas contribue à contrôler l'appétit, à prévenir les excès de table et à favoriser la perte de poids. Les pommes sont une bonne source de fibres. Manger une pomme avant les repas aide les personnes au régime à se sentir plus vite satisfaites et, espérons-le, à consommer moins de calories. La consommation de pommes est bénéfique pour la santé à plusieurs égards ; par exemple, elle augmente la teneur en fibres de l'alimentation, ce qui contribue à réduire les taux de

RÉGIME À LONG TERME

SOUPLESSE

RÉGIME FACILE À
SUIVRE EN FAMILLE

COÛT
●

DONNÉES SCIENTIFIQUES
À L'APPUI

**voir aussi**
**régime au beurre d'arachide** 92
**régime volumétrique** 108

# menu type

### Tous les repas de ce menu doivent comporter

|  | samedi | dimanche | lundi | mardi |
|---|---|---|---|---|
| **matin** | 1 pomme, burrito | 1 pomme, œufs à la diable, muffin sans gras | 1 pomme, omelette à la viande et au fromage | 1 pomme, œufs brouillés à la « southwest », gruau instantané |
| **midi** | 1 pomme, chili maison | 1 pomme, riz à la dinde, brocoli cuit | 1 pomme, 2 poitrines de poulet, brocolis vapeur, riz brun | 1 pomme, 1 hamburger à la dinde sur pain de blé entier, légumes cuits |
| **soir** | Salade Waldorf | Salade Southwest, 1 pomme cuite au four | 1 pomme, salade verte au saumon | 1 pomme, poulet grillé avec salade verte |
| **collation 1** | Boisson frappée (*smoothie*) aux fruits (maison) | Craquelins de blé entier avec saumon | Fromage cottage sans gras et yogourt sans gras | Boisson frappée protéinée |
| **collation 2** | Boisson frappée aux fruits (maison) | Boisson frappée à la vanille (maison) | Boisson frappée nourrissante au café | Yogourt sans gras |

cholestérol, à régulariser l'intestin, à prévenir le cancer et à réduire les risques de maladie cardiaque.

L'auteur propose à ses lecteurs des façons d'améliorer leur alimentation en général, tout en les encourageant fortement à se mettre à l'exercice et à prendre l'habitude de boire beaucoup d'eau. Le régime ne vous oblige pas à compter les calories et il n'y a pas de restrictions concernant l'apport calorique.

### Avantages et désavantages

Le régime est simple: il suffit d'ajouter trois pommes à son alimentation. De nombreuses variétés de pommes sont disponibles en toute saison. Comme on peut facilement en garder à portée de la main, c'est un régime qui convient aux personnes qui sont sans cesse en déplacement ou qui ont un horaire très chargé.

Cependant, l'augmentation trop rapide de la teneur en fibres de l'alimentation peut causer à elle seule des maux de ventre. En outre, certaines personnes se lassent rapidement de manger trois pommes par jour.

### Vous convient-il?

Ce régime convient aux personnes à la recherche d'un programme amaigrissant simple et sain. Il ne convient pas aux personnes qui sont allergiques aux pommes ou qui, pour des raisons médicales, doivent s'astreindre à un régime à teneur peu élevée en fibres.

### Disponibilité

Il y a des pommes toute l'année dans tous les commerces d'alimentation. Les autres aliments compris dans ce régime sont des aliments courants.

### Changements dans le mode de vie

L'exercice est une composante cruciale de ce programme. L'auteur insiste sur l'importance de faire régulièrement de l'exercice et de s'entraîner avec des poids pour favoriser la perte de graisse. Il faut aussi adopter un régime faible en gras et boire de 8 à 10 verres d'eau par jour.

une pomme.

| mercredi | jeudi | vendredi |
|---|---|---|
| Gruau avec tranches de pomme | 1 pomme, céréales riches en fibres avec lait écrémé | 1 pomme, omelette aux légumes et fromage |
| 1 pomme, lasagne à la dinde hachée, salade verte avec vinaigrette sans gras | 1 pomme, ragoût à la viande | 1 pomme, spaghettis de blé entier à la sauce Marinara |
| Sauté de poulet, légumes et morceaux de pomme | 1 pomme, thon et salade verte | 1 pomme, salade César au saumon grillé |
| Boisson frappée (smoothie) aux fruits (maison) | Céleri et beurre d'arachide | Fromage cottage faible en gras, lait écrémé |
| Boisson frappée nourrissante au café | Boisson frappée (smoothie) aux fruits (maison) | Boisson frappée au chocolat (maison) |

### Ressources

www.3appleplan.com

www.getfitfoods.com/3-apple.cfm

*The 3-Apple-A-Day Plan,* Tammy Flynn, Broadway Books, 2005.

**RÉGIME À LONG TERME**

**SOUPLESSE**

**RÉGIME FACILE À SUIVRE EN FAMILLE**

**COÛT**

**DONNÉES SCIENTIFIQUES À L'APPUI**

# NOUVEAU RÉGIME À LA SOUPE AU CHOU

Ce régime d'une durée d'une semaine est à base de soupe au chou et, selon le jour de la semaine, permet d'autres aliments.

### Origine du régime

*The New Cabbage Soup Diet* a été publié en 1997, mais il existe des variantes de ce régime depuis plusieurs années, notamment la soupe brûle graisse, le régime Sacred Heart (qui n'a aucun lien avec les hôpitaux du même nom), le nouveau régime Mayo (aucun rapport avec la célèbre clinique éponyme), le régime Dolly Parton, le régime militaire à la soupe au chou et la soupe miracle (ce qu'elle n'est pas).

### Comment fonctionne-t-il?

Il s'agit d'un régime d'une durée de sept jours promettant une perte de poids rapide. Certaines variantes recommandent de le suivre pendant sept jours, suivis de deux semaines de régime de stabilisation et d'une autre semaine de régime à la soupe de chou.

Le déficit calorique et les choix limités expliquent en partie la perte de poids. En plus de la soupe, les menus comprennent une portion de produits

**voir aussi**
**régime pamplemousse** 88

# menu type

Le régime permet des quantités illimitées de soupe

| | samedi | dimanche | lundi | mardi |
|---|---|---|---|---|
| **matin** | 1 tasse de yogourt, café | Boisson frappée (*smoothie*) avec 1 tasse de yogourt, fraises et bleuets, café | ½ tasse de yogourt, 2 tasses de petits fruits, café | ½ tasse de yogourt, tranches de concombre avec persil, thé |
| **midi** | Soupe au chou, poitrine de poulet grillée, asperges, brocolis et courgettes grillées | Soupe au chou, salade de verdure, carottes, petits pois, radis, brocolis et choux-fleurs, vinaigrette faible en calories | Soupe au chou, pomme cuite au four, thé | Soupe au chou, légumes mélangés, café |
| **soir** | Soupe au chou, poisson grillé, pois mange-tout, tranches de betteraves, salade de verdure avec vinaigrette faible en gras | Soupe au chou, haricots verts vapeur, panais bouilli, rondelles de pomme cuites au four | Soupe au chou, quartiers d'orange et de pamplemousse, thé | Soupe au chou, 1 grosse pomme de terre au four avec ½ tasse de yogourt, courge et haricots verts aux fines herbes, eau |
| **collation 1** | Eau, bâtonnets de concombre et de carottes | Thé, salade de melon miel et cantaloup | Thé, ½ tasse de yogourt, cantaloup | Eau, ½ tasse de yogourt, bâtonnets de carottes |
| **collation 2** | Soupe au chou, tomates cerises | Eau, 1 tasse de yogourt, tranches de poire et de pomme | Eau, banane | Soupe au chou |

laitiers, de fruits ou de légumes ou des deux, ainsi que des vinaigrettes faibles en gras ou sans gras. Si on ajoute du lait écrémé dans son café du matin, il sera interdit de consommer du yogourt avant la fin de la journée. Le sixième et le septième jour, on peut manger de la viande ou du poisson.

Dans l'ancienne version du régime, pendant les jours 1 à 4, on pouvait consommer de la soupe au chou en quantités illimitées, des fruits ou des légumes ou les deux; le jour 5, on mangeait de la soupe au chou, de la viande ou du poulet et des tomates; le jour 7, on pouvait manger de la soupe au chou, du riz brun et des légumes. On pouvait aussi boire quotidiennement du café, du thé, du jus de canneberge sans sucre ou de l'eau.

Le programme permet la consommation de quantités illimitées de soupe. Cette absence de contrainte peut plaire à certaines personnes, mais en réalité la monotonie aura pour effet de réduire la consommation d'aliments et de calories. Ce régime en est un hypocalorique et faible en gras dont la teneur en fibres est assez élevée grâce à la consommation de soupe au chou et de fruits et légumes. Le liquide de la soupe favorise la satiété, mais aucune donnée scientifique ne confirme les prétentions voulant que la soupe au chou « brûle » la graisse. On peut trouver sur l'Internet des variations de ce régime et diverses recettes de soupe au chou.

## Avantages et désavantages

Le régime est simple à mémoriser et à suivre, car il est axé sur un seul aliment. Régime qui convient à court terme, il est très hypocalorique et procure une perte de poids temporaire.

Bien qu'il contienne certains autres légumes, ainsi que des fruits, l'accent mis sur un seul aliment le rend inévitablement monotone. La quantité élevée de chou peut entraîner des flatulences et parfois des ballonnements. Les choix très restreints le rendent faible en plusieurs éléments nutritifs, notamment en protéines et en glucides, raison pour laquelle il ne faut pas le suivre pendant plus d'une semaine. Il est difficile de manger au restaurant à moins de trouver un établissement qui sert de la soupe au chou ou qui permet qu'on y mange sa propre soupe au chou.

## Vous convient-il?

Ce régime plaira aux personnes qui aiment manger de grandes quantités de chou (et de soupe) et qui n'ont pas d'objection à en manger tous les jours pendant une semaine.

Les femmes enceintes, les personnes frêles, les personnes âgées qui souffrent de maladie (par exemple de diabète) ou les personnes présentant des troubles gastro-intestinaux (comme le syndrome du côlon irritable) ou de colite devraient consulter un nutritionniste, qui pourra déterminer si elles peuvent suivre ce régime et y trouver des avantages.

## Disponibilité

Tous les aliments compris dans ce régime se vendent dans tous les commerces d'alimentation.

## Changements dans le style de vie

Aucun changement particulier, mais il est généralement recommandé de boire beaucoup d'eau.

au chou et quelques variations quotidiennes.

| mercredi | jeudi | vendredi |
| --- | --- | --- |
| Lait écrémé, boisson frappée (*smoothie*) banane et fraises | 1 tasse de yogourt, 2 bananes, café | ½ tasse de yogourt, café |
| Soupe au chou, carottes vapeur, salade romaine avec vinaigrette César sans calories, thé | Soupe au chou, 2 verres de lait écrémé, 2 bananes | Soupe au chou, poisson grillé, 1 ½ tasse de tomates grillées, eau |
| Soupe au chou, salade d'épinards, quartiers d'orange et autres agrumes, vinaigrette faible en calories | Soupe au chou, 2 verres de lait écrémé | Soupe au chou, poitrine de poulet grillé, 3 tomates grillées, eau |
| Thé, salade de fruits | Lait écrémé, banane cuite au four | Eau, lanières de poulet grillé aux fines herbes |
| Eau, bâtonnets de céleri | Lait écrémé et boisson frappée (*smoothie*) aux bananes | Thé, ½ tasse de yogourt |

**Remarque:** Utilisez du yogourt nature faible en matières grasses.

## Ressources

www.cabbage-soup-diet.com

www.napa.ufl.edu/2002news/ cabbagediet.htm

*The New Cabbage Soup Diet,* M. Danbrot, St. Martin's Press, 2004.

RÉGIME À LONG TERME

SOUPLESSE

RÉGIME FACILE À SUIVRE EN FAMILLE

COÛT
●

DONNÉES SCIENTIFIQUES À L'APPUI

# DRINKING MAN'S DIET
## (RÉGIME POUR BUVEURS)

L'un des tout premiers régimes amaigrissants très restreints en glucides à être lancé sur le marché.

### Origine du régime

*The Drinking Man's Diet* de Robert Cameron a été publié pour la première fois en 1964 et s'est vendu à plus de 2,4 millions d'exemplaires dans le monde. Il a été traduit en 13 langues.

### Comment fonctionne-t-il?

Ce régime se base sur le principe qu'il faut limiter à 60 g sa consommation quotidienne de glucides, puisque ceux-ci sont transformés en graisse lorsqu'ils sont présents en quantités excessives. Le régime permet la consommation de protéines et de gras pendant la journée, car ces substances procurent une sensation de satiété – un facteur important du succès de tout régime amaigrissant.

Comme la plupart des boissons alcoolisées contiennent de faibles quantités de glucides, elles sont incorporées à un régime qui promet des résultats visibles en quelques jours. Selon ses adeptes, la perte de poids est possible, car les glucides sont transformés en graisse, tandis que les calories contenues dans les protéines et les matières grasses sont invariablement métabolisées. Cependant, un déficit calorique aussi draconien présuppose un apport extrêmement réduit en calories. Les données scientifiques contredisent l'argument central sur lequel se base ce régime car, une fois ses besoins

La plupart des calories dans un martini viennent de l'alcool et non de glucides.

**voir aussi**
**régime Atkins** 42

# menu type

Le « menu des buveurs » encourage la consommation

| | samedi | dimanche | lundi | mardi |
|---|---|---|---|---|
| **matin** | Cantaloup, œufs et bacon, café | Bleuets, œufs et saucisse, café | Cantaloup, œufs et jambon, café | Jus de tomates, œufs et bacon, café |
| **midi** | Salade à la vinaigrette au roquefort, poulet | Filet de porc, brocolis et carottes | Salade laitue et tomates, vinaigrette à l'huile d'olive, bifteck, asperges | Salade à la vinaigrette au roquefort, filet de porc, thé |
| **soir** | Bar commun, carottes et petits pois, gin tonic (si désiré) | Salade de laitue et tomates, vinaigrette à l'huile d'olive, rôti d'agneau, rhum et boisson gazeuse diète (si désiré) | Artichaut, aubergine et jambon, martini (si désiré) | Salade de laitue et tomates, vinaigrette à l'huile d'olive, flétan, vin (si désiré) |
| **collation 1** | Jambon fumé, fromage, bourgogne | Olives, salami, martini | Fromage et vin rouge | Noix de cajou, martini |
| **collation 2** | Cocktail de crevettes | Sardines | Cocktail de crevettes | Maïs soufflé |

### Pensez-y bien...

- Quelle quantité d'alcool pouvez-vous réellement vous permettre ? Une unité d'alcool ou un verre se définit comme une bouteille de bière de 335 ml (environ 150 calories), 140 ml de vin (environ 100 calories) ou 45 ml de spiritueux (environ 100 calories).
- Les boissons alcoolisées faibles en glucides sont permises. Vous pouvez boire avec modération pendant les repas, car lorsqu'il est pris pendant la digestion, l'alcool s'absorbe plus lentement.

### Trucs santé

- Évitez de couper complètement les glucides.
- Familiarisez-vous avec le nombre de grammes par portion de différentes sources de légumes, de fruits et de grains.
- Incorporez des légumes riches en éléments nutritifs, comme des légumes vert foncé et orangé, dans votre alimentation.
- Combien de grammes de glucides pouvez-vous consommer ? Environ ½ tasse de riz, de céréales chaudes ou de légumes féculents, 1 tranche de pain ou 1 portion de fruits.

en calories satisfaits, l'organisme convertit tous les types d'aliments en graisse.

### Avantages et désavantages

L'auteur du régime prétend qu'on peut obtenir une perte de poids substantielle avec un minimum d'efforts. Son régime permet la consommation de grandes quantités d'aliments qui ne contiennent que des traces de glucides (comme le bœuf, le poulet, le veau, la dinde, l'agneau, le foie gras, les martinis, les spiritueux et tous les fruits et légumes). En revanche, il restreint la consommation de nombreux types de glucides, ce qui peut causer des carences en fibres et en certains minéraux et vitamines. Il n'existe pas de données concluantes en ce qui concerne les effets de ce régime sur la santé cardiovasculaire.

### Vous convient-il ?

Ce régime plaira aux personnes en santé qui ont souvent des déjeuners d'affaires ou qui aiment prendre de bons dîners bien arrosés de boissons faibles en glucides. Quiconque a des problèmes médicaux devrait consulter son médecin avant d'entreprendre ce régime.

### Disponibilité

Bien que ce régime réponde aux goûts culinaires raffinés des cadres supérieurs, il est possible de le suivre en utilisant des aliments courants qui se vendent dans tous les commerces d'alimentation.

### Changements dans le style de vie

Aucun n'est suggéré.

d'aliments pauvres en glucides et d'une quantité modérée d'alcool.

| mercredi | jeudi | vendredi |
|---|---|---|
| Pamplemousse, œufs et saucisse, thé | Melon miel, œufs et bifteck | Tranches de tomates, jambon et tranches de fromage |
| Haricots verts, chou frisé, queue de homard | Salade à la vinaigrette au roquefort, canard rôti | Saumon, choux de Bruxelles, choux-fleurs |
| Salade de laitue et tomates, vinaigrette à l'huile d'olive, bifteck, cocktail (si désiré) | Épinards à la crème, côtelettes d'agneau, cordial (si désiré) | Salade de laitue et tomates, vinaigrette à l'huile d'olive, poulet de Cornouailles, Manhattan (si désiré) |
| Dinde, fromage, pinot grigio | Concombre au vinaigre balsamique | Fromage et vin rouge |
| Pistaches | Moules vapeur | Martini, olives, fromage |

### Ressources

*The Drinking Man's Diet,* **G. Jameson et E. Williams, éd. révisée, Cameron & Co., 2004.**

RÉGIME À LONG TERME

SOUPLESSE

RÉGIME FACILE À
SUIVRE EN FAMILLE

COÛT

DONNÉES SCIENTIFIQUES
À L'APPUI
●

# RÉGIME PAMPLEMOUSSE

Ce programme hypocalorique préconise la consommation de pamplemousses pour arriver à un poids santé.

### Origine du régime

L'une des premières «diètes miracles», ce régime d'abord connu sous le nom de régime Hollywood a été popularisé dans les années 1930 et a regagné en popularité lorsque la consommation de pamplemousse a été associée à la perte de poids. Vous trouverez des variantes de ce régime sur l'Internet. Dans le passé, on l'a associé à tort à la célèbre clinique Mayo.

### Comment fonctionne-t-il?

Ce régime hypocalorique est facile à suivre et recommandé pour obtenir une perte de poids initiale rapide tout en mangeant trois repas et une collation par jour, en plus d'un pamplemousse à chaque repas.

La croyance selon laquelle le pamplemousse contient une enzyme qui brûle les gras n'a pas été corroborée scientifiquement. Les études portant sur ce régime attribuent la perte de poids obtenue au choix limité d'aliments, au déficit calorique et à la consommation de grandes quantités de liquides. Le régime interdit les glucides complexes et les collations entre les repas, mais on peut manger de la plupart des légumes et de tous les poissons et les viandes. Les repas font une grande place aux œufs, à la viande et au poisson, aux salades et aux légumes. Les boissons permises sont le lait écrémé, le jus de tomate et des quantités illimitées de café ou de thé sans sucre ni lait. Chaque repas s'accompagne d'un demi-pamplemousse ou de ½ tasse de jus de pamplemousse (sans sucre).

**voir aussi**
nouveau régime
à la soupe au chou 84

# menu type

Chaque repas comprend un demi-pamplemousse

| | samedi | dimanche | lundi | mardi |
|---|---|---|---|---|
| **matin** | ½ pamplemousse ou ½ tasse de jus de pamplemousse (sans sucre), 2 œufs au goût, 2 tranches de bacon, café ou thé | ½ pamplemousse ou ½ tasse de jus de pamplemousse (sans sucre), 2 œufs au goût, 2 tranches de bacon, café ou thé | ½ pamplemousse ou ½ tasse de jus de pamplemousse (sans sucre), 2 œufs au goût, 2 tranches de bacon, café ou thé | ½ pamplemousse ou ½ tasse de jus de pamplemousse (sans sucre), 2 œufs au goût, 2 tranches de bacon, café ou thé |
| **midi** | ½ pamplemousse ou ½ tasse de jus de pamplemousse (sans sucre), viande ou poisson (au goût et en quantité illimitée), salade à la vinaigrette faible en gras ou sans gras, café ou thé | ½ pamplemousse ou ½ tasse de jus de pamplemousse (sans sucre), viande ou poisson (au goût et en quantité illimitée), salade à la vinaigrette faible en gras ou sans gras, café ou thé | ½ pamplemousse ou ½ tasse de jus de pamplemousse (sans sucre), viande ou poisson (au goût et en quantité illimitée), salade à la vinaigrette faible en gras ou sans gras, café ou thé | ½ pamplemousse ou ½ tasse de jus de pamplemousse (sans sucre), viande ou poisson (au goût et en quantité illimitée), salade à la vinaigrette faible en gras ou sans gras, café ou thé |
| **soir** | ½ pamplemousse ou ½ tasse de jus de pamplemousse (sans sucre), viande ou poisson (au goût et en quantité illimitée), légumes (tous les légumes verts, jaunes ou rouges cuits dans du beurre ou assaisonnés), café ou thé | ½ pamplemousse ou ½ tasse de jus de pamplemousse (sans sucre), viande ou poisson (au goût et en quantité illimitée), légumes (tous les légumes verts, jaunes ou rouges cuits dans du beurre ou assaisonnés), café ou thé | ½ pamplemousse ou ½ tasse de jus de pamplemousse (sans sucre), viande ou poisson (au goût et en quantité illimitée), légumes (tous les légumes verts, jaunes ou rouges cuits dans du beurre ou assaisonnés), café ou thé | ½ pamplemousse ou ½ tasse de jus de pamplemousse (sans sucre), viande ou poisson (au goût et en quantité illimitée), légumes (tous les légumes verts, jaunes ou rouges cuits dans du beurre ou assaisonnés), café ou thé |
| **collation** | 1 verre de jus de tomate ou de lait écrémé | 1 verre de jus de tomate ou de lait écrémé | 1 verre de jus de tomate ou de lait écrémé | 1 verre de jus de tomate ou de lait écrémé |

Ce régime d'une durée de 12 jours, qui propose un menu quotidien à 1000 calories, est réputé entraîner la perte d'au moins 4,5 kilos. Les repas sont faibles en glucides, mais ils comprennent de la viande, du poisson, des aliments riches en protéines et en gras, des salades, des légumes et une quantité illimitée de café ou de thé sans sucre ni lait. Il existe des variantes de ce régime qui incluent aussi des fruits et des grains entiers, comme des pâtes, des céréales et du pain.

## Avantages et désavantages

Faible en gras, le pamplemousse contient de la vitamine C, de la vitamine A, des fibres, du bêta-carotène et du sodium. De nombreuses études consacrées aux composés phytochimiques du pamplemousse sont en cours dans le but d'identifier les substances qui favorisent la santé et préviennent les maladies. Certaines recherches suggèrent même un lien entre la consommation de pamplemousse et la diminution du taux d'insuline, ce qui apaiserait la faim et faciliterait la perte de poids, mais ces recherches n'en sont encore qu'à un stade préliminaire.

Le pamplemousse est toutefois faible en protéines, en fer, en calcium et en plusieurs importantes vitamines et minéraux, et c'est pourquoi le régime pamplemousse ne convient pas à long terme. Le déficit calorique peut entraîner de la fatigue, des étourdissements, des nausées et de la constipation. La consommation excessive de boissons caféinées peut causer de la déshydratation par perte de fluides vitaux pour l'organisme.

Pour obtenir la perte de poids promise, il faut suivre le régime pamplemousse rigoureusement. Comme aucun changement dans le style de vie n'est recommandé pour la stabilisation du poids, il est fort probable que le poids finisse par être repris.

### Truc santé
· Ne suivez ce régime que pendant 12 jours. Veillez à inclure dans votre alimentation une variété de fruits et de légumes, ainsi que de grandes quantités d'eau.

## Vous convient-il?

Ce régime est parfait pour les personnes en bonne santé qui souhaitent perdre 4,5 kg rapidement. Ce régime ne convient pas vraiment aux femmes enceintes, aux personnes qui sont atteintes de diabète, de problèmes coronariens ou du sida ou qui sont infectées par le VIH.

## Disponibilité

Tous les aliments compris dans ce régime se vendent dans tous les commerces d'alimentation.

## Changements dans le style de vie

Le seul changement suggéré concerne l'activité physique, et cela dépend de la source d'information consultée.

## ou une demi-tasse de jus de pamplemousse sans sucre.

| mercredi | jeudi | vendredi |
|---|---|---|
| ½ pamplemousse ou ½ tasse de jus de pamplemousse (sans sucre), 2 œufs au goût, 2 tranches de bacon, café ou thé | ½ pamplemousse ou ½ tasse de jus de pamplemousse (sans sucre), 2 œufs au goût, 2 tranches de bacon, café ou thé | ½ pamplemousse ou ½ tasse de jus de pamplemousse (sans sucre), 2 œufs au goût, 2 tranches de bacon, café ou thé |
| ½ pamplemousse ou ½ tasse de jus de pamplemousse (sans sucre), viande ou poisson (au goût et en quantité illimitée), salade à la vinaigrette faible en gras ou sans gras, café ou thé | ½ pamplemousse ou ½ tasse de jus de pamplemousse (sans sucre), viande ou poisson (au goût et en quantité illimitée), salade à la vinaigrette faible en gras ou sans gras, café ou thé | ½ pamplemousse ou ½ tasse de jus de pamplemousse (sans sucre), viande ou poisson (au goût et en quantité illimitée), salade à la vinaigrette faible en gras ou sans gras, café ou thé |
| ½ pamplemousse ou ½ tasse de jus de pamplemousse (sans sucre), viande ou poisson (au goût et en quantité illimitée), légumes (tous les légumes verts, jaunes ou rouges cuits dans du beurre ou assaisonnés), café ou thé | ½ pamplemousse ou ½ tasse de jus de pamplemousse (sans sucre), viande ou poisson (au goût et en quantité illimitée), légumes (tous les légumes verts, jaunes ou rouges cuits dans du beurre ou assaisonnés), café ou thé | ½ pamplemousse ou ½ tasse de jus de pamplemousse (sans sucre), viande ou poisson (au goût et en quantité illimitée), légumes (tous les légumes verts, jaunes ou rouges cuits dans du beurre ou assaisonnés), café ou thé |
| 1 verre de jus de tomate ou de lait écrémé | 1 verre de jus de tomate ou de lait écrémé | 1 verre de jus de tomate ou de lait écrémé |

## Ressources

www.grapefruit-diet.org

www.thinthin.com/article0160.html

*The Grapefruit Solution,* D. L. Thompson et M. J. Ahrens, Linx Corp., 2004.

# RÉGIME AUX JUS NATURELS

Une variante du jeûne, ce régime « liquide » ne permet que des jus et des tisanes.

### Origine du régime

L'origine de ce régime est inconnue, mais il existe plusieurs ouvrages d'auteurs différents à son sujet.

### Comment fonctionne-t-il ?

Le régime aux jus est un jeûne partiel qui permet certains jus et aussi des bouillons. Il s'agit d'un régime extrêmement hypocalorique qui cause la cétose en raison de la dégradation des tissus musculaires et adipeux utilisés par l'organisme comme source d'énergie.

Le jus réduit l'intensité de certains des effets négatifs du jeûne complet, car il contient certains éléments nutritifs et des glucides qui peuvent être utilisés comme source d'énergie, ainsi que des vitamines et des minéraux. L'organisme a besoin de glucides pour maintenir la glycémie et le régime aux jus fournit de petites quantités de glucides et de calories. Contrairement au jeûne total, la consommation de jus, d'eau et de bouillon réduit les risques de déshydratation et de déperdition du potassium, du sodium et d'autres éléments nutritifs.

De nombreux régimes aux jus préconisent de presser fraîchement les jus et recommandent des concoctions liquides censées nettoyer le côlon.

**voir aussi**
**jeûne** 126

# menu type

|  | jour 1 | jour 2 |
|---|---|---|
| collation 1 | Tisane | Tisane |
| matin | Jus, eau | Jus, eau |
| collation 2 | Jus, eau | Jus, eau |
| midi | Jus, eau | Jus, eau |
| collation 3 | Jus, eau | Jus, eau |
| soir | Jus, eau | Jus, eau |
| collation 4 | Jus ou tisane, eau | Jus ou tisane, eau |

De nombreux livres traitant de régimes à base de jus contiennent des recettes de jus crus.

## Avantages et désavantages

Comparé au jeûne total, ce régime fournit une certaine quantité de glucides, de vitamines, de minéraux et de calories, ce qui aide à atténuer de nombreux effets négatifs liés à la perte de la masse musculaire et à l'accumulation dans le sang de déchets résultant de la dégradation cellulaire. Malheureusement, ce régime ne réussit pas à éliminer tous les déchets produits.

Ce régime ne doit être suivi que pendant deux jours et la perte de poids obtenue résulte d'une combinaison de facteurs : faible apport en calories, perte d'eau et perte de graisse corporelle. À long terme, cette méthode amaigrissante peut être dangereuse.

### Vous convient-il ?

Ce régime plaira aux personnes qui cherchent un régime extrêmement hypocalorique mais qui ne veulent pas jeûner complètement. Il convient aux personnes qui aiment boire beaucoup de liquides et qui peuvent se passer de manger ou de mastiquer des aliments solides.

Le régime aux jus est un type de jeûne qui ne convient pas à tous. Les personnes souffrant de diabète, de maladies cardiaques ou d'immunodéficience (particulièrement dans le cas des jus naturels) devraient absolument éviter ce type de régime.

### Disponibilité

Tous les liquides, les jus et les tisanes de ce régime se vendent dans tous les commerces d'alimentation.

### Changements dans le style de vie

Le régime ne préconise aucun changement dans le mode de vie outre la marche et d'autres formes d'exercice léger, qui sont fortement recommandées.

Ce régime ne doit être suivi que pendant deux jours.

## Ressources

www.everydiet.org/liquid_diets.htm

*Juice Fasting Bible,* G. Purcella, S. Cabot et C. Barry Dee, Ulysses Press, 2007.

*How to Keep Slim, Healthy and Young with Juice Fasting,* P. Airola, Health Plus Publishers, 1971.

**RÉGIME À LONG TERME**

**SOUPLESSE**

**RÉGIME FACILE À
SUIVRE EN FAMILLE**

**COÛT**

●

**DONNÉES SCIENTIFIQUES
À L'APPUI**

# RÉGIME AU BEURRE D'ARACHIDE

Les gras insaturés et la teneur élevée en fibres de ce régime procurent une sensation de satiété, mais il faut contrôler les portions.

### Origine du régime

Mis au point par des rédacteurs de *Prevention Magazine,* certains éléments du régime ont d'abord été publiés dans cette revue. Holly McCord, diététicienne responsable de la section sur la nutrition du magazine, a publié un ouvrage sur le sujet peu de temps après.

### Comment fonctionne-t-il ?

L'adhésion à un régime dépend du sentiment de satisfaction et de la sensation de satiété qu'il procure. Les personnes qui suivent ce régime ressentent justement ce sentiment de satisfaction que procure la consommation des matières grasses contenues dans des aliments très appréciés et présentés de diverses façons. Trente-cinq pour cent des calories prévues dans ce régime proviennent de « bons » gras monoinsaturés (16 pour cent) et de gras polyinsaturés (13 pour cent). L'apport en calories est limité par le contrôle des portions.

Les études scientifiques ont montré que le remplacement des gras saturés (dans certaines margarines, le lard ou la noix de coco) par des gras monoinsaturés (dans l'huile d'olive, l'huile de colza ou les noix) est essentiel à la bonne santé cardiaque.

Dans ce régime, le beurre d'arachide fournit la majeure partie des gras monoinsaturés, mais d'autres noix, les avocats et l'huile de colza ou d'olive feraient tout aussi bien l'affaire. Environ la moitié de l'apport en calories provient des glucides contenus dans les grains, les légumes, les fruits et les

**Truc santé**
• Les sources riches en gras monoinsaturés sont l'huile d'olive, l'huile de colza, l'huile d'arachide, les noisettes, les avocats et les arachides.

voir aussi
régime volumétrique 108

# menu type

Le beurre d'arachide procure une sensation de satiété, mais il

|  | samedi | dimanche | lundi | mardi |
|---|---|---|---|---|
| **matin** | 1 tasse de quartiers de pamplemousse, omelette aux champignons, 1 tranche de pain multigrains | 1 tasse de céréales soufflées au blé, ½ verre de lait écrémé, 1 tasse de fraises | ½ tasse de compote de pommes, 2 c. à soupe de beurre d'arachide, 2 gaufres au blé entier, ½ verre de jus d'orange | 1 banane, 1 tasse de quartiers d'orange, ½ tasse de flocons de son, ½ verre de lait écrémé |
| **midi** | Salade (2 tasses d'épinards, 2 c. à soupe d'arachides, 2 c. à soupe de raisins secs, 1 c. à café de vinaigrette huile et vinaigre), 1 tranche de pain multigrains, 1 c. à café de margarine maïs/colza | Salade (2 tasses de laitue romaine, ½ concombre, ½ tasse de carottes, 10 tomates cerises), ½ tasse de croûtons nature, 1 c. à café de vinaigrette huile et vinaigre | 2 tasses de salade verte, 1 c. à soupe de vinaigrette huile et vinaigre, 30 g de poitrine de poulet sautée dans 1 c. à soupe d'huile de maïs, 1 tasse d'asperges, 1 tasse de raisin | Salade (1 tasse de laitues romaine et iceberg, 30 g de fromage mozzarella faible en gras, ½ tasse de noix mélangées grillées à sec), 1 c. à café de vinaigrette huile et vinaigre, 1 petit pain de blé entier, jus de raisins et ginger ale diète |
| **soir** | 60 g de saumon grillé, 1 tasse de haricots verts, 1 tasse de bulghur, 1 petit pain de blé entier, 3 tasses de salade (laitue, tomates et carottes), 1 c. à café de vinaigrette huile et vinaigre | 90 g de thon grillé, 1 tasse de courgettes, 1 tasse de courge jaune, ½ tasse d'oignon, 1 ½ tasse de salade d'épinards, 1 c. à café de vinaigrette huile et vinaigre, 10 craquelins de blé entier, 1 ½ c. à café de margarine au maïs ou au colza, 1 tasse de jus d'orange | 1 tasse de spaghettis de blé entier, ¼ tasse de sauce Marinara, 2 c. à soupe de mozzarella faible en gras, 1 tasse de haricots verts avec 2 c. à soupe de margarine à l'huile de maïs | 90 g de jambon au four, 2 tasses de salade César, 2 c. à café de vinaigrette huile et vinaigre, 1 tasse d'asperges |
| **collation 1** | 2 tasses de melon miel | 3 doigts de dame, ½ tasse de bleuets | 1 tasse de gélatine sans calories, 4 biscuits Graham, 2 c. à café de gelée sans sucre | 4 biscuits Graham, 2 c. à soupe de beurre d'arachide |
| **collation 2** | 1 tasse de lait écrémé avec 4 c. à café de beurre d'arachide | ½ tasse de yogourt glacé à la vanille, 2 c. à soupe de beurre d'arachide | Boisson frappée (*shake*) au beurre d'arachide avec 2 c. à soupe de beurre d'arachide | Bâtonnets de céleri et de carottes |

haricots. Le régime comprend en outre une variété d'aliments de tous les principaux groupes d'aliments servis en portions dont le nombre et la taille sont contrôlés, par exemple trois portions de fruits, neuf portions de légumes et deux portions d'aliments riches en sodium (produits laitiers faibles en gras et jus d'orange additionné de calcium). Incorporé dans les aliments préparés, le beurre d'arachide doit être consommé en quantités limitées, soit quatre cuillérées à soupe pour les femmes et six pour les hommes. Ce régime de 30 jours propose un menu de 1500 calories pour les femmes et de 2200 calories pour les hommes. Le livre propose diverses recettes à base de beurre d'arachide, comme un pudding, une boisson frappée (*shake*), un chocolat chaud et de la crème glacée.

## Avantages et désavantages

Les données scientifiques corroborent l'efficacité des régimes basés sur le contrôle de l'apport en calories qui permettent une grande variété d'aliments en portions contrôlées, notamment des aliments populaires, et qui procurent une sensation de satiété. Les gras monoinsaturés favorisent la santé cardiaque et sont recommandés en remplacement des gras saturés, mais ce

régime ne fait pas partie de ceux pouvant être adoptés à vie. Comme le beurre d'arachide est hautement calorique, il faut en surveiller les portions rigoureusement. Pour éviter de dépasser l'apport quotidien recommandé, il faut utiliser des cuillérées rases et suivre les recettes à la lettre. Certains aliments des menus requièrent une préparation soignée, mais des recettes plus simples sont aussi proposées.

## Vous convient-il?

Ce régime est idéal pour les personnes qui aiment le beurre d'arachide et les grains entiers. Il n'est pas recommandé aux personnes qui ont de la difficulté à avaler ou dont les taux de triglycérides sont très élevés. Naturellement, il est déconseillé aux personnes allergiques aux noix.

## Disponibilité

Tous les aliments compris dans ce régime se vendent dans tous les commerces d'alimentation.

## Changements dans le style de vie

Le régime recommande de faire 45 minutes d'exercice tous les jours, réparties en trois séances plutôt qu'en un seul bloc. Comme les muscles brûlent plus de calories que les graisses, l'accent est mis sur les exercices de musculation ainsi que sur la réduction de la graisse corporelle, ce qui fait augmenter la capacité de combustion d'énergie de l'organisme.

### gâteries

**AU CHOIX:**
- petit biscuit
- panaché
- gâteaux faibles en gras
- gélatine sans sucre

faut faire attention à la taille des portions pour éviter un apport excessif en calories.

| mercredi | jeudi | vendredi |
|---|---|---|
| 1 verre de jus d'orange, ½ tasse de gruau, ½ tasse de lait écrémé, 2 c. à soupe de beurre d'arachide | 1 tasse de tranches de pomme, beurre, 1 tranche de pain de blé entier grillé, 1 c. à soupe de beurre d'arachide | ½ t. de pamplemousse, ½ t. de compote de pommes, 1 tranche de pain de blé entier, 2 c. à s. de beurre d'arachide |
| Salade (2 tasses de laitue romaine, 5 tomates cerises, 2 c. à soupe d'arachides grillées à sec, 15 g de poitrine de dinde, 1 c. à café de vinaigrette huile et vinaigre), ½ tasse de lait écrémé | Chalupa avec haricots, fromage, laitue et tomates, haricots verts, avec 1 c. à soupe de margarine à l'huile de maïs, 1 tasse de jus d'orange | Salade (2 tasses d'épinards, 1 tasse de betteraves, ½ tasse de quartiers d'orange, 15 g de pacanes rôties à sec, 1 c. à café de vinaigrette huile et vinaigre) |
| ½ tasse d'hoummos, 1 pain pita au blé entier, 1 tasse de taboulé, 1 ½ tasse de salade d'épinards, 2 c. à café de vinaigrette huile et vinaigre, 1 verre de jus de tomate | 90 g de morue grillée avec 1 c. à café d'huile de maïs, ½ tasse de pommes de terre rouges coupées en dés avec 1 c. à café d'huile d'olive, 1 tasse de betteraves, 2 tasses de salade (laitue, tomates et carottes), 1 c. à café de vinaigrette huile et vinaigre | 1 tasse de soupe aux légumes, 2 tasses de salade verte, 1 c. à café de vinaigrette huile et vinaigre, 1 pomme |
| 1 tasse de quartiers d'orange | 1 tasse de melon miel, 2 c. à soupe de pacanes | 2 tranches de pain de blé entier, 2 c. à soupe de beurre d'arachide, ½ verre de lait écrémé |
| 1 tasse de pastèque | Grand latte au lait écrémé, ½ bagel au blé entier, 1 c. à café de margarine au maïs ou au colza | Boisson frappée (*smoothie*) (½ banane dans ½ tasse de lait écrémé) |

## Ressources

www.peanut-institute.org/index.html

*The Peanut Butter Diet*, H. McCord, St. Martin's Paperback, 2001.

# RÉGIME ABDOS

Le régime abdos est un programme de six semaines pour retrouver un ventre plat et le garder durablement.

**voir aussi**
régime **Atkins** 42
régime **Miami (South Beach)** 64

RÉGIME À LONG TERME

SOUPLESSE

RÉGIME FACILE À SUIVRE EN FAMILLE ●

COÛT ●

DONNÉES SCIENTIFIQUES À L'APPUI

### Origine du régime
Publié en 2004 (en mai 2007 pour la version française, *Le régime abdos*), *The Abs Diet,* écrit par David Zinczenko, rédacteur en chef de la revue *Men's Health,* a fait la liste des best-sellers du *New York Times.*

### Comment fonctionne-t-il?
Le régime comprend trois repas et trois collations par jour pour un apport total d'environ 1900 calories. Ce régime n'est pas aussi hypocalorique que certains autres régimes, car une partie des calories est brûlée pendant le programme d'exercice qui en fait partie intégrante. Les collations doivent être prises deux heures avant les repas plus substantiels. Selon le régime, tous les repas et collations devraient contenir au moins deux aliments de la liste qui suit afin d'augmenter la proportion d'aliments censés brûler les calories et protéger contre les blessures et les maladies :
- amandes et autres noix
- haricots et autres légumineuses
- épinards et autres légumes verts

# menu type

Le plan met l'accent sur les aliments recommandés

|  | samedi | dimanche | lundi | mardi |
|---|---|---|---|---|
| **matin** | Smoothie Halle Berries* | Pita au blé entier, fromage à la crème faible en gras, 60 g de dinde pressée ou de jambon | Smoothie* Abs Diet Ultimate Power | Sandwich aux œufs brouillés, une tomate en tranches, ½ tasse de jus d'orange |
| **midi** | Chili Con Turkey* | 2 œufs brouillés, 2 tranches de pain de blé entier, 1 banane, 1 tasse de lait écrémé | Sandwich à la dinde sur pain de blé entier, 1 tasse de lait écrémé, 1 pomme | Salade de laitue romaine, tomates, fromage parmesan, graines de lin, poulet grillé, vinaigrette italienne sans gras |
| **soir** | Repas libre — mangez tout ce qui vous fait envie | BBQ King* | Mas Macho Meatballs* | Bodacious Brazilian Chicken* |
| **collation 1** | 1 bol de céréales à teneur élevée en fibres, 1 tasse de yogourt faible en gras | 2 c. à soupe de beurre d'arachide, 1 cannette de V-8 à teneur réduite en sodium | 2 c. à soupe de beurre d'arachide, crudités | 2 c. à soupe de beurre d'arachide, 1 bol de gruau |
| **collation 2** | 3 tranches de bœuf fumé, 1 orange | 3 tranches de bœuf fumé, 1 tranche de fromage faible en gras | 30 g d'amandes, 1 ½ tasse de petits fruits | 3 tranches de dinde fumée, 1 orange |
| **collation 3** | Smoothie Halle Berries* | 30 g d'amandes, 1 tasse de crème glacée faible en gras | Smoothie* Abs Diet Ultimate Power | 30 g d'amandes, 120 g de cantaloup |

- laitage (lait, yogourt ou fromage faibles en gras ou écrémés)
- gruau instantané (sans sucre, nature)
- œufs
- dinde et autres viandes maigres
- beurre d'arachide
- huile d'olive
- pains et céréales de grains entiers
- poudre de protéines (lactosérum)
- framboises et autres petits fruits

Le régime limite la quantité de glucides raffinés, de gras saturés et trans, d'alcool et de sirop de maïs riche en fructose, mais il comporte un repas « libre » chaque semaine où on peut manger tout ce que l'on veut. Le programme d'exercice est facultatif pour les deux premières semaines mais, de la troisième à la sixième semaine, le régime prescrit une séance d'entraînement complet de 20 minutes trois fois par semaine.

## Avantages et désavantages

Ce régime est sain sur le plan nutritionnel, car il préconise d'augmenter sa consommation de fruits, de légumes et de grains entiers tout en remplaçant les gras saturés et trans par de bons gras. Toutefois la quantité de protéines recommandée est élevée, 1 g par 500 g de poids corporel, sous prétexte que cet excès de protéines fera augmenter le taux métabolique en raison de l'effet thermique des aliments. De plus, on allègue que les protéines calment l'appétit. Le régime comprend un programme d'exercice qui met l'accent sur l'entraînement en force, la marche rapide et les exercices pour les abdominaux.

## Vous convient-il?

Ce régime convient aux personnes qui souhaitent perdre leur graisse abdominale et qui désirent se sentir mieux en vieillissant. La teneur élevée du régime en protéines peut ne pas convenir aux personnes qui souffrent de maladies rénales, et certaines études suggèrent que les régimes hyperprotéinés pourraient entraîner une augmentation plutôt qu'une diminution des risques de maladie. De plus, les personnes allergiques aux aliments des 12 groupes (comme les noix) devraient éviter ce régime.

## Disponibilité

La plupart des aliments compris dans ce régime se vendent dans tous les commerces d'alimentation et la poudre de protéines dans tous les magasins d'aliments naturels.

## Changements dans le style de vie

L'exercice est une composante importante du régime abdos.

## et sur un repas « libre » par semaine.

| mercredi | jeudi | vendredi |
|---|---|---|
| Smoothie Strawberry Field Marshall* | Pain de blé entier, 1 c. à café de beurre d'arachide, céréales de son, lait écrémé, 1 tasse de petits fruits | Smoothie Banana Split* |
| Sandwich au thon sur ½ petit pain de blé entier | Sandwich BLT (bacon et dinde) sur tortilla de blé entier | Salade de thon sur muffin anglais de blé entier |
| Chili-Peppered Steak* | Philadelphia Fryers* | Chili Con Turkey* |
| 30 g d'amandes, 30 g de raisins secs | 1 tasse de yogourt faible en gras, 1 cannette de V-8 à teneur réduite en sodium | 30 g d'amandes, 120 g de cantaloup |
| 1 bâtonnet de fromage effilochable, crudités | 3 tranches de bœuf fumé, 1 orange | 2 c. à café de beurre d'arachide, 1 tranche de pain de blé entier |
| Smoothie Strawberry Field Marshall* | 2 c. à café de beurre d'arachide, 1 tasse de crème glacée faible en gras | Smoothie Banana Split* |

\* Recettes tirées de *The Abs Diet, D.* Zinczenko.

## Ressources

www.TheAbsDiet.com

*The Abs Diet,* D. Zinczenko, Rodale, 2004.

*Le régime abdos : un programme de six semaines pour retrouver un ventre plat et le garder durablement,* D. Zinczenko, Marabout, 2007.

# GUIDE ALIMENTAIRE BULL'S-EYE

Ce régime rapide et simple permet de faire les choix les plus sains possibles, car les aliments sont répartis en groupes, selon les éléments nutritifs et les substances chimiques qu'ils contiennent.

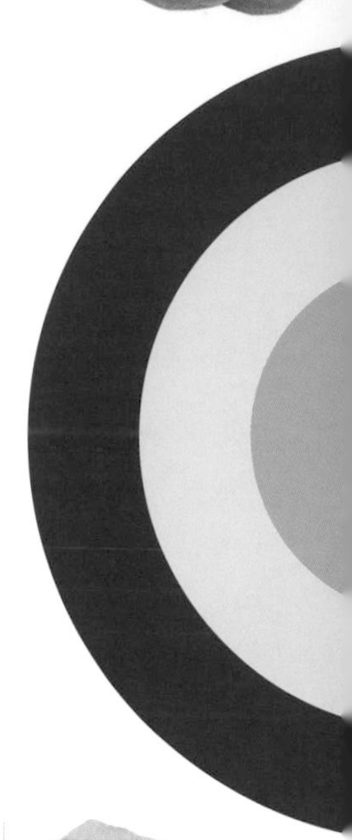

**RÉGIME À LONG TERME**

● ● ●

**SOUPLESSE**

● ●

**RÉGIME FACILE À SUIVRE EN FAMILLE**

● ● ●

**COÛT**

●

**DONNÉES SCIENTIFIQUES À L'APPUI**

● ● ●

### Origine du régime

Ce régime alimentaire est le résultat des efforts déployés par Josephine Connolly Schoonen, M.S., R.D., à la faculté de médecine familiale de l'Université de l'État de New York à Stony Brook, pour aider des patients à bien gérer leur poids. Il a fait l'objet d'un livre intitulé *Bull's-Eye Food Guide,* publié en 2004. L'ouvrage se présente comme un «voyage» qu'une personne peut entreprendre pour améliorer son style d'alimentation par la responsabilisation et le renoncement aux habitudes qui lui font consommer des quantités excessives de calories. Les aliments sont répartis sur une cible à trois anneaux concentriques, ou «bull's-eye», selon différentes valeurs nutritives divisées en six catégories.

### Comment fonctionne-t-il ?

Bien qu'il ne soit pas structuré de la même façon que le guide alimentaire de l'USDA (ministère de l'agriculture des États-Unis), ce nouveau système répartit les aliments selon le groupe auquel ils appartiennent, mais aussi selon leur teneur en substances nutritives, notamment en vitamines, en minéraux, en fibres, en sucre, en matières grasses et en sodium. Ce régime repose sur l'hypothèse scientifique voulant qu'une combinaison de tous les groupes d'aliments favorise un état de santé optimal. Il existe aussi des guides «bull's-eye» dont les taux de glucides sont faibles, modérés ou élevés.

**voir aussi**

régime **Fat is Not Your Fate** 100
régime **volumétrique** 108
régime **arc-en-ciel** 172

# menu type

Ceci est l'un des rares régimes à faire

|  | faible en glucides à 1200 calories | faible en glucides à 1800 calories | modéré en glucides à 1200 calories | modéré en glucides à 1800 calories |
|---|---|---|---|---|
| **matin** | 2 tranches de pain léger, 2 c. à café de beurre d'arachide, ½ tasse de lait 1 % | 2 tranches de pain léger, 4 c. à café de beurre d'arachide, ½ tasse de lait 1 % | ¾ tasse de céréales, 1 ¼ tasse de fraises, 2 noix de Grenoble, 1 tasse de lait 1 % | ¼ tasse de fromage cottage, ¾ tasse de bleuets, 10 craquelins, 2 noix de Grenoble, 1 tasse de lait 1 % |
| **midi** | Laitue, carottes, poivron, ⅓ tasse de pois chiches, 30 g de poulet, huile et vinaigre, 1 tasse de melon, ½ tasse de yogourt faible en gras | Laitue, carottes, poivron, ⅓ tasse de pois chiches, 60 g de poulet, huile et vinaigre, 1 tasse de melon, ½ tasse de yogourt faible en gras | Frittata de brocoli*, ¼ tasse de tomates, 5 craquelins | 1 pain pita, 2 œufs durs, 2 c. à café de mayonnaise, ½ c. à café de moutarde, 1 tasse de haricots, 1 ¼ tasse de pastèque |
| **soir** | 90 g de dinde, 1 tasse de légumes, 2 c. à café d'huile d'olive et ail, petite pomme de terre au four | 120 g de dinde, 2 tasses de légumes, 2 c. à café d'huile d'olive, ail, pomme de terre au four moyenne | 60 g de porc avec sauce moutarde à l'aneth*, ½ tasse de carottes, 1 ½ tasse de brocoli, 1 tasse de pommes de terre | Pâtes trois couleurs et crevettes (250 g de crevettes)*, 1 ½ tasse de brocoli |
| **collation 1** | Boisson frappée (*smoothie*): ½ banane et 1 tasse de lait 1 % | Boisson frappée (*smoothie*): ½ banane, 1 cuillérée de poudre de protéines de soja et 1 tasse de lait 1 % | ½ banane | 1 tasse de yogourt faible en gras, 2 abricots séchés |
| **collation 2** | 6 amandes | 6 amandes | 1 tasse de lait 1 % | 1 ½ tasse de céréales de grains entiers, 6 amandes |

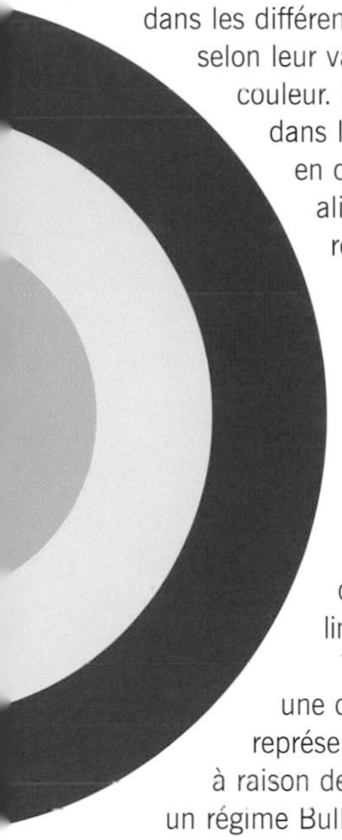

Dans chacun de ces guides, les aliments sont divisés en six groupes : grains, féculents et sucre ; lait et yogourt ; matières grasses ; protéines ; fruits ; et légumes. Les aliments sont placés dans les différents anneaux concentriques de la cible selon leur valeur nutritive, représentée par une couleur. Du centre vers l'extérieur, les aliments dans l'anneau vert sont des aliments à manger en quantités ; l'anneau jaune contient les aliments acceptables, tandis que l'anneau rouge contient les aliments à éviter.

Les aliments « à manger en quantités » composent la majeure partie du régime : ils sont les plus nutritifs et on peut en consommer tous les jours. Les aliments « acceptables » sont aussi des aliments sains qu'on peut consommer quotidiennement, mais leur valeur nutritive est moindre. Les aliments « à éviter » devraient être consommés de manière très limitée.

Tous les guides « bull's-eye » comportent une cible dont le rond blanc au milieu représente l'eau, qu'il est recommandé de boire à raison de huit verres ou plus par jour. En suivant un régime Bull's-Eye, une personne peut faire des choix d'aliments selon ses goûts, tout en respectant un plan d'alimentation structuré qui lui procure des quantités optimales de calories, de glucides, de protéines et de matières grasses pour obtenir la perte de poids visée.

Il est suggéré de suivre le régime le temps de perdre entre 7 kg et 9 kg, puis d'augmenter graduellement sa consommation de calories juste assez pour maintenir sa perte de poids pendant deux à quatre semaines. Pour maximiser ses chances de ne pas reprendre le poids perdu, il est recommandé de faire ces pauses « d'entretien » aux intervalles voulus jusqu'à ce que le poids désiré soit atteint.

## Avantages et désavantages

Ce régime alimentaire inclut une variété d'aliments représentant tous les groupes et fournit aux gens qui le suivent une « carte routière » pour bien s'alimenter, selon leurs besoins et leurs buts. Certaines personnes peuvent toutefois avoir de la difficulté à déterminer quel est le guide qui comblera le mieux leurs besoins. En outre, la très grande variété des choix peut créer de la confusion.

## Vous convient-il ?

Le guide alimentaire Bull's-Eye conviendra aux personnes qui préfèrent un régime très structuré ou qui visent des changements à long terme, car elles apprécieront les pauses « entretien » qui les aideront à apporter des changements permanents dans leur alimentation. Toute personne qui compte suivre le régime faible en glucides ou riche en glucides devrait consulter un médecin ou un diététiste avant de l'entreprendre. Ce conseil est particulièrement important dans le cas des enfants, des adolescents, des femmes enceintes, des femmes qui allaitent et des personnes âgées.

## Disponibilité

Tous les aliments compris dans le régime Bull's-Eye se vendent dans tous les commerces d'alimentation.

## Changements dans le mode de vie

La consommation quotidienne d'eau et la pratique régulière d'activité physique sont fortement recommandées. Les changements à long terme dans le style de vie sont favorisés par la recommandation de faire des pauses « d'entretien » et d'éviter de manger à outrance.

## de l'eau son élément nutritif clé.

| modéré en glucides à 2400 calories | élevé en glucides à 1200 calories | élevé en glucides à 1800 calories |
| --- | --- | --- |
| 3 tranches de pain léger, 4 c. à café de beurre d'arachide, ½ banane, 1 tasse de lait 1 % | ¾ tasse de céréales, ¾ tasse de bleuets, 1 tasse de lait 1 % | 1 ½ tasse de gruau, 1 pêche, 1 tasse de lait 1 % |
| Laitue, carottes, poivron, ⅔ tasse de pois chiches, 60 g de poulet, huile et vinaigre, 5 craquelins, 2 prunes | Laitue, carottes, poivron, ⅓ tasse de pois chiches, 30 g de poulet, huile et vinaigre, 1 orange | 2 tranches de pain, 60 g de dinde, laitue, ⅛ d'avocat, ½ tasse de carottes, 1 tasse de poivron rouge |
| 150 g de poulet, 2 tasses de légumes sautés, 2 c. à café d'huile d'olive, 2 tasses de pommes de terre, 6 noix de cajou | 60 g de poulet, 2 tasses de légumes sautés, 1 c. à café d'huile d'olive, 1 pomme de terre moyenne | Sauté de tofu avec brocoli, champignons, carottes et fèves de soja* |
| Boisson frappée protéinée (*smoothie*) : 1 ¼ tasse de fraises, 1 c. de poudre de protéines de soja et 1 tasse de lait 1 % | Boisson frappée (*smoothie*) : 1 ¼ tasse de fraises et 1 tasse de lait 1 % | 1 tasse de yogourt faible en gras, ¾ tasse de bleuets, 6 c. à soupe de céréales noix et raisins |
| Mélange santé : 12 amandes, 1 ½ tasse de céréales de grains entiers, 2 c. à soupe de raisins secs | 5 craquelins de blé entier, faibles en gras | 1 nectarine, 10 arachides |

### Ressources

www.bulls-eyefoodguide.com

www.xenical.com/bulls_eye.asp

*Losing Weight Permanently with the Bull's-Eye Food Guide,* J. Connolly Schoonen, Bull Publishing Company, 2004.

**Remarque :** Utilisez des pains, céréales, pâtes et craquelins de blé entier et du riz brun.
**\*** Les recettes sont extraites de *Losing Weight Permanently with the Bull's-Eye Food Guide.*

RÉGIME À LONG TERME

SOUPLESSE

RÉGIME FACILE À
SUIVRE EN FAMILLE

COÛT
●

DONNÉES SCIENTIFIQUES
À L'APPUI

# MANGER, BOIRE ET PERDRE DU POIDS

Ce régime utilise une pyramide d'aliments qui diffère des autres pyramides d'aliments populaires dans le moment, notamment la pyramide du régime américain MyPyramid ou celle de la pyramide diététique méditerranéenne.

### Origine du régime

Ce livre sur la perte de poids est coécrit par Walter Willet, médecin et écrivain bien connu associé à la faculté de santé publique de l'Université Harvard, et Mollie Katzen, auteure de livres de recettes, dont *Moosewood Cookbook*. *Manger, boire et perdre du poids* (2008) est la suite d'un ouvrage antérieur de Walter Willet intitulé *Manger, boire et vivre en bonne santé* (2004), qui portait plus généralement sur une saine alimentation et proposait des menus et des conseils pour réduire sa consommation de calories. Ce deuxième ouvrage a pour but précis d'aider les gens à perdre du poids.

### Comment fonctionne-t-il ?

*Manger, boire et perdre du poids* est un régime de 21 jours fondé sur une pyramide d'aliments qui se veut une variation de la pyramide méditerranéenne. La pyramide a pour base l'exercice quotidien et la conscience de son poids. Le niveau suivant comprend les fruits, les légumes, les huiles végétales et les grains entiers. Immédiatement au-dessus, on trouve les noix, le tofu, les légumineuses, le poisson, les fruits de mer, la volaille et les œufs; viennent ensuite les produits laitiers et/ou les suppléments de calcium additionnés de vitamine D, puis le niveau des multivitamines et, enfin, au sommet de la pyramide, des aliments

voir aussi
**régime Mayo** 102
**pyramide diététique méditerranéenne** 160

# menu type

Ce régime est basé sur une variation

| | samedi | dimanche | lundi | mardi |
|---|---|---|---|---|
| **matin** | Assiette de fruits, 1 tasse de fromage cottage faible en gras, 1 tranche de pain de grains entiers grillée, 1 c. à café de beurre d'arachide | ½ pamplemousse rose, œufs brouillés avec brocoli, 1 c. à café de sucre, café, lait faible en gras | Fraises tranchées, yogourt faible en gras, 1 tranche de pain de grains entiers grillée, 1 c. à café de beurre d'arachide, 2 c. à café de confiture | Pain doré de grains entiers, 1 c. à café de sirop d'érable, bleuets, 1 c. à café de miel |
| **midi** | Bouillon de légumes aux grains de blé, nachos, salade verte, vinaigrette | Soupe raffinée au brocoli, salade de lentilles à la mode méditerranéenne, salade de grains entiers, orange | Soupe aux épinards, salade aux œufs et à la ricotta, craquelin de grains entiers | Cantaloup, fromage cottage, 10 amandes, 1 c. à café de raisins secs, 1 tranche de pain de grains entiers grillée |
| **soir** | Cari de légumes de Madras, tofu cuit au four, ½ tasse de riz brun, yogourt épicé, amandes grillées, raisins secs, orange | 1 ½ tasse de pâtes de grains entiers, sauce tomate, escalope de poulet, brocoli, salade, vinaigrette au vinaigre balsamique, cantaloup | Soupe aux tomates, poivron farci, salade verte, vinaigrette « ranch », biscuits à la meringue et à l'orange | Poisson au four, courge poivrée glacée aux pommes, légumes verts braisés, orzo de blé entier, poire |
| **collation** | Gâteau au chocolat et aux bananes | Trempette aux haricots noirs et légumes crus | Mélange du randonneur | Mélange du randonneur, 1 c. à café de grains de chocolat |

facultatifs, dont l'alcool en quantités modérées et le chocolat noir.

Aux niveaux supérieurs de la pyramide, les aliments qu'il est recommandé de manger peu fréquemment incluent le beurre et le gras de beurre, les viandes rouges maigres, les glucides transformés, y compris les boissons gazeuses, les pommes de terre blanches, le pain blanc, les sucreries, etc. Les auteurs parlent de neuf tournants, ou changements fondamentaux, qui sont déterminants. Dans ce régime, il y a deux catégories de légumes – les légumes de la liste A, que l'on peut consommer librement ; et les légumes de la liste B, qui sont légèrement plus riches en glucides, de sorte qu'on ne doit en manger que une ou deux portions par jour. De même, les fruits de la liste B sont plus sucrés que les fruits de la liste A, de sorte qu'il ne faut en manger qu'une portion par jour. Les protéines animales ne sont pas interdites, mais il est recommandé de privilégier les légumes et les protéines animales venant de viandes maigres. L'hydratation, par la consommation d'eau, occupe une grande place dans ce régime. Le régime comprend une « Fiche de score physique », qui permet de se fixer des buts et de suivre ses progrès. L'accent est mis plus particulièrement sur une alimentation « réfléchie ». En suivant ce régime, on comprend mieux la faim, ainsi que l'importance de ne pas sauter de repas et de manger des collations à des moments stratégiques.

## Avantages et désavantages
Les menus proposés se composent d'une grande variété d'aliments. Le livre contient aussi de nombreuses recettes, une

### Les 9 tournants
1. Manger beaucoup de fruits et de légumes
2. Opter pour de bons gras
3. Consommer des glucides de meilleure qualité
4. Choisir des protéines saines
5. Veiller à bien s'hydrater
6. Consommer de l'alcool avec modération
7. Prendre un comprimé de multivitamines tous les jours
8. Bouger davantage
9. Manger de manière réfléchie toute la journée

« trousse » de conseils et de stratégies, pour manger au restaurant, par exemple, ainsi qu'un guide d'achat. Il inclut aussi de l'information sur l'exercice physique et le maintien d'un poids santé.

### Vous convient-il ?
Ce régime plaira aux personnes qui cherchent une approche privilégiant la perte de poids par une alimentation saine et la modification graduelle de leurs habitudes alimentaires. Si vous souffrez de troubles de santé, vous devez consulter un médecin avant d'entreprendre tout régime amaigrissant.

### Disponibilité
Les aliments compris dans ce régime se vendent dans tous les commerces d'alimentation.

### Changements dans le mode de vie
Commencez par faire 30 minutes d'exercice tous les jours, mangez de manière réfléchie et profitez des stratégies !

d'autres pyramides alimentaires.

| mercredi | jeudi | vendredi |
|---|---|---|
| Framboises, 1 tasse de céréales de grains entiers, ½ tasse de lait faible en gras, 1 c. à café de sucre, lait faible en gras | ½ pamplemousse rose, frittata avec petits pois et fromage de chèvre, 1 c. à café de sucre, café, lait faible en gras | Céréales de grains entiers cuites, ½ tasse de lait faible en gras, pêche, 1 c. à café de sucre, café |
| Bouillon de légumes à l'œuf battu, grosse salade de laitue avec pois chiches et vinaigrette de vinaigre balsamique, orange | Gaspacho, sandwich ouvert au fromage, légumes variés, vinaigrette à salade au babeurre, pomme | Bouillon de légumes aux champignons et à l'orge, burger de dinde maigre, pain de grains entiers, condiments, orange |
| Poitrine de poulet rôtie, courgettes, fromage parmesan, haricots blancs marinés, grains mélangés, noix de cajou, pêche garnie de yogourt | Burger aux champignons et à l'orge, salsa à la tomate, haricots verts, courge spaghetti, ½ tasse de sorbet aux fruits | Soupe miso au tofu, nouilles de sarrasin, noix de cajou et verdure, poitrine de poulet à l'étuvée, concombre mariné, tangerines |
| Boisson frappée (*smoothie*) | 150 g de noix enrobées de yogourt | Légumes, salsa et 10 croustilles de maïs |

### Ressources

www.eatdrinkandweighless.com

*Manger, boire et perdre du poids*, M. Katzen et W. Willet, Les Éditions de l'Homme, 2008.

**Remarque :** Les recettes, les menus et les quantités figurent dans *Manger, boire et perdre du poids*.

# RÉGIME « FAT IS NOT YOUR FATE »

Ce régime amaigrissant est conçu à l'intention des gens qui ont une prédisposition génétique à l'obésité ou aux maladies chroniques, ou aux deux. Ce régime permet à une personne d'atteindre son poids santé de manière personnalisée, selon son phénotype.

### Origine du régime

En 1994, le D<sup>r</sup> Jeffrey M. Friedman a identifié le premier gène de l'obésité. Il a découvert qu'une anomalie génétique pouvait influencer la capacité de l'organisme à utiliser les substances nutritives adéquatement et que cela contribuait peut-être à l'obésité, un concept connu sous le nom de nutrigénomique. Selon ce concept, une alimentation équilibrée peut aider une personne à surmonter les effets secondaires causés par une prédisposition génétique à l'obésité ; autrement dit, une alimentation équilibrée vous permettra de l'emporter sur vos gènes et de les battre sur leur propre terrain. Le régime « Fat is Not Your Fate » fournit des exemples détaillés de cas cliniques : des personnes suivant des régimes amaigrissants fondés sur l'expérience clinique et adaptés à leur phénotype particulier ont obtenu d'excellents résultats.

RÉGIME À LONG TERME

SOUPLESSE

RÉGIME FACILE À SUIVRE EN FAMILLE

COÛT

DONNÉES SCIENTIFIQUES À L'APPUI

Tomates séchées au soleil

voir aussi
**régime volumétrique** 108

# menu type

Déterminez votre phénotype,

| | phénotype H | phénotype A | phénotype B | phénotype C |
|---|---|---|---|---|
| **matin** | Céréales multigrains avec graines de lin et lait de soja, cerises rouges déshydratées, sirop d'érable, thé vert | Œuf poché, baguette tranchée et fromage suisse, jus d'ananas | Boisson frappée (*smoothie*) au citron (banane, framboises, yogourt glacé à la vanille, sorbet au citron), pain de blé entier et margarine | Saucisse de soja, crêpes au sarrasin garnies de bleuets frais, thé chaud |
| **midi** | Filet de porc rôti, risotto aux champignons, épinards sautés, eau citronnée | Sandwich à la dinde rôtie, pain à la farine d'avoine, tomate, laitue, avocat, carottes miniatures, eau | Potage aux carottes avec dinde, pain aux raisins, légumes variés, café décaféiné | Poitrine de poulet grillée, riz brun, légumes rôtis à la sicilienne, boisson sans calories |
| **soir** | Chili aux haricots, pain de maïs, salade verte, boisson sans calories à l'orange | Tortilla de farine de blé entier, haricots noirs, maïs, fromage mexicain râpé, salade printanière, jus de pomme | Poulet à l'ail et fromage romano, patate sucrée au four, haricots verts et thé vert | Thon frais grillé, salade verte garnie d'olives, pain de seigle et margarine, raisin rouge, eau à la limette |
| **collation** | Tangerine, thé | Cheerios multigrains avec lait de soja 1 % | Maïs éclaté, eau aromatisée à la limette | Cerises déshydratées, eau pétillante |

### Comment fonctionne-t-il ?

La nutrigénomique est un nouveau concept en pleine émergence. Pour suivre le régime qui s'en inspire, une personne doit connaître sa prédisposition génétique ou son phénotype. Voici les phénotypes : phénotype A (gain de poids lié à une accoutumance) ; phénotype B (gain de poids lié à l'hypertension) ; phénotype C (gain de poids lié à une maladie cardiovasculaire) ; phénotype D (gain de poids lié au diabète) ; phénotype E (gain de poids lié à un trouble alimentaire d'ordre émotionnel) ; phénotype H (gain de poids lié aux hormones). Le livre consacré à ce régime contient un questionnaire d'autoévaluation. Vous pouvez ainsi connaître votre phénotype, les déclencheurs de gain de poids dans votre cas et les solutions qui pourront remplacer ces déclencheurs négatifs.

Ce régime doit être suivi pendant au moins 12 semaines, et vous devez tenir un registre précis de tout ce que vous mangez. Pendant les deux premières semaines, certaines personnes optent pour la voie radicale et éliminent les « sucreries, gâteries et boissons alcoolisées » pour obtenir une perte de poids rapide, ce qui contribue à renforcer leur motivation et à les fidéliser au régime correspondant à leur phénotype.

### Avantages et désavantages

L'autoévaluation de votre phénotype, de vos habitudes alimentaires et de vos déclencheurs négatifs peut vous sensibiliser à vos habitudes particulières et à vos problèmes de santé et ainsi vous motiver à faire des choix plus sains. Le programme « Fat is Not Your Fate » utilise la main (poing, paume et pouce) pour mesurer les portions. Il fournit des listes d'aliments détaillées, ainsi que des menus simples et rapides, et des menus plus élaborés. Il est très facile de se servir de sa main pour mesurer la quantité de nourriture que l'on mange. Les menus proposés incluent des plats de diverses cultures, de sorte qu'il convient à un plus grand nombre de personnes.

En outre, ce programme propose des exemples de menus pour les hommes et les femmes. Le succès du programme dépend de la rigueur avec laquelle il est suivi.

### Vous convient-il ?

Ce régime convient à la plupart des adultes.

### Disponibilité

Tous les aliments compris dans ce régime se vendent dans toutes les épiceries et les supermarchés.

### Changements dans le mode de vie

Il est possible de suivre un régime radical pendant les deux premières semaines, auquel cas il faut proscrire de son alimentation les sucreries, les gâteries et l'alcool. Ces substances sont ensuite réintroduites graduellement dans le régime alimentaire. Ce régime vous fera découvrir des fruits et des légumes exotiques et peu courants, qui vous permettront de mettre plus de variété dans votre assiette !

## puis suivez le régime approprié.

| phénotype D | phénotype E (6 mini-repas) |
|---|---|
| Gruau et lait de soja 1 %, pamplemousse rose et café | Muesli aux amandes grillées avec raisins secs et graines de lin moulues, lait de soja écrémé, thé vert |
| Soupe aux lentilles et légumes, fromage mozzarella, pain de seigle noir, haricots verts, boisson sans calories | Pizza aux légumes et au fromage, salade verte garnie de noix, eau aromatisée |
| Pâtes à la mozzarella et aux épinards, salade épicée aux carottes et aux raisins secs, petit pain 7 grains, margarine faible en gras, thé à la mangue | Polenta garnie de fromage parmesan, tomate en dés, épinards, jus d'orange non sucré |
| Mélange de noix et canneberges déshydratées | Fromage cheddar avec craquelins de blé entier faibles en gras, eau aromatisée à la limette |
| | Cappuccino, lait de soja, Lavash multigrains |
| | Yogourt à la vanille, poire |

### Ressources

www.fatisnotyourfate.com

www.dnadiet.org

*Fat is Not Your Fate: Outsmart Your Genes and Lose Weight Forever*, S. Mitchell et C. Christie, Simon & Schuster, 2006.

RÉGIME À LONG TERME

SOUPLESSE

RÉGIME FACILE À
SUIVRE EN FAMILLE

COÛT
●

DONNÉES SCIENTIFIQUES
À L'APPUI

# PROGRAMME POIDS SANTÉ DE LA CLINIQUE MAYO (RÉGIME MAYO)

Ce régime repose sur votre volonté de le suivre, sur l'évaluation que vous faites de votre forme physique et de vos buts concernant votre poids et votre apport quotidien en calories et, enfin, sur diverses recommandations en matière de groupes d'aliments et de portions.

### Origine du régime

La clinique Mayo est une clinique de soins de santé complets qui propose, entre autres services, des thérapies nutritionnelles médicales – incluant des conseils pour perdre du poids. Régime mythique d'origine inconnue, le soi-disant régime de la clinique Mayo (aussi appelé le régime aux pamplemousses), très populaire à une époque, a refait surface récemment sous la forme du Nouveau régime Mayo. Toutefois, ce régime qui fait la promotion des pamplemousses, des œufs ou de la viande pour perdre du poids rapidement n'est pas affilié à la clinique Mayo. Un livre publié récemment aux États-Unis et intitulé *The Mayo Clinic Healthy Weight Program* a sans doute été mis sur le marché pour rétablir les faits et contribuer à promouvoir une approche plus scientifique en matière de santé et de gestion de poids. Le programme poids santé de la clinique Mayo ou « Mayo Clinic Healthy Weight Program » est le seul programme affilié à la clinique Mayo.

### Comment fonctionne-t-il ?

Ce régime permet à une personne d'évaluer sa volonté de perdre du poids, de se fixer des buts, de déterminer son apport calorique maximal et d'utiliser

voir aussi

**régime Weight Watchers** 80
**guide alimentaire Bull's-Eye** 96
**régime MyPyramid** 162

# menu type

Ces menus quotidiens bien planifiés de 1500 calories

|  | samedi | dimanche | lundi | mardi |
|---|---|---|---|---|
| **matin** | ½ tasse de jus d'ananas, 1 œuf, ½ tasse de gruau, café ou thé | ½ tasse de jus d'orange, 1 muffin anglais, 2 prunes, café ou thé | ½ tasse de jus de pomme, ½ tasse de shredded wheat, ½ bagel, fromage en crème sans gras, café ou thé | ½ tasse de jus d'orange, ½ tasse de gruau, café ou thé |
| **midi** | Salade : ½ tasse de kasha, 1 tasse de chou-fleur, 1 tasse de champignons, 1 poivron en dés, 1 pomme, boisson sans calories | Filet de porc au four, ½ pomme de terre moyenne cuite au four, ½ tasse de haricots verts, tranches de concombre, 3 dattes, boisson sans calories | 2 tranches de pain de grains entiers, 1 burger aux légumes, ½ tasse d'épinards, 8 tomates cerises, vinaigrette sans gras, 1 orange, boisson sans calories | 1 muffin anglais, mozzarella partiellement écrémée, ½ tasse de sauce à pizza, ½ tasse de bâtonnets de carottes, 1 kiwi, boisson sans calories |
| **soir** | 2 tranches de pain au levain, soupe aux lentilles, 1 tasse de chou râpé, 1 poire, boisson sans calories | Omelette de substitut d'œuf, ½ tasse d'orzo, ½ tasse de courge d'été, 1 orange, boisson sans calories | Saumon grillé, ½ tasse de riz, ½ tasse d'asperges, ½ tasse de betteraves, 1 banane, boisson sans calories | Poitrine de dinde rôtie, 3 mini-pommes de terre rouges, 1 tasse de brocoli, 1 tasse de chou-fleur, 1 poivron, 1 pêche, boisson sans calories |
| **collation 1** | ½ tasse de salsa, 10 croustilles cuites au four, boisson sans calories | 2 tasses de maïs éclaté nature, boisson sans calories | 1 pain bâton, ½ tasse de jus de légumes | 1 petit muffin, 1 tasse de petits fruits variés |
| **collation 2** | 1 barre de jus glacée, 6 craquelins, boisson sans calories | ⅓ tasse de soupe aux légumes, 6 craquelins de blé, boisson sans calories | 1 ½ tasse de fraises, amandes tranchées, boisson sans calories | 6 craquelins de blé, boisson sans calories |

**Pensez-y bien...**

- Vous pouvez remplacer certains aliments par des aliments qui ne figurent pas sur les listes, mais prenez soin de vous assurer que leur teneur en calories, en protéines et en matières grasses est semblable à celle des aliments dans le même groupe.

un programme basé sur les groupes d'aliments en portions préétablies. Il a été conçu pour contourner la formule de base selon laquelle il faut brûler 3500 calories de plus que les calories consommées pour maigrir de 500 g.

Ce programme recommande d'y aller lentement et de ne pas perdre plus de 0,5 à 1 kg par semaine. Il met l'accent sur les éléments positifs, l'établissement de priorités, la rigueur, les groupes de soutien et la persévérance pour parvenir à ses fins lentement, mais sûrement.

Les apports en calories sont prescrits selon le poids et le sexe. Le programme énonce des recommandations à l'égard de tous les groupes d'aliments et les calories sont exprimées en nombre et en taille de portions. Vous trouverez dans le livre consacré à ce régime des listes de légumes, de fruits, de glucides, de protéines, de produits laitiers, de matières grasses et de sucreries recommandés.

## Avantages et désavantages

Les données scientifiques à l'appui du programme poids santé de la clinique Mayo sont solides. L'approche à l'égard de la perte de poids est modérée et repose sur la conscience de soi, la modification des comportements, le contrôle des portions et l'engagement à long terme.

Ce genre de régime alimentaire ne plaira pas aux personnes qui veulent suivre un régime à court terme pour obtenir une perte de poids rapide. En outre, même si ce régime permet une consommation illimitée de fruits, il faut étroitement en surveiller les portions pour ne pas dépasser le nombre de calories permises, par exemple en consommant trop de jus de fruits.

### Vous convient-il ?

Ce régime plaira aux personnes en quête d'une approche holistique à l'égard de la perte de poids qui intègre bien-être, activité physique et alimentation.

### Disponibilité

Les aliments qui composent ce régime alimentaire se vendent dans tous les magasins d'alimentation. Certains des aliments dans les menus doivent être préparés de différentes façons, mais le nombre de calories est toujours indiqué, de sorte que vous pouvez faire des substitutions sans perdre le fil des calories que vous consommez.

### Changements dans le mode de vie

Pour suivre ce régime, il faut s'engager à modifier ses comportements, à évaluer sa forme physique et à suivre diverses recommandations en matière d'activité physique.

## aliments à consommer à volonté

- Aliments sans calories et aliments contenant moins de 20 calories par portion

## gâteries

**AU CHOIX :**

- aliments ne contenant pas plus de 75 calories
- gâteau des anges
- jello
- noix

**Truc santé**

- Il y a des légumes qui contiennent moins de 25 calories par portion : les poivrons, les haricots verts, le chou et les courgettes.

## se composent d'une multitude d'aliments santé.

| mercredi | jeudi | vendredi |
|---|---|---|
| ½ tasse de jus d'ananas, 2 petites crêpes, café ou thé | ½ tasse de jus de pamplemousse, ½ tasse de céréales de grains entiers, 1 verre de lait écrémé, café ou thé | ½ tasse de jus de canneberges, 3 pruneaux, 2 tranches de pain de blé entier grillées, café ou thé |
| Salade : tasse de pois chiches, 2 tasses d'épinards, 8 tomates cerises, 1 tasse de concombre tranché, 1 pain bâton, 1 kiwi, boisson sans calories | Poulet rôti, ½ tasse de riz, ⅔ tasse de chou frisé vapeur, ½ tasse de châtaignes d'eau, 1 nectarine, boisson sans calories | ½ tasse de pâtes, ⅛ tasse de sauce tomate, mozzarella râpée, 1 tasse de brocoli, 1 poire, boisson sans calories |
| Crevettes grillées, 1 petit pain, ½ tasse de carottes miniatures, ½ tasse de pois, 1 tasse d'aubergine cuite, 2 prunes, boisson sans calories | 1 tasse de pâtes, ½ tasse de sauce Marinara, ½ tasse de courge d'été, 1 pain bâton, 1 banane, boisson sans calories | Bœuf haché maigre, 1 tasse de macaronis et ½ tasse de sauce tomate, 1 tomate, 1 tasse de courgettes, 1 banane, boisson sans calories |
| 1 nectarine, boisson sans calories | 6 craquelins de blé, ½ tasse de jus de légumes | 1 orange, boisson sans calories |
| 14 petits craquelins au fromage, boisson sans calories | 1 tangerine, boisson sans calories | 2 tasses de maïs éclaté nature, boisson sans calories |

## Ressources

www.mayoclinic.com/health/mayo-clinic-diet-book/GA00037

*The Mayo Clinic Plan : 10 Essential Steps to a Better Body and Healthier Life,* Time, 2006.

# RÉGIME CALIFORNIEN
## (RÉGIME SONOMA)

Fondé sur le style de vie « relax » des régions vinicoles de la Californie, ce guide d'alimentation d'inspiration méditerranéenne privilégie les aliments « nourrissants » bons pour le cœur et faibles en calories.

Les pâtes de blé entier aux tomates, aux champignons et à l'huile d'olive contiennent trois aliments clés.

### Origine du régime
Le régime californien ou régime Sonoma a été élaboré par Connie Peraglie Guttersen, diététicienne accréditée, chef et conseillère en nutrition au Culinary Institute of America, à Greystone, en Californie. Le premier livre sur ce régime amaigrissant, publié en 2005, a été suivi en 2006 d'un nouvel ouvrage intitulé *The Sonoma Diet Cookbook*. Ces deux livres populaires sont souvent recommandés par les professionnels de la santé cherchant à promouvoir un régime alimentaire de style méditerranéen.

### Comment fonctionne-t-il ?
Ce programme d'alimentation favorise la perte de poids à long terme grâce à un guide d'alimentation saine basé sur les aliments clés du régime méditerranéen, soit les fruits, les légumes, le poisson, le fromage, l'huile d'olive, les noix et le vin. Reposant sur 10 aliments « clés » (amandes, poivrons, bleuets, brocoli, raisin, huile d'olive, épinards, fraises, tomates et grains entiers), ce régime repose sur le

**RÉGIME À LONG TERME**
●●●

**SOUPLESSE**
●●●

**RÉGIME FACILE À SUIVRE EN FAMILLE**
●●

**COÛT**
●

**DONNÉES SCIENTIFIQUES À L'APPUI**
●●

**voir aussi**
pyramide diététique méditerranéenne 160

# menu type
Le régime californien ou régime Sonoma est un régime

| | samedi | dimanche | lundi | mardi |
|---|---|---|---|---|
| **matin** | 2 tranches de pain de blé entier, 1 c. à soupe de beurre d'arachide | Céréales de grains entiers, lait | 1 tasse de céréales de grains entiers, 1 tasse de lait écrémé | ¼ tasse d'avoine épointée cuite, lait |
| **midi** | Verdure avec haricots secs et cœurs d'artichauts*, ¾ tasse de framboises | Pita garni de poulet et haricots noirs*, fruits frais | Soupe aux haricots noirs*, salade d'épinards avec vinaigrette, 1 tasse de petits fruits frais | Salade Sonoma avec tomates et feta*, fruits frais, 4 craquelins |
| **soir** | Brochettes de porc à la marocaine*, salade de carottes à la tunisienne*, riz brun vapeur, 1 verre de Pinot noir (facultatif) | Risotto à l'orge et aux champignons sauvages*, salade et vinaigrette au citron*, 1 verre de Merlot (facultatif) | Filet de porc*, pilaf de quinoa*, courgettes rôties, ½ tasse de cantaloup, 1 verre de Zinfandel (facultatif) | Crevettes au piment Serrano*, grains mélangés*, 1 tasse de salade avec vinaigrette*, 1 fruit, 1 verre de Sauvignon blanc (facultatif) |
| **collation pour homme** | 1 tasse de brocoli, 3 pointes de fromage, ¾ tasse de bleuets, yogourt sans gras | 2 bâtons de céleri, 2 c. à soupe de beurre d'arachide, fromage en filaments, 1 tasse de carottes miniatures, 33 amandes | 2 bâtons de fromage mozzarella en filaments, 2 bâtons de céleri avec 2 c. à soupe de beurre d'arachide, 33 amandes | 1 tasse de carottes miniatures, 3 pointes de fromage, 33 amandes |
| **collation pour femme** | 1 tasse de brocoli, 1 pointe de fromage, ½ tasse de bleuets, yogourt sans gras | 2 bâtons de céleri, 1 c. à soupe de beurre d'arachide, fromage en filaments, 1 tasse de carottes miniatures, 11 amandes | 2 bâtons de céleri avec 2 c. à soupe de beurre d'arachide, 22 amandes | 1 tasse de carottes miniatures, 22 amandes |

principe voulant que la forte concentration de nutriments dans ces aliments constitue la preuve qu'ils nous protègent contre la cardiopathie et d'autres maladies graves. Le régime californien ou Sonoma met l'accent sur les aliments non transformés et sur ce que l'on peut manger, plutôt que sur ce qui est interdit!

Le livre comprend trois « vagues » : la première peut durer jusqu'à dix jours et restreint la consommation de certains fruits et légumes ; la deuxième dure le temps qu'il faut pour perdre le poids souhaité ; et la troisième commence le jour où le poids cible est atteint.

## Avantages et désavantages

Il est incontestable que l'abondance de fruits, de légumes et de grains entiers compris dans le régime californien font de celui-ci un choix santé conforme à diverses recommandations de saine alimentation solidement étayées par des données scientifiques, comme celles de la pyramide du guide alimentaire.

Les personnes qui n'ont pas l'habitude de consommer beaucoup de fruits et de légumes trouveront ce régime très loin de leur alimentation normale, et peut-être aussi plutôt cher. Sachez cependant que la consommation de plus grandes quantités de fruits et de légumes ne vous coûtera pas plus cher si vous compensez en achetant moins de viandes coûteuses et d'aliments transformés.

## Vous convient-il ?

Conçu pour les gens qui aiment la bonne chère et le bon vin ou qui cherchent tout simplement un régime alimentaire permanent de maintien du poids, le régime californien ou Sonoma n'est pas indiqué pour qui veut perdre du poids rapidement. Il s'agit plutôt d'un programme à vie qui entraîne une perte de poids graduelle et constante. Ce régime ne convient pas nécessairement aux personnes qui consomment beaucoup d'aliments transformés. Il risque de ne pas vous convenir si vous aimez ces aliments et si vous ne comptez pas vous engager à modifier vos habitudes à long terme.

## Disponibilité

Tous les aliments compris dans ce régime se vendent dans les supermarchés et les magasins d'alimentation.

## Changements dans le mode de vie

Ce programme de vie s'accompagne de recommandations : exercice et techniques de gestion du comportement ; repas réguliers, tenue d'un registre des aliments consommés et de l'exercice physique, identification des déclencheurs de consommation excessive et gestion de ces déclencheurs, techniques de lutte contre le stress et établissement d'un plan pour composer avec les reculs.

de type méditerranéen qui inclut des aliments provenant de nombreuses cultures.

| mercredi | jeudi | vendredi | **Ressources** | |
|---|---|---|---|---|
| 2 œufs, 1 tranche de pain de blé entier grillée, 1 c. à soupe de beurre d'arachide | 2 tranches de pain de blé grillée, 1 c. à soupe de beurre d'arachide | Omelette ranchero* | www.sonomadiet.com |  |
| Pita express Sonoma*, grains mélangés*, fruits frais | Salade de poulet à la californienne*, pita de grains entiers | Salade de verdure variée avec dinde et fromage bleu*, 4 craquelins | *The Sonoma Diet*, C. Guttersen, Meredith Books, 2005. | |
| Filet de porc*, épinards et vinaigrette*, fruits frais, 1 verre de Cabernet (facultatif) | Soupe aux lentilles, poisson et relish de courgettes*, 1 tasse de salade avec vinaigrette*, 1 verre de Sauvignon blanc (facultatif) | Bœuf au piment et au gingembre et mélange de légumes asiatiques*, fruit frais, 1 verre de rosé (facultatif) | | |
| 2 c. à soupe de sauce au concombre à base de yogourt*, ½ pain pita de blé entier, 1 tasse de courgettes crues, 22 amandes | Yogourt sans gras, 1 tasse de fraises, 2 pointes de fromage, lanières de poivron, 22 amandes | ¼ tasse d'hoummos*, pita de blé entier, tranches de concombre, 2 bâtons de céleri et 2 c. à soupe de beurre d'arachide | | |
| 2 c. à soupe de sauce au concombre à base de yogourt*, ½ pain pita de blé entier | 2 c. à soupe de sauce au concombre à base de yogourt*, ½ pain pita de blé entier, lanières de poivron | ¼ tasse d'hoummos*, pita de blé entier, tranches de concombre | | |

***Les recettes figurent dans le livre *The Sonoma Diet*, C. Guttersen, Meredith Books, 2005.**

RÉGIME À LONG TERME

SOUPLESSE

RÉGIME FACILE À SUIVRE EN FAMILLE

COÛT
●

DONNÉES SCIENTIFIQUES À L'APPUI

# RÉGIME TRICOLORE

Conçu pour vous faire perdre du poids de manière permanente et allonger votre vie de nombreuses années, ce régime coloré est axé sur la consommation de substances phytochimiques rouges, jaunes, orange et vertes.

### Origine du régime

Mis au point par Martin Katahn, fondateur et directeur du Vanderbilt Weight Management Program (programme de gestion du poids) et professeur émérite de psychiatrie à l'Université Vanderbilt, le régime tricolore a été lancé en 1996. Le Dr Katahn est aussi bien connu pour d'autres ouvrages qui ne sont pas traduits, notamment *The 200-Calorie Solution* (1984), *Beyond Diet* (1984), *The Rotation Diet* (1987), *One Meal at a Time* (1997) et *The T-Factor Diet* (2001).

### Comment fonctionne-t-il ?

Ce guide d'alimentation promet une gestion du poids permanente, sans sentiments de privation, et une stratégie à vie pour prévenir le cancer, la cardiopathie et d'autres maladies débilitantes associées au vieillissement.

Fondé sur l'inclusion de substances phytochimiques colorées présentes dans les aliments végétaux, le programme les regroupe en trois catégories : les aliments rouges, les aliments jaunes ou orange et les aliments verts. On peut

Augmentez votre consommation d'aliments colorés et de substances phytochimiques en ajoutant des légumes et des fines herbes dans vos soupes et vos sandwichs.

voir aussi
**régime DASH** 138

# menu type

Pour simplifier la planification de vos menus, choisissez

| | samedi | dimanche | lundi | mardi |
|---|---|---|---|---|
| **matin** | Jus de fruits, céréales froides, fruits frais ou déshydratés, pain de grains entiers, boisson | Fruits frais ou jus, crêpes avec sirop d'érable, boisson | Jus de fruits, céréales froides, fruits frais ou déshydratés, pain de grains entiers, boisson | Fruits frais ou jus, pain doré avec sirop d'érable, boisson |
| **midi** | Salade de pâtes/de légumes, petit pain ou tranche de pain de grains entiers, boisson aux fruits | Jus de fruits ou de légumes, volaille, boisson aux légumes cuits | Jus de fruits ou de légumes, sandwich, plat de légumes en accompagnement, fruit, boisson | Soupe, sandwich avec garniture aux légumes, fruit, boisson |
| **soir** | Volaille, 2 légumes d'accompagnement, pain de grains entiers, dessert de fruits au choix | Poisson, légumes cuits, petite salade, pain de grains entiers, dessert de fruits au choix | Hors-d'œuvre à base de fruits, plat principal (recette dans le livre), légume ou salade d'accompagnement, dessert (recette dans le livre) | Poisson, 2 légumes d'accompagnement, pain de grains entiers, dessert de fruits au choix |
| **collation 1** | Fruit | Fruit | Fruit | Fruit |
| **collation 2** | Grains entiers | Grains entiers | Grains entiers | Grains entiers |

obtenir une perte de poids lente en suivant les lignes directrices du régime en matière de prévention des maladies, ou plus rapide, grâce au programme «accéléré», qui met aussi l'accent sur l'inclusion dans les habitudes alimentaires des principes nutritionnels devant être suivis à vie.

Selon ce régime, il faut avoir pour but ultime de consommer 9 portions de fruits et de légumes tous les jours et entre 6 et 11 portions de grains, tout en prenant soin de ne pas consommer plus de 20 pour cent de ses calories sous forme de matières grasses. Dans ce régime, aucun aliment n'est considéré «mauvais», bien que certains aliments doivent être consommés en quantités limitées, notamment les matières grasses (1 à 2 c. à soupe par jour), la viande rouge (une fois par semaine, idéalement une fois par mois ou jamais), le poisson et la volaille (180 g par jour), et les produits laitiers, nécessairement faibles en gras; les boissons gazeuses sont exclues, même les boissons diète, et il ne faut pas consommer plus de 2 tasses de café par jour.

## Avantages et désavantages
Une plus forte consommation de fruits, de légumes et de grains entiers constitue une approche positive pour perdre du poids, qui est d'ailleurs étayée par de solides données scientifiques sur la promotion de la santé et les programmes d'amaigrissement.

Certaines personnes trouveront peut-être très difficile à long terme de respecter les changements qui sont recommandés, surtout si ces changements diffèrent radicalement de leurs habitudes alimentaires courantes. Ce programme recommande aux gens de commencer par une recette, un repas, un jour à la fois pour saisir graduellement toute l'ampleur des changements qui doivent être apportés. Ce régime plaira aux personnes en quête de changements dans leur style de vie, mais il peut se révéler trop pointu et trop lent pour les personnes qui veulent obtenir des résultats rapides pour demeurer motivées. En outre, la restriction

**Pensez-y bien...**
• Qu'est-ce qu'une substance phytochimique?
Toute substance chimique ou nutritive qui a une activité biologique dans l'organisme et qui est dérivée d'une source végétale.

des matières grasses à 20 pour cent des calories peut déplaire à certaines personnes qui n'auront jamais l'impression de manger à satiété.

## Vous convient-il?
L'accent mis sur les aliments végétaux naturels pourrait séduire les personnes qui veulent réduire leur consommation de viande ou ne plus en manger du tout, ainsi que les personnes qui veulent modifier leurs habitudes alimentaires et réduire leurs risques de maladies. Les personnes souffrant de problèmes rénaux ne pourront pas consommer la quantité de fruits et de légumes recommandée en raison des restrictions de potassium qui leur sont imposées.

## Disponibilité
Les aliments qui composent ce régime alimentaire se vendent dans tous les commerces d'alimentation, à des prix abordables.

## Changements dans le mode de vie
L'activité physique, la gestion du stress et la réduction des risques environnementaux pour la santé sont tous des éléments intégrés dans ce régime.

une palette de couleurs qui vous fournira aussi toute une gamme de substances nutritives.

| mercredi | jeudi | vendredi | **Ressources** |
|---|---|---|---|
| Fruits frais ou jus, céréales chaudes avec fruits déshydratés, boisson | Fruit, restant de soupe, pain de grains entiers, boisson | Fruit ou jus, restant de plat végétarien de la veille, pain de grains entiers, boisson | www2.wwnorton.com/catalog/spring96/003920.htm |
| Grosse salade, petit pain ou tranche de pain de grains entiers, fruit, boisson | Jus de fruits ou de légumes, poisson, petite salade, boisson | Soupe, petite salade, fruit, boisson | *The Tri-Color Diet*, M. Katahn, W. W. Norton & Co, 1996. |
| Volaille, légumes cuits, petite salade, pain de grains entiers, dessert de fruits au choix | 3 plats ou plus à base de légumes, petit pain ou tranche de pain de grains entiers, dessert de fruits au choix | Hors-d'œuvre à base de fruits, plat principal (recette dans le livre), légume ou salade d'accompagnement, dessert (recette dans le livre) | |
| Fruit | Fruit | Fruit | |
| Grains entiers | Grains entiers | Grains entiers | |

**Remarque:** Le livre propose des menus généraux plutôt que des menus précis.

# RÉGIME VOLUMÉTRIQUE

Sentez-vous rassasié tout en consommant moins de calories! Le régime volumétrique de contrôle du poids est un régime amaigrissant basé sur les principes d'une alimentation conçue pour accroître la satiété (le sentiment de satisfaction qui vient d'avoir assez mangé).

## Origine du régime

En plus de l'ouvrage dont est tiré le présent régime, c'est-à-dire *The Volumetrics Weight-Control Plan*, la D^re Barbara Rolls, titulaire de la Guthrie Chair of Nutritional Sciences, a aussi écrit en collaboration avec Robert A. Barnett, un journaliste en cuisine et nutrition ayant remporté de nombreux prix, un ouvrage subséquent intitulé *The Volumetrics Eating Plan*. Ces livres bien connus aux États-Unis sont souvent recommandés par les professionnels de la santé en raison de leur fondement scientifique solide et de leur style très accessible.

## Comment fonctionne-t-il?

Les aliments sont choisis en raison de leur densité énergétique (calories). La teneur des aliments en matières grasses, en fibres, en protéines et en eau influence leur densité énergétique (calories). En mangeant principalement des aliments denses procurant rapidement un sentiment de satiété tout en étant faibles en énergie (en calories), on peut contrôler son apport en calories, consommer de plus petites portions d'aliments très denses hautement énergétiques et perdre du poids malgré tout. Parmi les aliments à faible densité énergétique, il y a les fruits et les légumes, le lait écrémé, les soupes à base de bouillons, les vinaigrettes sans gras, les pâtes,

RÉGIME À LONG TERME
●●●

SOUPLESSE
●●

RÉGIME FACILE À SUIVRE EN FAMILLE
●●●

COÛT
●

DONNÉES SCIENTIFIQUES À L'APPUI
●●●

**voir aussi**
guide alimentaire Bull's-Eye 96
régime Fat is Not Your Fate 100

# menu type
### Menus incluant des aliments denses en substances nutritives

|  | samedi | dimanche | lundi | mardi |
|---|---|---|---|---|
| **matin** | 2 tasses de shredded wheat, 1 tasse de lait écrémé | 1 tasse de yogourt à la vanille faible en gras, 2 tranches de pain de blé entier grillées, ½ c. à soupe de margarine légère, 1 tasse de lait écrémé | 1 tasse de flocons de son et raisins, 1 pêche, 1 tasse de lait écrémé | 1 muffin anglais de blé entier, 1 c. à soupe de beurre d'arachide à teneur réduite en gras, 1 tasse de lait écrémé |
| **midi** | Burrito de haricots et fromage (150 g), ¼ tasse de salsa | Dinde dans un pain de blé entier de 15 cm de long, 2 tasses de soupe aux légumes | 1 plat principal à teneur réduite en calories, salade, ¼ tasse de vinaigrette sans gras | Sandwich au poulet grillé, (sans mayo), légumes |
| **soir** | Pizza Margherita sur pain pita, salade, ¼ tasse de vinaigrette sans gras | 90 g de saumon poché, salade, ¼ tasse de vinaigrette sans gras, 1 petit pain de blé entier | ¾ tasse de pâtes de blé entier, 1 ½ tasse de légumes variés, ½ tasse de sauce pour pâtes, 1 c. à soupe de parmesan, 1 carré de chocolat | Sauté de bœuf et pois mange-tout, ⅔ tasse de riz brun, 2 biscuits chinois (horoscope) |
| **collation 1** | 1 banane | ½ tasse de crème glacée à la vanille, faible en gras | ¾ tasse de bouillon, 4 craquelins salés, sans gras | 1 tasse de pêches dans un sirop léger, ½ tasse de fromage cottage faible en gras |
| **collation 2** | Barre glacée aux fruits (90 g) | 1 tasse de raisins | 1 tasse de fraises | 1 poire |

les grains cuits riches en fibres, les pommes de terre, les légumineuses, les viandes faibles en gras, les salades, les soupes faibles en gras, les fromages faibles en gras, le fromage cottage, le yogourt glacé et les boissons sans calories. Ce régime s'accompagne d'un programme d'exercice régulier et de gestion du comportement. Il n'y a pas d'aliments interdits, et des gâteries sont permises tant que le style d'alimentation demeure centré sur des aliments à faible densité énergétique (calories).

## Avantages et désavantages

Ce régime préconise la consommation d'aliments riches en substances nutritives, mais faibles en calories, comme les fruits et les légumes, ce qui en fait un régime sain et conforme aux recommandations scientifiques en matière d'alimentation. À long terme, il peut être difficile de toujours choisir des aliments à la fois riches en substances nutritives et faibles en calories, en raison de la prévalence des aliments à forte densité énergétique un peu partout, notamment lors de réceptions sociales, de fêtes et de repas en vacances.

## Vous convient-il ?

Ce régime n'est pas conçu pour produire une perte de poids rapide. Il s'agit d'un programme lié au style de vie qui entraîne

une perte de poids lente et régulière. Il peut nécessiter l'apport de changements majeurs dans votre style de vie et dans vos habitudes alimentaires, selon votre consommation habituelle d'aliments énergétiquement denses.

### Disponibilité

Tous les aliments recommandés dans ce régime se vendent dans tous les supermarchés et magasins d'alimentation.

### Changements dans le mode de vie

Les auteurs soutiennent qu'il s'agit d'un mode de vie et non d'un régime amaigrissant. Les stratégies recommandées pour modifier son style de vie incluent de l'exercice régulier et le recours à des techniques de gestion du comportement. Par exemple, pour suivre ce régime, il faut éviter de sauter des repas, tenir un registre des aliments que l'on consomme et de l'exercice physique que l'on fait, identifier ses déclencheurs de consommation excessive et les gérer, apprendre à gérer son stress et établir un plan pour composer avec les revers.

**et en fibres mais faibles en calories pour favoriser l'apport de changements sains dans votre mode de vie.**

| mercredi | jeudi | vendredi |
|---|---|---|
| 1 ¾ tasse de Cheerios, ¼ tasse d'abricots séchés, 1 tasse de lait écrémé | 2 œufs brouillés, 2 c. à soupe de salsa, 2 tranches de pain de blé entier grillées, ½ c. à soupe de margarine légère, 1 tasse de lait écrémé | 2 tasses de flocons de son, 1 tasse de bleuets, 1 tasse de lait écrémé |
| Jambon dans un pain de blé entier de 15 cm de long, 1 tranche de fromage, légumes | 1 boîte de bouillon, 1 bagel de blé entier, 1 c. à soupe de beurre d'arachide à teneur réduite en gras | 1 petit hamburger au fromage (sans mayo), salade verte, ¼ tasse de vinaigrette sans gras |
| 90 g de côtelette de porc au four, 1 tasse de riz sauvage, 1 tasse de brocoli (au citron), 1 c. à soupe de cheddar | 1 plat principal à teneur réduite en calories, salade, ¼ tasse de vinaigrette sans gras | 90 g de poulet cuit au four, ½ tasse de riz jaune, salade de concombre et aneth |
| 1 portion de pudding au chocolat, sans gras | 1 tasse de yogourt aux fruits, sans sucre et faible en gras | ½ tasse de sorbet aux fruits |
| ½ pamplemousse | 1 tasse de framboises | 1 pomme |

## Ressources

www.VolumetricsEatingPlan.com

*The Volumetrics Eating Plan*, B. Rolls, HarperCollins, 2007.

*The Volumetrics Weight-Control Plan*, B. Rolls et R. Barnett, Harper, 2002.

RÉGIME À LONG TERME

SOUPLESSE

RÉGIME FACILE À
SUIVRE EN FAMILLE
●●

COÛT

DONNÉES SCIENTIFIQUES
À L'APPUI
●●

# 3-HOUR DIET

Ce régime élimine la faim en permettant à la personne qui le suit de manger à intervalles de trois heures.

### Origine du régime
Ce régime a été mis au point par Jorge Cruise, entraîneur en conditionnement physique et auteur des livres *8 Minutes in the Morning*®, qui contiennent des trucs santé et de courts programmes d'exercice.

### Comment fonctionne-t-il?
Ce régime repose sur la théorie voulant qu'un horaire précis de repas – plutôt que l'élimination des glucides – soit crucial pour obtenir une perte de poids satisfaisante. Il inclut le « 3-Hour Timeline », une espèce de calendrier aux 3 heures, et la « 3-Hour PlateMC » ou plat aux 3 heures. Ces intervalles de trois heures reposent sur l'hypothèse qu'en mangeant à toutes les trois heures, on évite d'avoir faim, ce qui déclenche le mécanisme de protection contre la faim; en outre, l'effet thermique des aliments (l'utilisation des calories pour la digestion) est optimisé et les taux de glucose sanguin demeurent constants. Il n'est pas nécessaire de restreindre la consommation de glucides, et le Visual TimingMC créé pour les personnes qui le suivent un programme d'alimentation qui les sensibilise à de bonnes habitudes alimentaires.

La « 3-Hour PlateMC » inclut de 5 à 6 repas à portions contrôlées tous les jours, à intervalles de 3 heures, dans le cadre d'un programme d'alimentation faible en calories d'une durée

**Truc santé**
- *Les bonnes sources d'acides gras oméga incluent le lin et le poisson (oméga-3), l'huile de soja et l'huile de maïs (oméga-6), et les olives, les avocats et les noix (oméga-9).*

**voir** aussi
**régime Suzanne Somers** 120

# menu type

## Chaque repas devrait contenir environ 400 calories

| | samedi | dimanche | lundi | mardi |
|---|---|---|---|---|
| **matin** | Gruau, lait 1 %, ⅓ tasse de canneberges déshydratées | Céréales de flocons de blé, 2 c. à soupe d'amandes effilées, lait 1 %, prune | Omelette aux blancs d'œuf avec fromage, 2 tranches de pain grillées, 1 c. à café de margarine, salade de fruits | Céréales granola faibles en gras, ½ banane, lait 1 %, pêche |
| **midi** | Hamburger nature, salade d'accompagnement, vinaigrette « ranch » faible en gras, 1 verre de jus d'orange | Jambon glacé au miel, carottes vapeur, salade d'accompagnement, vinaigrette à l'italienne, orange | Poitrine de poulet grillée, 1 tasse de soupe aux légumes, petit pain | Hamburger au fromage, salade d'accompagnement, 1 c. à café de vinaigrette faible en gras |
| **soir** | Poitrine de poulet grillée, pomme de terre au four, 1 c. à soupe d'huile de colza, pois mange-tout | Thon grillé, tomates à l'étuvée, cœurs d'artichaut, 1 c. à soupe d'huile d'olive, pilaf de couscous | Hamburger de soja, champignons, riz pilaf, légumes verts, salade | Silure grillé, chou rosette avec huile de lin, pain au maïs |
| **collation 1** | ½ tasse de sorbet | Yogourt (100 calories) | Biscuit (100 calories) | 15 g de bretzels |
| **collation 2** | ½ tasse de gélatine | Biscuit (100 calories) | 15 g de croustilles de maïs cuites au four | Yogourt (100 calories) |
| **collation 3** | Salade de laitue, 15 raisins secs, vinaigrette sans gras | 1 galette de riz, 1 c. à soupe de fromage en crème sans gras | 6 amandes, bâtons de jicama, thé vert | 15 g de bonbons, pomme |

de 28 jours. La clé de ce régime se trouve dans les trois repas complets (environ 400 calories chacun), les deux collations (environ 100 calories chacune) et la gâterie (de 50 calories au maximum), pour un total quotidien de 1450 calories.

La consommation de glucides est permise, et les grains entiers sont réputés donner droit à des «crédits supplémentaires». Les aliments protéiques faibles en gras, comme les blancs d'œuf, la viande blanche, le yogourt faible en gras et le lait 1 %, et les aliments riches en acides gras oméga-3 et oméga-9 sont les grands champions. Ce régime permet aussi la consommation de viande rouge.

Des repas à heures très régulières contribuent à réduire au minimum les taux de glucose sanguin et à survolter le métabolisme. Vous pouvez suivre les plans de repas proposés dans le livre ou vous en remettre aux concepts alimentaires basés sur des repas personnalisés.

## Avantages et désavantages

Ce programme d'alimentation faible en calories est très structuré : petits repas fréquents et stratégies nombreuses pour aider les gens à persévérer, notamment l'inclusion dans le programme d'aliments très appréciés. Il propose en outre des conseils à suivre lorsqu'on mange au restaurant. En fait, ce régime vous permet de manger tout ce que vous voulez, tant que vous mangez à intervalles de trois heures et tant que vous respectez le nombre de calories auquel vous avez droit à chaque repas. On allègue qu'une personne peut perdre en moyenne environ 1 kg par semaine, mais la perte de poids dépend en fin de compte de la constitution de chaque individu. Au début, la terminologie «brevetée» utilisée pour décrire des stratégies et des techniques d'amaigrissement bien connues peut être une source de confusion. Et malgré les assurances qu'il n'y a pas de calories à compter ou d'aliments à proscrire, ce programme vous obligera à contrôler vos portions pour ne pas consommer trop de calories.

## gâteries

AU CHOIX :
- 1 biscuit (100 calories)
- 7 amandes enrobées de chocolat
- 30 g de fudge
- 20 bonbons au sirop de maïs
- 60 g de gâteau éponge
- 2 morceaux d'une barre Kit Kat
- 20 arachides
- fromage en filaments

### Vous convient-il ?

Le programme d'alimentation structuré de la 3-Hour Diet plaira aux gens qui aiment bien grignoter, mais qui se soucient aussi de leur forme physique. Les personnes souffrant de maladies et autres affections les obligeant à manger et à prendre des médicaments à heures fixes devraient consulter un médecin avant de commencer à suivre ce régime.

### Disponibilité

Tous les aliments compris dans ce régime se vendent dans toutes les épiceries et les supermarchés

### Changements dans le mode de vie

Ce programme préconise de l'exercice régulier et recommande d'utiliser des techniques de visualisation, ainsi que des stratégies pour éviter le gaspillage de temps («loser zones»); de se fixer des «cibles» (raisons de la perte de poids); de ne pas céder à ses émotions pour manger excessivement («hungry heart»); de se féliciter de ses succès passés («support pillars»); de bien s'entourer («People Solution™»); et de cultiver une attitude positive («positive name tag»).

## aliments à consommer à volonté

**Aliments contenant moins de 20 calories par portion**
- cornichons
- jus de limette
- jicama
- oignons verts
- laitue
- radis
- concombre
- courgette

et chaque collation environ 100 calories.

| | mercredi | jeudi | vendredi |
|---|---|---|---|
| | Muffin à l'œuf, verre de jus d'orange | Sandwich au fromage grillé, pomme, ½ verre de jus d'ananas | Omelette au jambon, ½ bagel, 2 figues, 1 tasse de cocktail de jus de canneberges |
| | Fajita au poulet dans un pain pita, tranches de concombre, vinaigrette «ranch» sans gras, lait 1 % | Pizza (surgelée, 400 calories), salade de brocoli et luzerne, 1 c. à café d'huile d'olive | Cannelloni au fromage (400 calories, plat principal), salade verte, 1 c. à café d'huile de lin |
| | Soupe au jambon et aux haricots, betteraves, petit pain à l'oignon | Truite au four, pommes de terre rouges et légumes, 2 c. à soupe d'huile de lin | Chili à la dinde, carottes et navet mélangés, salade verte, 1 c. à café d'huile de lin |
| | 1 bâtonnet de fromage en filaments, faible en gras | Compote de pommes | Petit «brownie» |
| | 30 g de gâteau des anges, thé vert | Barre tendre faible en gras | 12 amandes, thé vert |
| | 6 noix de cajou, bâtonnets de concombre | 5 mini-galettes de riz, 2 c. à café de gelée à teneur réduite en sucre | 5 croustilles de pomme de terre au fromage |

## Ressources

www.jorgecruise.com

www.everydiet.org/3_hour_diet.htm

*The 3-Hour Diet*, J. Cruise, HarperCollins, 2006.

## RÉGIME À LONG TERME

## SOUPLESSE

## RÉGIME FACILE À SUIVRE EN FAMILLE

## COÛT

## DONNÉES SCIENTIFIQUES À L'APPUI
●

# NOUVEAU RÉGIME BEVERLY HILLS
## (RÉGIME HOLLYWOOD)

Ce programme d'une durée de 35 jours met l'accent sur des combinaisons d'aliments très rigoureuses, qu'il faut consommer à des moments précis pendant la journée.

### Origine du régime
Créé par Judy Mazel et publié pour la première fois en 1981, le régime Beverly Hills ou régime Hollywood original a été revu pendant les années 1990 et renommé le « nouveau » régime Beverly Hills. Bien que répandu pendant un certain temps, les principes de ce régime ont été critiqués par l'American Dietetic Association et l'American Medical Association.

### Comment fonctionne-t-il ?
Ce régime est un programme d'amaigrissement de 35 jours au cours desquels le petit-déjeuner ne doit consister qu'en des fruits. La quantité de fruits permise est illimitée, mais il ne faut manger qu'un type de fruits à la fois, un second type de fruits n'étant autorisé qu'une heure plus tard. Une personne suivant ce régime doit ensuite attendre de deux à trois heures avant de manger tout aliment faisant partie d'un autre groupe, et ce repas ne doit pas être suivi d'un fruit. Si l'aliment prévu pour ce repas est un glucide, seuls des glucides peuvent être consommés par la suite, en quantités illimités. Les grains, les légumes et les salades sont classés dans la catégorie des glucides.

**Pensez-y bien…**
• Le journal inclus dans le régime sera utile à toute personne désirant suivre ce régime à la lettre. Il faut y noter les données voulues pendant 5 semaines.

voir aussi
**régime suzanne somers** 120

# menu type

Vous pouvez consommer des fruits en abondance, mais le

| | samedi | dimanche | lundi | mardi |
|---|---|---|---|---|
| **8 h** | Pastèque | ½ tasse d'abricots séchés | Fraises | Ananas |
| **10 h** (ou 2 h plus tard) | 2 bananes | Kiwi | Fraises | Papaye |
| **12 h – 13 h** (ou 2 ou 3 h plus tard) | Épi de maïs, salade de laitue garnie de pois chiches, poivrons rouges et huile d'olive | Pomme de terre au four garnie de crème sure et d'oignons verts et hors-d'œuvre composé de radis, de carottes et de brocoli | Sandwich à l'avocat, aux tomates et à l'oignon sur pain de blé entier, chou cuit | Sauté d'asperges, de céleri et de courgettes, riz |
| **après 15 h – 16 h** (reste de la journée) | Bifteck, œufs | Viandes froides, pastrami, jambon et fromages variés | Huîtres vapeur, côtelettes d'agneau, crème glacée | Assiette combinée de salade de poulet, salade de thon et salade aux œufs |

Le vin, le brandy, le champagne et le cognac sont considérés comme des fruits, tandis que la bière et les spiritueux se rangent dans la catégorie des glucides. Une fois que les protéines sont introduites, celles-ci doivent compter pour 80 pour cent des aliments consommés. Il ne faut jamais combiner les glucides et les protéines.

Les auteurs de ce régime allèguent qu'il est possible de perdre entre 4 et 7 kilos pendant les 35 jours que dure ce régime. Selon eux, en évitant certaines combinaisons d'aliments, les enzymes contenus dans un type particulier d'aliments font en sorte qu'il n'est pas digéré efficacement. Cependant, les données scientifiques n'étayent pas cette allégation. La perte de poids peut être rapide, mais celle-ci est sans doute attribuable à la consommation de plus petites quantités d'aliments, ce qui réduit l'apport de calories, et à la perte d'eau.

## Avantages et désavantages
Ce régime alimentaire se fonde sur une abondante consommation de fruits (qui fournissent de l'eau), de fibres et de substances nutritives vitales, comme de la vitamine A et de la vitamine C. Il n'en demeure pas moins que de telles quantités de fruits peuvent causer de la diarrhée, ce qui peut provoquer de la déshydratation. Le nouveau régime Beverly Hills ou régime Hollywood risque en outre d'entraîner des carences en protéines, en calcium, en fer et en vitamines du complexe B. Certaines personnes trouveront que ce programme est trop vague, car les portions ne sont pas contrôlées. En outre, il n'y a pas de données scientifiques démontrant la validité de ce régime alimentaire.

## Vous convient-il?
Ce régime plaira surtout aux gens qui ont beaucoup de temps pour planifier leurs repas. Pour le suivre, il faut bien comprendre les principes de la combinaison des aliments et il faut même les apprendre par cœur pour ne pas avoir trop de difficulté à s'y retrouver. Ce régime est déconseillé aux

### Truc santé
- Régalez-vous d'abondantes quantités de fruits et de légumes riches en vitamine C, comme des kiwis, des fraises, de la papaye, du brocoli et des poivrons; ou de fruits et de légumes riches en vitamine A, comme le cantaloup, les abricots séchés, les mangues, les patates douces et les carottes.

Un sauté de légumes avec du riz est considéré comme un repas de glucides.

personnes qui souffrent de problèmes gastro-intestinaux les obligeant à suivre un régime faible en fibres ou en résidus.

## Disponibilité
Tous les aliments compris dans ce régime se vendent partout, mais certains fruits, tout comme les quantités élevées de fruits qu'il faut consommer, peuvent le rendre assez coûteux.

## Changements dans le mode de vie
Ce programme recommande aussi cinq minutes d'exercice tous les jours.

régime comporte des restrictions sur les combinaisons d'aliments et le moment où vous pouvez manger.

| mercredi | jeudi | vendredi |
|---|---|---|
| Raisins | ¾ tasse de pruneaux | Cerises |
| Raisins | Bleuets | Mangue |
| Bagels de blé entier avec tomates, oignons verts, lanières de poivron rouge et de poivron vert, huile d'olive | Sandwich aux tomates, laitue et oignon sur pain de seigle, frites | Salsa piquante, croustilles de maïs, bière |
| Hamburger, œufs | 1 tasse de noix du Brésil crues, kéfir | Saumon au four, gâteau au fromage |

À moins qu'elles ne soient spécifiées, les quantités sont variables.

## Ressources

www.skinnyondiets.com

*The New Beverly Hills Diet,* J. Mazel et M. Wyatt, Health Communications, 1996.

RÉGIME À LONG TERME

SOUPLESSE

RÉGIME FACILE À
SUIVRE EN FAMILLE

COÛT

DONNÉES SCIENTIFIQUES
À L'APPUI
●

# RÉGIME FIT FOR LIFE

On allègue que ce régime à base de diverses combinaisons d'aliments, qui exige de la discipline et le respect d'un horaire précis, améliore la digestion et accélère le métabolisme, ce qui favorise la perte de poids.

### Origine du régime

Publié en 1985, ce régime dont on a beaucoup parlé, a été élaboré par Harvey et Marilyn Diamond, qui l'ont fait suivre en 1987 par un nouveau régime, décrit dans un livre intitulé *Fit for Life II: Living Health*.

### Comment fonctionne-t-il ?

La prémisse de base du régime Fit for Life stipule qu'en matière de nutrition l'horaire des repas et la nature des aliments sont plus importants que la quantité de nourriture consommée. En fait, les auteurs allèguent que la consommation de combinaisons particulières d'aliments pendant la journée permet au système gastro-intestinal de mieux absorber les aliments, ce qui entraîne un taux de métabolisme plus élevé.

Selon ce programme, une forte proportion des calories devrait provenir des fruits et des légumes, tandis que la consommation de produits laitiers, de grains, de viande et d'aliments riches en sucre raffiné devrait être rigoureusement limitée. Bien que ce régime n'insiste pas beaucoup sur la quantité totale de calories consommées, il met en relief l'importance de ne pas trop manger et soutient que certains aliments consommés en combinaisons inadéquates peuvent déclencher des réactions physiologiques particulières qui nuisent à

Le soir, de la viande maigre ou de la volaille avec des légumes simplifie la planification des repas.

voir aussi
régime Suzanne Somers 120

# menu type
## Les restrictions sévères et les combinaisons d'aliments

| | samedi | dimanche | lundi | mardi |
|---|---|---|---|---|
| **matin** | Jus fraîchement pressé, fruits frais ou salade de fruits | Salade de fraises et de kiwi avec morceaux d'orange et de banane | Jus fraîchement pressé, fruits frais ou salade de fruits | Jus fraîchement pressé, fruits frais ou salade de fruits |
| **midi** | Tartinade de chou-fleur avec céleri, luzerne et carottes, sur 1 tranche de pain de grains entiers | Concombre et laitue braisés dans une tortilla de maïs | Salade de laitue, épinards, concombre, tomate, luzerne, olives et haricots verts | Assiette tomates, concombre et avocat |
| **soir** | Carottes rissolées, brocoli teriyaki, salade de chou | Jus de légumes frais, pâté chinois aux légumes, carottes au basilic, salade de carottes avec asperges | Jus de légumes frais, soupe au chou-fleur, poulet rôti, haricots kilomètres à l'ail, salade verte | Jus de légumes frais, papaye, salade de riz à la méditerranéenne avec courgettes, laitue, roquette, luzerne et olives vertes |
| **collation 1** | Fruits frais ou jus de carotte | Fruits frais ou jus de carotte | Fruits frais ou jus de carotte | Fruits frais ou jus de carotte |
| **collation 2** | Collation de fruits 3 heures après le repas du soir | Collation de fruits 3 heures après le repas du soir | Collation de fruits 3 heures après le repas du soir | Collation de fruits 3 heures après le repas du soir |

l'absorption des substances nutritives et à l'élimination des toxines. On croit que la libération de toxines mène à la prise de poids, car les enzymes nécessaires à la digestion de différents types d'aliments se neutralisent entre elles.

Le petit-déjeuner se compose uniquement de fruits ou de jus de fruits. Le repas du midi peut comprendre des fruits, des salades ou des légumes, auxquels on peut ajouter à l'occasion des grains pour rendre le repas plus nutritifs. Le repas du soir se compose pour sa part d'une combinaison de fruits, de légumes et de viandes maigres.

Ce sont ces restrictions rigoureuses qui entraînent une réduction de la consommation de calories et une perte de poids.

## Avantages et désavantages

Riche en fruits et légumes, le régime Fit for Life restreint la consommation de gras de sources animales, tout en vous laissant profiter de quantités illimitées de fruits frais, de jus de fruits, de légumes et de viandes maigres. Malheureusement, ce régime a des lacunes sur le plan nutritif, car il ne procure pas à la personne qui le suit une gamme adéquate de substances nutritives, y compris des protéines, du zinc, de la vitamine D et de la vitamine $B_{12}$. À ce jour, aucune donnée scientifique fiable ne vient étayer les allégations des auteurs, notamment la théorie voulant que l'activité métabolique des enzymes de groupes particuliers d'aliments déclenche pendant la digestion des conflits pouvant entraîner une prise de poids.

## Vous convient-il?

Le régime Fit for Life est susceptible de plaire aux personnes qui aiment consommer des fruits et des légumes en grandes quantités

**Pensez-y bien...**
• Le régime Fit for Life est un régime amaigrissant qui ne vous oblige pas à compter les calories. Il met l'accent sur l'importance de ne pas faire d'excès de table.

et qui n'ont pas d'objection à suivre un programme rigoureux. La perspective de perdre du poids grâce à une moins forte consommation de calories peut être attrayante, mais ce sera toujours une solution à court terme si vous ne modifiez pas votre style de vie et si vous n'adoptez pas un régime alimentaire plus équilibré. Toute personne souffrant de problèmes de santé devrait tenir compte des lacunes de ce régime sur le plan nutritif, et même les personnes en bonne santé ne devraient suivre ce régime que pendant une courte période.

## Disponibilité

Tous les aliments compris dans ce régime se vendent dans toutes les épiceries et les supermarchés.

## Changements dans le mode de vie

Ce régime met l'accent sur l'importance de ne pas trop manger et suggère qu'une forte consommation d'eau nettoie l'organisme, libère les intestins et améliore l'absorption de substances nutritives, ce qui réduit les fringales.

exigent une bonne planification des repas.

| mercredi | jeudi | vendredi |
|---|---|---|
| Jus fraîchement pressé, fruits frais ou salade de fruits | Jus fraîchement pressé, fruits frais ou salade de fruits | Jus fraîchement pressé, fruits frais ou salade de fruits |
| Fruits frais ou jus de carotte (facultatif), légumes crus et trempette à la courge Butternut | Fruits frais ou jus de carotte (facultatif), noix nature, concombre | Assiette tomates, concombre et avocat |
| Chaudrée de maïs, Goodwich à la new-yorkaise de légumes vapeur et d'oignons au barbecue dans une tortilla | Jus de légumes frais, ragoût de légumes, chou au cari, salade César | Cantaloup, salade de poulet au cari |
| Fruits frais ou jus de carotte | Fruits frais ou jus de carotte | Fruits frais ou jus de carotte |
| Collation de fruits 3 heures après le repas du soir | Collation de fruits 3 heures après le repas du soir | Collation de fruits 3 heures après le repas du soir |

## Ressources

www.fitforlife.com

*Fit for Life*, H. Diamond et M. Diamond, Warner Books, 1985.

**Remarque:** Toutes les recettes se trouvent dans *Fit for Life*.

# GRAZING DIET

Ce guide de collations saines exige une planification rigoureuse, car vous devez vous assurer que les six ou sept petits repas quotidiens que vous faites dans le cadre de ce régime comblent tous vos besoins nutritifs.

### Origine du régime

Très populaire dans les années 1990, le régime appelé Grazing Diet l'est beaucoup moins aujourd'hui.

### Comment fonctionne-t-il ?

Ce régime se fonde sur le principe que la consommation de manière régulière de petites quantités d'aliments calme la faim et les fringales en stabilisant les taux de glucose sanguin et d'insuline, ce qui élimine les fluctuations de ces substances. Il n'y a pas lieu de prévoir des « gâteries », étant donné que tous les aliments sont permis. L'organisme brûle des calories pendant la digestion, ce qui signifie que de petits repas fréquents contribuent à garder le métabolisme actif. Manger de petits repas ne veut pas dire se nourrir de biscuits accompagnés de lait. Au contraire, il faut trouver des façons d'enrichir le régime de protéines, de glucides complexes, de vitamines et de minéraux sans y ajouter trop de calories.

### Avantages et désavantages

Les petits repas ou les collations saines ne font pas partie des habitudes alimentaires occidentales, mais cette façon de s'alimenter est en train de devenir la norme pour les Américains.

Choisissez une pizza à croûte mince avec une garniture de fromage et de légumes, ce qui vous procurera des protéines, des glucides et d'autres substances nutritives.

**voir aussi**
**3-Hour Diet** 110

# menu type

Les clés du succès sont une planification

| | samedi | dimanche | lundi | mardi |
|---|---|---|---|---|
| **matin** | 2 crêpes à la farine de sarrasin, coulis de fraises, ⅛ melon miel | Burrito sur tortilla de farine, haricots noirs et salsa, ½ tasse de lait écrémé, ½ pamplemousse | ½ tasse de gruau, raisins secs, ½ tasse de lait faible en gras, ½ tasse de jus d'orange | 1 tasse de flocons de son, ½ tasse de lait faible en gras, 1 banane, ½ tasse de jus de pruneau |
| **collation 1** | Yogourt aux fruits sans gras, 2 bâtonnets de pain de grains entiers | Orange, yogourt sans gras, 4 craquelins de blé entier | Orange, 1 tasse de yogourt sans gras, 2 craquelins | 1 bâton de céleri fourré au beurre d'arachide, fraises |
| **midi** | 1 pointe de pizza, salade César, vinaigrette faible en gras, eau | 1 tasse de soupe aux pois cassés et aux champignons, 1 tranche de pain de grains entiers grillée, eau | ½ sandwich à la dinde sur pain de seigle, laitue, mayonnaise faible en gras, eau | ½ sandwich au thon sur pain de blé entier, laitue, tomates, eau |
| **collation 2** | 2 c. à soupe d'hoummos, pain de blé entier, cocktail de fruits | ½ sandwich au beurre d'arachide, lait écrémé | 1 pomme, ½ tasse d'amandes, de noix de Grenoble et de pistaches mélangées | Poire, yogourt nature sans gras, 4 craquelins, lait écrémé |
| **soir** | Sauté de légumes avec tofu, pak-choï et poivron, 1 tasse de riz brun, 1 pomme, eau | Riz aux épinards et aux fruits de mer, aubergine et courgette grillées, salade verte, prunes et pêches | Lasagne aux épinards, salade verte, pain de blé entier, margarine, cantaloup, eau | ½ poitrine de poulet, patate douce, pois et oignon, ½ tasse de riz brun, épinards, salade de haricots secs |
| **collation 3** | ¼ tasse de graines de tournesol, banane, lait écrémé | Mélange de noix et de fruits déshydratés, yogourt sans gras | ½ sandwich aux œufs, yogourt sans gras | Pruneaux déshydratés, abricots séchés et raisins secs, yogourt sans gras |

Cette forme d'alimentation vous aide à consommer les calories et les substances nutritives dont vous avez besoin et qui pourraient autrement vous faire défaut si vous sautez des repas ou si vous ne faites pas des repas complets. De petits repas consommés fréquemment procurent un sentiment de satiété en préservant un bon équilibre physiologique entre les taux de glucose sanguin et les taux d'insuline. Si vous les planifiez correctement, vos petits repas vous empêcheront de manger compulsivement et de consommer trop de calories.

Pour combler vos besoins quotidiens, cependant, vous devez planifier vos repas soigneusement. Les personnes tentées par ce régime devraient travailler avec une ou un spécialiste en nutrition pour établir des menus quotidiens qui respectent l'apport calorique visé. Cette forme d'alimentation peut perturber vos activités familiales, car la formule des trois repas par jour avec une collation est souvent beaucoup plus pratique. Elle peut aussi perturber votre vie professionnelle, car vous devrez consacrer du temps à la planification de vos repas si vous ne voulez pas risquer de trop manger et de consommer trop de calories. Il ne faut surtout pas confondre les collations prises de manière erratique à un véritable régime alimentaire se composant de plusieurs petits repas par jour et de portions contrôlées.

## Vous convient-il?

Cette forme d'alimentation est susceptible de plaire aux personnes célibataires qui ont le temps et les connaissances voulues pour bien planifier leurs repas. Il s'agit d'un régime alimentaire qui n'est pas nuisible, mais qui exige beaucoup de planification. Il est préférable de consulter un diététicien avant de commencer à le suivre. Votre façon de suivre ce régime dépendra de votre âge et de votre style de vie. Des variantes de ce régime sont recommandées pour traiter divers troubles médicaux pour lesquels de petits repas sont indiqués ou pour se rétablir à la suite d'interventions chirurgicales intestinales (pontage gastrique, réduction de l'estomac ou gastrectomie).

## Disponibilité

Tous les aliments compris dans ce régime se trouvent sans difficulté dans toutes les épiceries et dans tous les supermarchés.

## Changements dans le mode de vie

Il est essentiel de faire de l'exercice et de modifier ses habitudes alimentaires.

judicieuse et le contrôle des portions.

| mercredi | jeudi | vendredi |
|---|---|---|
| ½ muffin anglais, beurre, gelée, ½ pamplemousse, 1 œuf dur | ½ tasse de céréales froides, lait écrémé, banane, tranche de pain de grains entiers grillée | 2 tranches de pain doré, compote de pommes, lait écrémé, ½ pamplemousse |
| Noix mélangées, banane, yogourt sans gras | Orange, ½ tasse de fromage cottage, 2 craquelins | Raisin, tomates, carottes, 4 craquelins de blé entier |
| 1 tasse de soupe aux légumes et haricots secs, bâtonnets de pain, orange, eau | ½ sandwich au fromage grillé, carottes, tomates, eau | 1 tasse de soupe aux lentilles, 1 tranche de pain de grains entiers grillée, salade de légumes printaniers, pomme |
| Yogourt aux fruits sans gras, bâtonnets de carottes et de céleri | Salade de fruits, craquelins | Yogourt sans gras, ½ tasse de graines de soja, 1 concombre |
| Rigatonis à la sauce Bolognaise, salade d'épinards et de noix, vinaigrette légère, tangerine, eau | Bifteck grillé (90 g), carottes vapeur, haricots verts, pomme de terre au four, yogourt nature sans gras | Pizza garnie de bacon de dos, d'oignon et de champignons, salade verte, 1 tasse de bleuets |
| ½ tasse de céréales, lait écrémé, mûres | Bâtonnets de pain, 15 g de fromage, cantaloup | Lait écrémé, craquelins de blé entier |

## Ressources

diet.ivillage.com/issues/isnacks/0,1khs,00.html

*I'd Kill for a Cookie*, S. Mitchell et C. Christie, Plume, 1998.

RÉGIME À LONG TERME

SOUPLESSE

RÉGIME FACILE À
SUIVRE EN FAMILLE

COÛT

DONNÉES SCIENTIFIQUES
À L'APPUI

# RÉGIME HAY

Ce régime alimentaire favorise la perte de poids par l'exclusion de diverses combinaisons d'aliments, comme des féculents avec des protéines et des fruits acides au même repas.

## Origine du régime

Autrefois appelé « Food Combining Diet », le régime Hay repose sur les principes diététiques du Dr William Howard Hay, publiés dans l'édition de 1935 de *Health via Food*.

## Comment fonctionne-t-il ?

Selon ce programme reposant sur des combinaisons d'aliments, toute une variété de problèmes de santé résulterait de l'accumulation dans l'organisme de toxines et de déchets acides produits par la combinaison de féculents et de protéines au même repas, par une trop forte consommation de protéines, de féculents et de produits transformés générant des acides et par une trop faible consommation de fruits et de légumes alcalins. Tout ce que nous mangeons a un effet acide ou un effet alcalin, de sorte que ce sont les bonnes combinaisons d'aliments qui maintiennent le bon équilibre digestif. Selon le régime Hay, la clé d'une bonne santé consiste à réduire sa consommation d'aliments acides et à accroître sa consommation d'aliments alcalins.

Les recommandations diététiques qui suivent devraient être respectées pour maintenir un bon équilibre dans l'organisme : un repas complètement alcalin (fruits et légumes seulement), un repas de féculents et un repas de

**voir aussi**
régime **Fit for Life** 114
régime **Suzanne Somers** 120

# menu type

Pour le régime purificateur du vendredi soir au samedi,

|  | samedi | dimanche | lundi | mardi |
|---|---|---|---|---|
| **matin** | Clémentines (régime purificateur) | Omelette au fromage | Muffins anglais de blé entier avec miel | Gruau |
| **midi** | Melon miel (régime purificateur) | Sauté de légumes à la chinoise | Poitrine de poulet au four avec légumes rôtis | Salade de fruits tropicaux |
| **soir** | Pomme de terre au four avec champignons sautés | Pâtes de blé entier avec tomates et cœurs d'artichaut | Salades d'épinards avec raisins et tomates | Flétan avec brocoli et chou-fleur |
| **collation 1** | Cerises | Jus de pomme | Jus de fruits | Salade de tomates |
| **collation 2** | Pastèque | Amandes | Bâtonnets de carottes | Pêche |

### Pensez-y bien...

- Dans le régime Hay, les protéines incluent toutes les sortes de viande et de fromage, le yogourt, le lait, les œufs, le poisson, la volaille et les produits de soja. Les amidons incluent les grains, comme le riz, les pâtes, les pains, les craquelins, les biscuits et tous les types de sucre et de farine blanche, à l'exception de la farine de soja, qui est considérée une protéine.

protéines. Les légumes, les salades et les fruits sont alcalins ou neutres, de sorte qu'ils peuvent être mélangés à des aliments de tous les autres groupes et figurer dans tout repas à titre d'aliments principaux composant le régime alimentaire. Mangez des protéines, des féculents et des matières grasses en petites quantités, et seulement des grains entiers et des amidons non transformés, ce qui exclut les aliments raffinés ou traités. Pour optimiser votre digestion, mangez des repas de types différents à intervalles de quatre heures ou de quatre heures de demie.

Ce système d'alimentation comprend aussi un jeûne hebdomadaire ou un régime purificateur se composant de salades de légumes et de fruits frais (du vendredi soir au samedi après-midi) pour éliminer les toxines accumulées et favoriser la digestion.

Malgré son bien-fondé logique, il n'y a pas de données scientifiques solides pour étayer le régime Hay. Selon la science, l'organisme humain est résilient et capable de digérer les aliments en tout temps, quelle que soit la combinaison. Ce régime produit une perte de poids en raison de l'apport réduit en calories découlant non pas des combinaisons d'aliments, mais bien des interdictions de consommer certains aliments en même temps.

## Avantages et désavantages

Les principes de combinaison des aliments sont susceptibles de plaire aux personnes qui veulent suivre un régime sans devoir compter leurs calories. Le régime Hay favorise la consommation de grandes quantités de fruits et de légumes, ce qui est toujours sain. Cependant, il peut être extrêmement restrictif, en plus de prêter à confusion, compte tenu des intervalles à respecter entre la consommation de fruits, de protéines et d'amidons. En outre, le régime purificateur hebdomadaire, composé uniquement de fruits, offre très peu de latitude.

## Vous convient-il?

Ce régime plaira aux personnes qui apprécient une alimentation fortement végétarienne ou qui préfèrent s'en tenir à des listes d'aliments limitées. Les individus souffrant de diabète ou d'autres problèmes de santé devraient consulter un médecin au sujet des restrictions de calories et des restrictions concernant certains groupes d'aliments.

## Disponibilité

Tous les aliments compris dans ce régime se vendent dans toutes les épiceries et les supermarchés.

## Changements dans le mode de vie

Des activités malsaines, comme le tabagisme et le surmenage professionnel, et les états émotionnels nuisibles, comme le stress et les pensées négatives, favorisent la formation d'acides.

ne consommez que des salades et des fruits frais.

| | mercredi | jeudi | vendredi |
|---|---|---|---|
| | Granola croquant maison | Pamplemousse | Cantaloup |
| | Poivrons rôtis accompagnés de bette à cardes sautée | Soupe aux légumes accompagnée de baguette de blé entier | Salade de thon sur lit de verdure |
| | Haut de surlonge grillé et asperges | Poitrine de dinde rôtie et salade verte | Légumes crus (régime purificateur) |
| | Fraises | Kiwi | Bleuets |
| | Jus de carotte | Guacamole et crudités | Jus de tomate |

## Ressources

www.thedietchannel.com/Food-combining.htm

*The Food Combining Diet: Lose Weight the Hay Way*, K. Marsden, Thorsons, 1993.

# RÉGIME SUZANNE SOMERS

Fondé sur le principe voulant que la perte de poids dépend du contrôle de la quantité d'insuline libérée après un repas, ce régime alimentaire axé sur les aliments assure un contrôle diététique au moyen de combinaisons particulières de repas.

### Origine du régime
Publié pour la première fois par l'actrice américaine Suzanne Somers, mais basé à l'origine sur le principe Schwarzbein – selon lequel les maladies dégénératives associées à l'âge sont le résultat d'un déséquilibre et de mauvaises habitudes d'alimentation et de vie – ce régime est aussi appelé le régime «Somerizing» et le régime «Somersizing». M^me Somers a écrit d'autres ouvrages portant sur l'alimentation.

### Comment fonctionne-t-il?
Selon les allégations concernant ce régime, ce n'est pas le gras qui fait grossir, le sucre est beaucoup plus engraissant que le gras et les glucides ne sont pas essentiels. La prise de poids résulte de déséquilibres hormonaux et le secret de la perte de poids consiste à garder la libération d'insuline stable après la digestion.

On peut y arriver en consommant certains aliments en combinaisons bien précises, soit en réduisant l'apport en glucides et en éliminant complètement le sucre, les féculents, la farine blanche, la caféine et les aliments hautement transformés. Une personne suivant ce régime ne devrait jamais sauter de repas; elle peut consommer des fruits, des protéines, des glucides et des matières grasses avec certains légumes, mais elle doit laisser des intervalles de trois heures s'écouler entre tout repas se composant de protéines, de matières grasses ou de glucides. Après avoir mangé des fruits, elle doit attendre 20 minutes avant de consommer tout autre aliment. Les glucides hautement transformés sont

Les épinards et les poivrons sont riches en substances phytochimiques et faibles en calories.

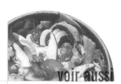

voir aussi

**3-Hour Diet** 110
régime **Fit for Life** 114
régime **Hay** 118

# menu type

Il doit s'écouler un intervalle de trois heures entre

| | samedi | dimanche | lundi | mardi |
|---|---|---|---|---|
| **matin** | Crêpes à la farine de sarrasin | Frittata d'asperges | ½ cantaloup, omelette, bacon, courgette | Tranche de pain de grains entiers grillée, fromage cottage à teneur réduite en gras |
| **midi** | Picadillo, aubergine et poivron grillés, soupe aux champignons shiitake | Pétoncles grillés, haricots verts vapeur, céleri-rave | Filet de porc rôti, chanterelles garnies de parmesan et d'huile d'olive, salade d'épinards | Lanières de poulet au poivre citronné, courge d'été sautée, salade verte |
| **soir** | Bifteck grillé, aubergine grillée, salade de courgettes et de courges | Brochettes de poulet, poivrons grillés, salade grecque au fromage feta | Thon garni de légumes verts, pousses de bambou, cœurs de palmier, gingembre, huile de sésame, vinaigre de riz | Pita et hoummos, salade de concombre et de persil, aubergine rôtie |
| **collation 1** | ½ tasse de salade d'ananas et d'abricots | ½ tasse de salade de litchis et nèfles | ½ tasse de salade de poire et de pomme | ½ tasse de salade de pamplemousse et d'orange |
| **collation 2** | Boisson frappée (*smoothie*) aux fruits | Salsa, tranches de jicama | Trempette aux légumes, bâtonnets de carottes | Boisson frappée (*smoothie*) aux fruits |

entièrement proscrits, bien que certains glucides complexes riches en fibres soient inclus à des étapes clés.

Ce guide d'alimentation comporte deux niveaux. Le premier niveau, plus restrictif, est conçu pour déclencher la perte de poids. Le second niveau représente un régime de stabilisation qui inclut des protéines, des matières grasses et des glucides en diverses combinaisons. Le contrôle des portions est un élément clé de ce régime, de sorte qu'il est logique de supposer que la perte de poids est attribuable non pas aux combinaisons d'aliments, mais à l'apport limité en calories des repas bien structurés.

## Avantages et désavantages

Ce régime alimentaire préconise des repas structurés se composant de portions modérées, et la consommation de fruits et de légumes. Ses menus inventifs procurent à la personne qui le suit des repas à la fois sains, délicieux et satisfaisants, car l'abondance de fruits et de légumes lui assure un sentiment de satiété.

Malheureusement, les fondements de ce régime ne sont pas étayés par des données scientifiques solides et certaines des allégations qui y sont associées sont erronées. Par exemple, le sucre (qui contient 4 calories par gramme ou environ 20 calories par c. à café) n'est pas plus engraissant que le gras (qui contient

9 calories par gramme ou environ 45 calories par c. à café). En général, les aliments peuvent être consommés en diverses combinaisons sans effets nuisibles.

## Vous convient-il?

Ce régime pour « vedettes » séduira les personnes qui adorent imiter les stars! Il convient aux gens qui aiment grignoter des fruits et qui ont du temps, car les restrictions relatives aux combinaisons d'aliments peuvent rendre la planification des repas assez exigeante. Les personnes souffrant de troubles de santé, de diabète par exemple, devraient éviter ce régime.

## Disponibilité

La plupart des aliments inclus dans ce régime alimentaire se vendent dans toutes les épiceries et dans tous les supermarchés.

## Changements dans le mode de vie

Il est recommandé de faire de l'exercice en plus de suivre ce régime.

### aliments interdits

- la plupart des sucres
- farine blanche
- riz blanc
- bananes
- maïs
- carottes
- betteraves
- citrouille
- pommes de terre, ignames et patates douces
- panais
- caféine
- alcool

### aliments à consommer à volonté

- sauce soja
- vinaigre
- moutarde
- fines herbes
- citrons
- limettes

## tout repas de glucides, de protéines ou de gras.

| mercredi | jeudi | vendredi |
|---|---|---|
| Œuf brouillé avec crevettes et champignons | Boisson frappée (smoothie), (attendre 20 minutes), tranche de pain de grains entiers grillée | Œuf à la coque, saucisse, tomate grillée |
| Saumon grillé, brocoli vapeur, salade de verdure et de fromage de chèvre | Bifteck grillé, pico de gallo, légumes verts, tomates | Morue au four, soupe aux choux-fleurs, salade d'épinards avec huile d'olive et vinaigre |
| Pâtes de blé entier, sauce à la tomate et fromage | Riz brun et haricots noirs, salade verte et haricots verts | Lasagne de blé entier aux légumes, fromage romano, salade de maïs |
| ½ tasse de petits fruits mélangés | ½ tasse de tranches de mangue et de papaye | ½ tasse de pastèque |
| Salsa, bâtonnets de céleri | ½ tasse de salade de pommes et de raisins | Trempette aux légumes, lanières de poivron |

## Ressources

www.suzannesomers.com

*Suzanne Somers' Fast and Easy,*
S. Somers, Crown Publications, 2002.

*Get Skinny on Fabulous Food,*
S. Somers, Crown Publications, 1999.

**RÉGIME À LONG TERME**

SOUPLESSE

RÉGIME FACILE À
SUIVRE EN FAMILLE

COÛT

DONNÉES SCIENTIFIQUES
À L'APPUI

# RÉGIME ULTRASIMPLE

Ce régime amaigrissant repose sur l'hypothèse que l'obésité est
attribuable à l'inflammation et à la toxicité de l'organisme.

### Origine du régime
Ce régime est une version abrégée et plus
récente du régime original de l'auteur,
Mark Hyman, qui avait publié la
populaire *UltraMetabolism Diet,* en
2006.

### Comment fonctionne-t-il?
Selon ce régime amaigrissant,
l'obésité et la maladie sont
liées aux toxines et à
l'inflammation présentes dans
l'organisme. Pour obtenir une perte
de poids efficace à long terme,
l'organisme doit être débarrassé de ses
toxines. Le régime ultrasimple est un
régime qu'une personne suit pendant une
semaine pour supposément purifier son organisme
et apaiser l'inflammation grâce à certains aliments, à
l'exercice, à des suppléments particuliers et à des rituels d'élimination à
l'aide de substances laxatives. On allègue qu'une personne qui suit ce régime
peut perdre sans danger plus de 4 kg par semaine, ce qui est discutable.
    Le livre contient des indications détaillées sur ce qu'il faut faire pour suivre
ce régime, du premier jour jusqu'au septième, puis pour reprendre une

**voir aussi**
régime Suzanne Somers 120
promesse Perricone 168

# menu type
### Ce programme est un régime purificateur d'une semaine

| | samedi | dimanche | lundi | mardi |
|---|---|---|---|---|
| **collation 1** | 2 c. à café d'huile d'olive biologique extra vierge et ½ tasse de boisson au citron biologique | 2 c. à café d'huile d'olive biologique extra vierge et ½ tasse de boisson au citron biologique | 2 c. à café d'huile d'olive biologique extra vierge et ½ tasse de boisson au citron biologique | 2 c. à café d'huile d'olive biologique extra vierge et ½ tasse de boisson au citron biologique |
| **matin** | Jus de citron et eau chaude, 1 tasse de thé vert, Ultra boisson frappée | Jus de citron et eau chaude, 1 tasse de thé vert, Ultra boisson frappée | Jus de citron et eau chaude, 1 tasse de thé vert, Ultra boisson frappée | Jus de citron et eau chaude, 1 tasse de thé vert, Ultra boisson frappée |
| **collation 2** | 1 tasse d'Ultra bouillon, Ultra boisson frappée sans graines de lin (facultatif) | 1 tasse d'Ultra bouillon, Ultra boisson frappée sans graines de lin (facultatif) | 1 tasse d'Ultra bouillon, Ultra boisson frappée sans graines de lin (facultatif) | 1 tasse d'Ultra bouillon, Ultra boisson frappée sans graines de lin (facultatif) |
| **midi** | Légumes vapeur, ½ tasse de riz brun, Ultra boisson frappée (facultatif) | Légumes vapeur, ½ tasse de riz brun, ½ tasse de fruits ou de petits fruits, Ultra boisson frappée (facultatif) | Légumes vapeur, ½ tasse de riz brun, ½ tasse de fruits ou de petits fruits, Ultra boisson frappée (facultatif) | Légumes vapeur, ½ tasse de riz brun, Ultra boisson frappée (facultatif) |
| **collation 3** | 1 tasse d'Ultra bouillon, Ultra boisson frappée (facultatif) | 1 tasse d'Ultra bouillon, Ultra boisson frappée (facultatif) | 1 tasse d'Ultra bouillon, Ultra boisson frappée (facultatif) | 1 tasse d'Ultra bouillon, Ultra boisson frappée (facultatif) |
| **soir** | 2 tasses et + de légumes légèrement sautés, ½ tasse de riz brun, 120 à 180 g de poisson, 1 tasse d'Ultra bouillon | 2 tasses de légumes sautés, ½ tasse de riz brun, 120 à 180 g de poitrine de poulet, 1 tasse d'Ultra bouillon | 2 tasses et + de légumes légèrement sautés, ½ tasse de riz brun, 120 à 180 g de poisson, 1 tasse d'Ultra bouillon | 2 tasses de légumes sautés, ½ tasse de riz brun, 120 à 180 g de poitrine de poulet, 1 tasse d'Ultra bouillon |

alimentation normale. Ce régime est fondamentalement un régime hypocalorique qui inclut des recettes pour confectionner deux aliments clés : l'Ultra bouillon et l'Ultra boisson frappée (*smoothie*). Il comprend aussi un programme d'exercice très structuré et des activités de relaxation, des indications sur la prise de suppléments et de laxatifs, ainsi que des renseignements sur les saunas et les bains relaxants. Une personne suivant ce régime doit prévoir au moins deux heures par jour pour faire un rituel de purification, du yoga et des pauses au milieu de la matinée, le midi, l'après-midi et le soir pour consommer des aliments particuliers, puis faire de l'exercice bien précis et une nouvelle séance de purification avant le coucher. La perte de poids est probablement attribuable à la réduction de l'apport en calories, à l'élimination d'eau et à l'effet des laxatifs.

## Avantages et désavantages

Ce régime très sévère plaira aux personnes en quête d'un programme très structuré, accompagné d'indications claires. Il comprend une liste d'achats, ce qui simplifie les courses à faire pour se procurer les aliments voulus. Toute personne qui suit ce régime doit être disposée à prendre les herbes « purificatrices » et autres suppléments et à suivre les règles concernant la prise de laxatifs.

## Vous convient-il ?

Ce régime conviendra aux gens qui aiment les rituels de purification et qui n'ont pas d'objection à prendre des laxatifs fréquemment. Toute personne souffrant de problèmes de santé devrait consulter son médecin avant d'entreprendre ce régime, surtout si elle prend des médicaments, car les suppléments et autres substances compris dans ce régime pourraient alors être contre-indiqués.

## Disponibilité

Certains des aliments compris dans ce régime se vendent dans toutes les épiceries, mais il faut aussi acheter certaines substances en pharmacie, comme les comprimés de probiotiques, les eaux filtrées et le citrate de magnésium, ou dans un magasin spécialisé en produits biologiques, par exemple les herbes et autres substances naturelles.

## Changements dans le mode de vie

Ce régime est très sévère et, pendant une semaine, il faut radicalement changer son mode de vie. Vous devez donc suivre ce régime pendant une semaine où votre horaire est très souple.

## qui comprend des « Ultra bouillons ».

| mercredi | jeudi | vendredi |
| --- | --- | --- |
| 2 c. à café d'huile d'olive biologique extra vierge et ½ tasse de boisson au citron biologique | 2 c. à café d'huile d'olive biologique extra vierge et ½ tasse de boisson au citron biologique | 2 c. à café d'huile d'olive biologique extra vierge et ½ tasse de boisson au citron biologique |
| Jus de citron et eau chaude, 1 tasse de thé vert, Ultra boisson frappée | Jus de citron et eau chaude, 1 tasse de thé vert, Ultra boisson frappée | Jus de citron et eau chaude, 1 tasse de thé vert, Ultra boisson frappée |
| 1 tasse d'Ultra bouillon, Ultra boisson frappée sans graines de lin (facultatif) | 1 tasse d'Ultra bouillon, Ultra boisson frappée sans graines de lin (facultatif) | 1 tasse d'Ultra bouillon, Ultra boisson frappée sans graines de lin (facultatif) |
| Légumes vapeur, ½ tasse de riz brun, Ultra boisson frappée (facultatif) | Légumes vapeur, ½ tasse de riz brun, Ultra boisson frappée (facultatif) | Légumes vapeur, ½ tasse de riz brun, Ultra boisson frappée (facultatif) |
| 1 tasse d'Ultra bouillon, Ultra boisson frappée (facultatif) | 1 tasse d'Ultra bouillon, Ultra boisson frappée (facultatif) | 1 tasse d'Ultra bouillon, Ultra boisson frappée (facultatif) |
| 2 tasses et + de légumes légèrement sautés, ½ tasse de riz brun, 120 à 180 g de poisson, 1 tasse d'Ultra bouillon | 2 tasses et + de légumes légèrement sautés, ½ tasse de riz brun, 120 à 180 g de légumineuses, 1 tasse d'Ultra bouillon | 2 tasses et + de légumes légèrement sautés, ½ tasse de riz brun, 120 à 180 g de tofu, 1 tasse d'Ultra bouillon |

### Ressources

http://ultrametabolism.com

*The UltraSimple Diet,* M. Hyman, Simon & Schuster, 2007.

*UltraMetabolism,* M. Hyman, Simon & Schuster, 2006.

**Remarque :** Les suppléments ou laxatifs inclus dans certains menus ne sont pas compris dans le présent programme, mais vous trouverez tous les détails dans *The UltraSimple Diet*.

RÉGIME À LONG TERME

●●

SOUPLESSE

●

RÉGIME FACILE À
SUIVRE EN FAMILLE

●

COÛT

●

DONNÉES SCIENTIFIQUES
À L'APPUI

●

# RÉGIME DES GROUPES SANGUINS
## (4 GROUPES SANGUINS, 4 RÉGIMES)

Le livre du même nom se compose
de 4 régimes, conçus pour les
4 groupes sanguins, et il est réputé
fournir la solution pour rester en bonne
santé, vivre plus longtemps et
maintenir un poids idéal.

### Origine du régime
Les régimes compris dans le livre *4
groupes sanguins 4 régimes* ont été
élaborés par le naturopathe Peter
D'Adamo, fondateur et rédacteur émérite de
la publication *The Journal of Naturopathic
Medicine,* et auteur de *4 groupes sanguins, 4
modes de vie* et de *Cuisinez selon votre groupe sanguin.*
Lancé en anglais en 1996, *4 groupes sanguins, 4 régimes* et les ouvrages
qui l'ont suivi ont tous figuré sur la liste des best-sellers du *New York Times.*

Pain Ézékiel avec œuf poché
(pour le groupe AB)

### Comment fonctionne-t-il?
Il y a quatre régimes qui se fondent sur les groupes sanguins O, A, B et AB. Les
personnes du groupe O sont décrites comme des chasseurs, qui ont besoin d'une
alimentation riche en protéines maigres, en viande, en volaille et en poisson
exempts de substances chimiques, avec des quantités limitées de grains, de
haricots secs et de légumineuses. Les personnes du groupe A, les cultivateurs, ont
besoin d'une alimentation surtout végétarienne, comprenant du poisson, mais qui
met l'accent sur les légumes, le tofu, les grains, les haricots secs, les légumineuses

# menu type
Un menu quotidien est fourni pour chaque groupe sanguin.

| | type A | type AB | type B | type O |
|---|---|---|---|---|
| **matin** | Eau avec citron, flocons de maïs avec lait de soja et bleuets, jus de pamplemousse, café ou tisane | Eau avec citron, 1 tasse de jus de pamplemousse dilué, 1 tranche de pain Ézékiel, 1 œuf poché | Céréales de son de riz avec banane et lait écrémé | Riz soufflé avec lait de soja. 1 œuf poché, 1 tasse de jus d'ananas, thé vert ou tisane |
| **midi** | Salade grecque, pomme, 1 tranche de pain de blé entier, tisane | 120 g de poitrine de dinde, 1 tranche de pain de seigle, salade César, 2 prunes, tisane | Salade d'épinards, ½ tasse de thon conservé dans l'eau, 2 galettes de riz, tisane | 120 g de bœuf haché grillé, 2 tranches de pain Essene, salade avec huile d'olive et jus de citron, eau ou tisane |
| **soir** | Sauté de tofu avec haricots verts, poireaux, pois mange-tout et luzerne, café ou tisane | Omelette au tofu, légumes sautés, salade de fruits, café déca | Poisson grillé, légumes vapeur, patate douce, fruits frais, tisane ou café | Boulette d'agneau haché grillée, salade d'endives, tisane |
| **collation** | 2 galettes de riz avec du miel, 2 prunes, thé vert ou eau | ½ tasse de yogourt faible en gras avec fruits | Yogourt faible en gras avec raisins secs | Fruits mélangés, tisane |

et les fruits. Les personnes du groupe B, les nomades, devraient manger de la viande (pas de poulet), des produits laitiers, des haricots secs, des légumineuses, des légumes et des fruits. Enfin, les personnes du groupe AB, qui constituent une énigme, devraient avoir une alimentation mixte comprenant de la viande, des fruits de mer, des produits laitiers, du tofu, des haricots secs, des légumineuses, des grains, des légumes et des fruits.

Selon l'auteur, les «lectines», qui sont des protéines présentes dans des aliments particuliers, ne sont pas compatibles avec les antigènes de groupes sanguins particuliers, de sorte qu'elles ciblent un organe ou un système organique (reins, foie, cerveau, et ainsi de suite) et amènent les cellules sanguines à «s'agglutiner» dans cette région. Selon cette théorie, certains aliments sont à proscrire pour chaque groupe sanguin, d'où les longues listes d'aliments interdits aux différents groupes sanguins, dont la viande et la volaille, les fruits de mer, les produits laitiers, les œufs, les huiles et les matières grasses, les noix et les graines, les haricots secs, les légumineuses, les céréales, les pains, les muffins, les grains, les pâtes, les légumes, les fruits, les jus, les liquides, les épices, les condiments et les tisanes et autres boissons.

### Avantages et désavantages

Tous les régimes se composent d'aliments entiers non transformés et tous recommandent la consommation de légumes, qui fournissent des fibres, des substances nutritives favorisant une bonne santé et des substances phytochimiques.

Cependant, il n'y a pas de données scientifiques validant la théorie selon laquelle l'alimentation devrait être définie en fonction du groupe sanguin. En limitant leur consommation de certains aliments (et parfois de certains groupes d'aliments), les personnes suivant ce régime peuvent réussir à perdre du poids, mais elles éliminent de leur alimentation des aliments et des groupes d'aliments particuliers en se fondant sur une hypothèse qui n'a pas été adéquatement étayée sur le plan scientifique.

### Vous convient-il?

Le régime à l'intention du groupe O insiste beaucoup sur la viande, mais limite la consommation de grains, de haricots secs et de légumineuses. Un tel régime pourrait être malsain pour les personnes ayant des antécédents familiaux de cardiopathie, d'hypertension et de diabète, sans compter qu'il va à contre-courant des recommandations actuelles en matière de prévention et de traitement de ces maladies.

### Disponibilité

Selon le groupe sanguin, différents aliments sont recommandés; cependant, tous se vendent dans tous les supermarchés.

### Changements dans le mode de vie

L'activité physique, la gestion du stress et la réduction des risques de maladies sont intégrées dans ce régime.

> **Truc santé**
>
> • Que sont les lectines?
>
> Les lectines sont des molécules complexes se composant à la fois de protéines et de sucres qui peuvent se lier à la paroi externe d'une cellule et provoquer des changements biochimiques à l'intérieur de celle-ci. Les lectines sont fabriquées par les animaux et les plantes. Cependant, aucune étude scientifique n'a confirmé le rôle des lectines et les allégations concernant leur rapport avec les groupes sanguins, l'alimentation et la prévention des maladies.

## aliments interdits
**Tous les groupes sanguins ont leur propre liste d'aliments à éviter.**

## Ressources

www.4yourtype.com

www.webmd.com/content/article/121/114429.htm

*4 groupes sanguins, 4 régimes,* P. D'Adamo et C. Whitney, Éditions du Roseau, 1999.

# JEÛNE

Le plus vieux et le plus radical des régimes amaigrissants, le jeûne consiste à s'abstenir de manger et à ne consommer que de l'eau ou du jus.

### Origine du régime

L'origine du jeûne comme méthode d'amaigrissement se perd dans la nuit des temps, mais il est probablement utilisé depuis les débuts de la civilisation pour diverses raisons autres que pour maigrir. On pratiquait sans doute le jeûne en raison de la rareté des aliments, dans le cadre de rituels religieux ou simplement comme méthode de purification physique et spirituelle du corps, avec une perte de poids en boni.

Une période de jeûne suivie d'une période de consommation excessive de nourriture est culturellement acceptable dans certaines sociétés, où d'importants groupes de personnes jeûnent pour une raison bien précise avant de s'adonner à des festivités ou à des rituels comprenant l'ingurgitation de quantités excessives d'aliments.

### Comment fonctionne-t-il?

Le jeûne repose sur le principe que l'interruption de toute consommation d'aliments constitue une méthode efficace pour perdre du poids rapidement. Dans certaines cultures, le jeûne est utilisé comme une forme de pénitence pour compenser des excès, ce qui lui confère une certaine dimension religieuse.

Lorsque l'organisme est privé de nourriture, les taux de glucose sanguin s'abaissent, car aucun carburant essentiel sous forme d'énergie n'est ingurgité. L'organisme prend acte de cette diminution des taux de glucose et un message neurochimique est envoyé au cerveau pour déclencher la sensation de faim. Pendant un jeûne, la sensation de faim va et vient, car notre organisme nous rappelle que nous aurons besoin de manger à un certain point. Durant les premières heures d'un jeûne, l'organisme obtient de l'énergie ou du glucose soit à partir du glycogène stocké dans les muscles (et que seuls les muscles utilisent) ou dans le foie (et qui est utilisé par tout le reste du corps). Cette réserve

Des variantes du jeûne sont pratiquées dans de nombreuses religions, y compris le bouddhisme, l'hindouisme, l'islam, le bahaï et le christianisme.

**voir aussi**
**régime aux jus naturels** 90

# menu type

Ce menu progresse vers le jeûne, qui exige de grandes

|  | samedi | dimanche | lundi | mardi |
|---|---|---|---|---|
| **matin** | Gruau avec raisins secs et margarine, lait sans gras, jus de raisin | Muffin anglais de blé entier, gelée, quartiers d'orange, œuf, thé | Muffin anglais de blé entier, gelée, quartiers d'orange, œuf, thé | Pain doré avec sirop d'érable, ½ pamplemousse, lait sans gras |
| **midi** | Salade en taco à la dinde hachée, aux fèves et au fromage sans gras | Sandwich au thon sur pain de seigle avec laitue et tomate, poire, lait sans gras | Soupe aux haricots blancs, bâtonnets de pain, bâtonnets de carottes, lait sans gras | Rigatonis et sauce tomate, salade d'épinards, lait sans gras |
| **soir** | Lasagne au bœuf, petit pain de blé entier, lait sans gras | Poitrine de poulet grillée, patate douce cuite au four, petits pois, pain de blé entier, salade verte | Poisson grillé, purée de pommes de terre, carottes vapeur, petit pain de blé entier, thé | Bouillon de bœuf, omelette aux pommes de terre, salade verte, thé |
| **collation** | Salade de fruits avec amandes et raisins secs | Yogourt aux fruits | Yogourt nature | Craquelins, thé |

d'énergie dure quelques heures, en général une demi-journée, ou le temps de sauter deux ou trois repas. Une fois cette réserve épuisée, l'organisme n'ayant pas été nourri se mettra à utiliser des protéines provenant des muscles et de la graisse pour obtenir de l'énergie sous forme de glucose.

Pendant un jeûne prolongé, un état physique appelé « cétose » s'installe. Le jeûne entraîne une perte d'eau considérable et la dégradation de grandes quantités de muscles, lesquels se composent principalement de protéines. À mesure que le muscle se dégrade, de l'azote est éliminé de l'organisme. Des minéraux importants se perdent, notamment du sodium, du potassium et du calcium, ce qui a des effets nuisibles pour l'organisme. Par exemple, des taux trop faibles de potassium ont un effet négatif sur le cœur et peuvent même être une cause de décès pendant un jeûne.

Les reins doivent travailler fort pour se débarrasser des excédents de déchets, ce qui entraîne une perte d'eau considérable. Il est indispensable de boire beaucoup d'eau pendant un jeûne total pour favoriser l'élimination des toxines dans l'urine et empêcher qu'elles ne s'accumulent dans la circulation sanguine. Bien que certaines personnes considèrent le jeûne comme une méthode de purification, sachez que les sous-produits de la dégradation des protéines et du gras entraînent une augmentation de la quantité de déchets dans la circulation sanguine et les autres systèmes de l'organisme. Un jeûne donne peut-être un répit au système digestif, mais les reins sont excessivement sollicités, tandis que certains organes souffrent de la transformation des protéines et du gras en énergie.

On ne peut pas surestimer l'importance du glucose dans le fonctionnement optimal de l'organisme. C'est le cerveau qui consomme le plus de glucose, ce qui signifie que lorsque les taux de glucose sanguin chutent, le cerveau est incapable de fonctionner normalement. Dans un tel cas, la personne qui jeûne peut se sentir confuse, étourdie ou faible et avoir de la difficulté à se concentrer. Elle peut se sentir affaiblie parce que ses muscles manquent de carburant, sa circulation sanguine ne transporte pas suffisamment d'énergie jusqu'aux muscles et aux cellules. Pour compenser cette perte d'énergie, le métabolisme ralentit. Les jeûnes prolongés sont dangereux et fortement déconseillés. Pour

atténuer les conséquences physiques néfastes résultant de la perte de muscle, il existe des variantes du jeûne total, qui sont des formes de jeûne partiel avec consommation de jus.

### Avantages et désavantages
La perte de poids résulte de l'utilisation de muscle et de gras, mais aussi de la perte d'eau. Le jeûne constitue une façon rapide de perdre du poids, mais il est néfaste à long terme pour l'organisme ; chaque fois que la nourriture est réintroduite, l'organisme reprend du poids rapidement pour se refaire des réserves.

Ce genre de régime draconien n'a absolument rien à voir avec la modération. Après une période de privation, une personne risque de manger à l'excès ou de manière totalement incontrôlée.

### Vous convient-il ?
Le jeûne attirera les gens qui veulent perdre du poids rapidement et qui n'ont pas peur de l'inconfort physique associé aux privations. Un jeûne ne devrait jamais se poursuivre pendant plus de deux jours. Si vous faites un jeûne total et vous abstenez de toute nourriture, vous vous sentirez faible, de sorte que vous devrez restreindre vos activités.

Malgré la popularité du jeûne comme méthode pour maigrir rapidement, rares sont les diététistes qui le recommandent. Les personnes souffrant de cardiopathie ou d'autres problèmes de santé devraient consulter un médecin avant de recourir à cette méthode d'amaigrissement draconienne.

### Disponibilité
Les boissons et les aliments recommandés se vendent partout.

### Changements dans le mode de vie
Aucun.

quantités de liquides pour éliminer les déchets.

| mercredi | jeudi | vendredi |
|---|---|---|
| Céréales froides, lait, banane, tranche de pain de blé entier grillée et gelée, thé | Yogourt à la vanille, melon miel, thé | Thé et eau tout au long de la journée |
| Sauté de légumes avec tofu, pak-choï et poivrons doux, riz brun, thé | Soupe aux légumes, salade verte, thé | Thé et eau tout au long de la journée |
| Soupe au bœuf et à l'orge, salade verte, salade de fruits, thé | Soupe au miso, craquelins, thé vert | Thé et eau tout au long de la journée |
| Boisson frappée (smoothie) à base de fruits et de lait | Cantaloup, thé vert | Thé et eau tout au long de la journée |

**Remarque:** Des jeûnes de plus d'une journée sont déconseillés et ne devraient se faire que sous surveillance médicale.

### Ressources
www.pccnaturalmarkets.com/health/Diet/Fasting_Diet.htm

www.skinnyondiets.com/TheFastingDiet.html

*The Complete Idiot's Guide to Fasting*, E. Adamson et L. Horning, Alpha Books, 2002.

RÉGIME À LONG TERME

SOUPLESSE

RÉGIME FACILE À
SUIVRE EN FAMILLE

COÛT

DONNÉES SCIENTIFIQUES
À L'APPUI

# RÉGIME ROSEDALE

Riche en bons gras, ce régime faible en glucides et modérément riche
en protéines est conçu pour contrôler les taux de leptines,
une hormone liée à la perte de poids et à l'appétit.

### Origine du régime
Ce régime, qui fait l'objet d'un livre publié en 2004, a été
créé par le D<sup>r</sup> Ron Rosedale, spécialiste du métabolisme
et fondateur du Rosedale Center, à Denver, au
Colorado, et du Carolina Center for Metabolic
Medicine, à Asheville, en Caroline du Nord.

### Comment fonctionne-t-il ?
Ce régime repose sur le principe suivant : comme la
leptine, une hormone, joue un rôle clé dans la
régulation de la faim, augmenter la sensibilité de
l'organisme à cette hormone pourrait contribuer à modérer les fringales. Si
vous suivez ce régime, vous devrez éviter la plupart des glucides riches en
amidon, le sucre, le gras saturé (dans les viandes grasses et la noix de coco)
et le gras trans (dans les crèmes ne provenant pas de produits laitiers), mais
consommer beaucoup de bons gras (huile d'olive et huile de colza) et des
quantités modérées de protéines et de légumes riches en fibres. Mangez
lentement, lorsque vous avez faim, sans compter les glucides et les calories,
mais jamais moins de trois heures avant de vous coucher. Si vous réduisez
vos fringales de nourriture, vous réussirez probablement à manger moins, ce
qui favorisera la perte de poids.

   Ce régime riche en gras, faible en glucides d'amidon et de modéré à
faible en protéines se suit en deux étapes. La première étape, qui dure

**voir aussi**
régime **Atkins** 42
régime **Miami (South Beach)** 64

# menu type

La 1<sup>re</sup> étape est la plus restrictive et les choix

|  | samedi | dimanche | lundi | mardi |
|---|---|---|---|---|
| **matin** | Œufs durs et lanières de poivron | Œufs brouillés et saucisse à la dinde | Omelette aux œufs oméga-3* avec épinards | Boisson frappée (*smoothie*) faite de yogourt nature et de ½ tasse de petits fruits |
| **midi** | Saumon poché avec pesto et salade de verdure | Salade avec noix de Grenoble et fromage feta | Sauté de poulet avec brocoli et noix de cajou | Burger aux légumes faible en glucides, salade de concombre |
| **soir** | Maquereau grillé, tranches d'avocat | Poulet de Cornouailles rôti, cœurs d'artichaut, sauce trempette à l'huile d'olive | Flétan grillé et chou rosette | Crevettes grillées et poivrons rouges rôtis avec pak-choï |
| **collation 1** | Trempette aux crevettes, lanières de poivron | Tartinade aux olives, crudités | Olives, fromage feta | Brocoli, trempette de hoummos |
| **collation 2** | Noix macadamia | Noix de Grenoble | Beurre d'amande, bâtonnets de céleri | Amandes |

21 jours, est la plus restrictive en glucides. La seconde étape est moins rigide, mais elle demeure néanmoins assez sévère en ce qui concerne la consommation de glucides et de protéines. Il est conseillé de prendre des suppléments de multivitamines pendant ce régime.

Les données scientifiques à l'appui de ce régime ont confirmé la fonction de la leptine dans la régulation de la faim, mais il existe peu de preuves quant à son rôle dans la perte de poids ou la nécessité de prendre des suppléments pendant ce régime.

## Avantages et désavantages

Une personne qui suit le régime Rosedale se sent satisfaite pendant plus longtemps en raison des aliments que ce régime lui permet de consommer – des aliments riches en gras comme des poissons gras et des noix. Ce régime recommande aussi la consommation de légumes riches en fibres à chaque repas, ce qui est bénéfique. Malheureusement, il n'obtient pas une très bonne note au chapitre de la consommation des protéines et des glucides qui fournissent des substances nutritives à l'organisme. Certains fruits et légumes riches en vitamines, comme les citrouilles et le raisin, par exemple, sont strictement interdits. En outre, il faut prendre plus de 17 suppléments pendant ce régime, ce qui peut se révéler assez coûteux.

## Vous convient-il?

Comme il n'y a pas de calories à compter ni de quantités de glucides à mesurer, ce régime plaira aux personnes qui aiment manger lorsqu'elles ont faim, ainsi qu'aux personnes qui aiment avoir une liste leur précisant ce qu'elles peuvent ou ne peuvent pas manger. Toute personne qui prend des médicaments devrait consulter son médecin ou son pharmacien avant de prendre des suppléments. Comme les protéines sont réduites à quelque 60 g à 80 g par jour, le régime Rosedale ne convient pas à la plupart des hommes ou aux personnes qui font des activités physiques exigeantes ou de la musculation.

## Disponibilité

Tous les aliments compris dans ce régime se vendent dans toutes les épiceries et les supermarchés. Vous pouvez vous procurer les suppléments nécessaires auprès des fabricants de suppléments ou directement de l'auteur.

## Changements dans le mode de vie

Bien que le programme n'en prescrive pas, l'exercice constitue une bonne façon d'évacuer le stress.

### aliments interdits
- aliments frits
- lait
- pois chiches
- maïs
- citrouille
- bananes
- oranges
- raisin

### aliments à consommer à volonté
- amandes
- olives
- avocats
- poisson et fruits de mer
- tofu
- légumes verts à feuilles
- poulet sans la peau
- champignons
- courgettes

## de glucides sont plus limités.

| mercredi | jeudi | vendredi |
|---|---|---|
| Œufs pochés avec tomate et jambon | Saumon grillé et avocat | Boisson frappée (*smoothie*) et pistaches |
| Salade de thon sur laitue et vinaigrette à l'huile d'olive | Sandwich pita au poulet ou autre aliment faible en glucides et vinaigrette à l'huile d'olive | Salade d'antipasti et vinaigrette à l'huile d'olive |
| Bifteck grillé et asperges rôties | Sauté de crevettes et pétoncles aux pousses de bambou | Mahi-mahi grillé avec sauce aux poivrons grillés et brocoli |
| Olives et cubes de parmesan | Guacamole et carottes crues | Trempette au pesto et crudités |
| Pistaches | Noix de cajou | Noix mélangées |

\* Des œufs de poule enrichis d'acides gras oméga-3.

## Ressources

*The Rosedale Diet,* R. Rosedale et C. Colman, Harper Resource, 2004.

# RÉGIMES

Cette section traite d'une variété de régimes courants qui sont utilisés pour promouvoir le bien-être ou maîtriser des problèmes de santé particuliers. Ces régimes sont réputés **optimiser l'état de santé** et **prévenir une ou plusieurs maladies.** Par exemple, les régimes riches **en grains entiers, en fibres, en fruits et en légumes** sont préconisés parce qu'ils ont été associés à des risques plus faibles de développer certains types de cancer. Divers **régimes faibles en gras** sont recommandés depuis de nombreuses années pour réduire les risques de cardiopathie. Dans le but de promouvoir la santé des populations et de réduire les risques de maladies chroniques, de nombreux guides alimentaires ont aussi été mis au point. La présente section inclut un certain nombre de **guides alimentaires culturels** devenus populaires en raison de leurs vertus pour promouvoir une bonne santé, par exemple la pyramide diététique méditerranéenne, le régime américain MyPyramid, la pyramide du régime asiatique et la pyramide diététique latino-américaine.

# SANTÉ ou THÉRAPEUTIQUES

Les problèmes de santé pouvant être traités par l'alimentation incluent les allergies et les intolérances alimentaires, les troubles gastro-intestinaux, les problèmes liés à l'utilisation des glucides, la cardiopathie et le cancer. Les régimes alimentaires peuvent être prescrits par un médecin ou un diététiste et utilisés à l'hôpital ou dans une clinique pour aider à traiter une maladie. Cependant, les personnes qui souffrent de maladies chroniques doivent généralement apprendre à suivre des lignes directrices particulières en matière d'alimentation quotidienne pour maîtriser leur maladie et réduire leurs risques de souffrir de complications. C'est le cas plus précisément des personnes souffrant de diabète, de cardiopathie et d'hypertension.

Pour désigner les régimes alimentaires utilisés pour traiter des maladies, on parle généralement de thérapies nutritionnelles médicales ou de régimes thérapeutiques. Ces régimes sont généralement prescrits par un médecin, et les instructions s'y rattachant sont données par un diététiste. En cas de problèmes de santé, il est important, avant de commencer à suivre un régime particulier, de consulter un médecin et d'obtenir ensuite les conseils d'un diététiste compétent qui s'y connaît bien en matière de régimes thérapeutiques. Pour pouvoir vérifier toutes les contre-indications, le diététiste doit être mis au courant de toutes les formules thérapeutiques, les aliments spéciaux, les plantes médicinales et les suppléments qui sont utilisés dans le régime en cause.

**Il est important de boire au moins huit verres d'eau par jour.**

# RÉGIME SANS ADDITIFS ALIMENTAIRES

Ce programme d'alimentation exclut des additifs alimentaires –
selon la tolérance de la personne, ou ses préférences, un ou
plusieurs additifs alimentaires peuvent être éliminés.

### Origine du régime
Parmi les divers régimes alimentaires sans additifs les
plus populaires, il faut mentionner le programme
Feingold. Le D<sup>r</sup> Ben Feingold, pédiatre et
spécialiste des allergies, a émis une théorie selon
laquelle les enfants naîtraient avec une
prédisposition héréditaire à l'hyperactivité, qu'il
est possible d'éliminer ou d'atténuer à l'aide
d'un régime sans additifs alimentaires. Au fil des
ans, cependant, les résultats des études
cliniques ont été variables. Un régime sans
additifs alimentaires qui élimine un ou plusieurs
additifs peut aussi être utilisé pour traiter une allergie ou
une intolérance.

### Comment fonctionne-t-il ?
On entend par additif alimentaire toute substance qui est ajoutée à un
aliment. Aux États-Unis, on considère qu'un additif est une substance qui
influence les caractéristiques d'un aliment. Par exemple, les additifs reconnus
depuis longtemps incluent le sel, les fines herbes, les épices, le sucre et le
vinaigre. En outre, les additifs alimentaires se divisent en trois catégories : les
additifs directs (comme les édulcorants artificiels) ; les additifs indirects
(comme les substances de conditionnement) ; et les colorants alimentaires.

**voir aussi**
régime d'élimination 140

# menu type

Les menus sans additifs alimentaires sont basés sur des

|  | samedi | dimanche | lundi | mardi |
|---|---|---|---|---|
| **matin** | Jus de pamplemousse fraîchement pressé, pain doré, beurre et miel | Jus d'orange fraîchement pressé, omelette aux légumes, pain grillé | Jus fraîchement pressé, œufs brouillés, pain maison, grillé ou non | Jus d'orange fraîchement pressé, muffin maison aux bleuets |
| **midi** | Pain pita, hoummos maison, coupe de fruits frais, lait | Sandwich à la dinde, salade, lait | Poitrine de poulet nature, riz nature, carottes vapeur, lait | Hamburger (100 % bœuf), ananas frais, lait |
| **soir** | Poulet au four, légumes variés frais vapeur, pêche, purée de pommes de terre maison, lait | Sauté de bœuf aux légumes frais avec sauce soja, riz nature, melon miel, lait | Boulette de bœuf haché, asperges fraîches vapeur, riz brun nature, lait | Dinde au four, haricots verts frais vapeur, pomme de terre au four et beurre, cantaloup frais, lait |
| **collation 1** | Muffin maison | Orange | Bâtonnets de céleri et beurre d'arachide | Yogourt nature faible en gras |
| **collation 2** | Yogourt nature avec fraises | Croustilles de maïs et salsa | Fraises fraîches | Kiwi |

Voici les cinq principales raisons de l'emploi des additifs:

1 pour maintenir la consistance du produit
2 pour en améliorer ou en préserver la valeur nutritive
3 pour en préserver ou en améliorer le goût
4 pour faire lever un aliment ou pour en contrôler l'acidité ou l'alcalinité
5 pour rehausser la saveur d'un aliment ou pour le colorer

Si les régimes sans additifs alimentaires sont souvent utilisés pour traiter des maladies comme l'hyperactivité et l'hyperactivité avec déficit de l'attention, les données scientifiques quant à leur efficacité ne sont pas concluantes. En revanche, il existe de solides données étayant le recours à un régime sans additifs alimentaires pour traiter les véritables allergies alimentaires ou l'intolérance à un additif particulier.

## Avantages et désavantages

Lorsqu'un tel régime est utilisé pour traiter une allergie alimentaire, l'élimination de l'additif peut aider à soulager les symptômes. De nombreux aliments réputés ne pas contenir d'additifs, et ils sont nombreux, sont sains et riches en substances nutritives.

Suivre un régime comme le programme Feingold peut poser des problèmes, car les calories et les substances nutritives sont souvent restreintes, et les choix d'aliments sont réduits, plus

### Pensez-y bien…

- Avant d'entreprendre un régime sans additifs alimentaires, consultez votre médecin pour vous assurer que les symptômes que vous cherchez à enrayer ne sont pas causés par une substance autre qu'un additif alimentaire.
- Éliminer simultanément de multiples additifs alimentaires, plus particulièrement dans le régime d'un enfant, peut grandement réduire les choix d'aliments et le nombre des calories, de sorte qu'il est recommandé de consulter un médecin.
- Très souvent, les aliments biologiques sont exempts d'additifs alimentaires (lisez bien les étiquettes).
- Vérifiez si les viandes contiennent des agents de remplissage et évitez celles qui contiennent des additifs alimentaires.

particulièrement pour ce qui concerne les fruits et les légumes. En outre, certains aliments qui sont réputés être sans additifs peuvent être coûteux.

### Vous convient-il?

Les personnes souffrant de symptômes d'allergie inexpliqués, que le retrait d'un seul aliment ne semble pas soulager, peuvent consulter un médecin au sujet d'un régime sans additifs alimentaires.

Toute personne qui cherche à suivre un régime alimentaire sans additifs beaucoup plus restrictif qu'un régime n'éliminant qu'un ou deux additifs devrait consulter un médecin et un diététiste avant d'entreprendre un tel régime. Cela est particulièrement important dans le cas d'enfants, d'adolescents, de femmes enceintes, de femmes qui allaitent et de personnes âgées.

### Disponibilité

De nombreux aliments doivent être commandés ou achetés dans des magasins spécialisés.

### Changements dans le mode de vie

Il faut du temps pour connaître quels sont les aliments qui contiennent des additifs, et si l'on veut éliminer de multiples additifs alimentaires, il faut parfois renoncer à manger au restaurant.

## plats maison préparés avec des aliments frais.

| mercredi | jeudi | vendredi |
|---|---|---|
| Jus de pamplemousse fraîchement pressé, œuf dur, pain grillé | Jus fraîchement pressé, bagel, beurre d'arachide | Jus d'orange fraîchement pressé, céréales, lait |
| Salade d'épinards avec noix de Grenoble, soupe maison, fraises fraîches, lait | Sandwich au rôti de bœuf, soupe aux légumes maison, lait | Sandwich au beurre d'arachide et au miel, soupe maison, lait |
| Bifteck grillé, choux-fleurs vapeur, patate douce au four avec beurre à la cannelle, pastèque fraîche, lait | Spaghettis avec sauce maison, brocoli frais vapeur, prune, lait | Veau au four, riz brun, carottes fraîches vapeur, raisin, lait |
| Pomme de Grenade | Avocat et jus de citron | Mangue fraîche |
| Ananas frais et fromage cottage | Mûres fraîches | Bâtonnets de courgette et hoummos maison |

### Ressources

www.foodallergy.org

www.feingold.org

www.aaaai.org

*The Feingold Cookbook for Hyperactive Children,* B. Feingold et H. Feingold, Random House, 1979.

*Florida Manual of Medical Nutrition Therapy,* Florida Dietetic Association, 2007.

**Remarque:** Ces menus représentent un régime général sans additifs, mais non le programme Feingold. Des produits spéciaux peuvent être commandés pour élargir le choix d'aliments. Tous les produits achetés, comme le pain, les céréales, les croustilles de maïs, la sauce soja et le beurre d'arachide doivent être exempts d'agents de conservation. Vérifiez toujours les étiquettes.

# PYRAMIDE DU RÉGIME ASIATIQUE

Cette pyramide est un modèle culturel pour manger sainement. Il s'agit d'une alimentation riche en fruits et en légumes et faible en gras et en cholestérol.

### Origine du régime

Les régimes asiatiques sont devenus populaires parce que la recherche a montré que les personnes qui ont une alimentation végétarienne présentent des risques plus faibles de développer des maladies chroniques, comme le cancer, le diabète et la cardiopathie. Le régime végétarien est partiellement responsable de ces bienfaits. En 1992, l'Université Cornell et la Harvard School of Public Health, en collaboration avec l'Oldways Preservation & Exchange Trust, ont mis au point le modèle de la pyramide du régime asiatique, qui recommande de consommer beaucoup de grains, de fruits, de légumineuses et de légumes, de réduire la consommation de viande et de produits laitiers et de boire du thé et diverses autres boissons.

### Comment fonctionne-t-il ?

Ce guide populaire visant à aider les gens à demeurer en santé est basé sur les régimes alimentaires traditionnels des régions rurales du Japon, de la Chine et d'autres pays asiatiques. Les diverses variantes du guide

**voir aussi**

**pyramide diététique latino-américaine** 154
**pyramide diététique méditerranéenne** 160

# menu type

Ce régime sain inclut des portions quotidiennes de

|  | samedi | dimanche | lundi | mardi |
|---|---|---|---|---|
| **matin** | Beignet vapeur aux haricots sucrés, salade de kumquats et de litchis, lait de soja | Riz cuit, œuf poché, lait de soja, jus d'ananas | Soupe au miso, lait de soja, tranches d'orange | Gruau de maïs avec lait de soja, raisin rouge, thé noir |
| **midi** | Tofu mariné dans le gingembre, pois mange-tout et noix macadamia, riz avec pak-choï, thé noir | Soupe au miso, dumplings aux épinards, riz frit avec tofu, carottes, pois mange-tout et asperges, thé au gingembre | Nouilles à la farine de sarrasin avec sauce aux arachides, pak-choï et chou râpés avec vinaigrette à la limette, thé au gingembre | Salade de tofu avec légumes verts variés, concombres marinés à la coréenne, thé au citron, morceaux d'ananas |
| **soir** | Lanières de porc sautées, asperges et oignons verts, salade de radis du Japon, riz brun, saké | Soupe au melon, nouilles (cellophane) aux haricots mung avec noix de cajou et légumes variés, thé noir | Soupe amère au melon, poisson grillé, riz brun, brocoli vapeur, thé vert | Nouilles à la thaïlandaise avec arachides et basilic, brocoli et chou-fleur vapeur, lait de soja |
| **collation 1** | Noix de cajou | Tranches de papaye fraîches | Arachides | Pastèque |
| **collation 2** | Salade de fruits frais | Arachides | Poire | Galette de riz |

alimentaire asiatique comprennent toutes les mêmes éléments clés : un programme d'alimentation riche en fibres, en vitamines et en antioxydants grâce à la consommation de grandes quantités de fruits, de légumineuses (comme le soja) et de légumes et de quantités limitées de viande, d'œufs, de produits laitiers, de gras saturés et de cholestérol. Le poisson, le thé et le vin sont permis en quantités modérées. Le programme se complète par de l'exercice physique.

Les quatre catégories d'aliments comprises dans ce régime regroupent les aliments à consommer tous les jours, une fois par semaine, une fois par mois et facultativement. Il n'y a pas de taille de portions ou de nombre de portions par jour, car ce régime met surtout l'accent sur la valeur nutritive des aliments et sur l'équilibre du régime. Les aliments qu'il est permis de manger tous les jours incluent le thé vert, les grains, le pain, les légumes, les fruits, les noix, les légumineuses, le vin, la bière et les huiles végétales. Les aliments pouvant être consommés une fois par semaine comprennent les sucreries (de préférence les desserts à base de fruits frais), les œufs et la volaille. Les aliments à ne manger qu'une fois par mois incluent la viande rouge. Enfin, le poisson et les crustacés, par exemple, sont des aliments à consommer facultativement.

## Avantages et désavantages

Tous les aliments très variés compris dans ce régime sont faciles à préparer. Les aliments transformés sont réduits au minimum. Les ingrédients asiatiques sont colorés et appétissants. La consommation de fruits, de légumes, de fèves de soja et de thé vert peut protéger contre le cancer, l'obésité, la cardiopathie et le diabète. La faible consommation de produits laitiers, cependant, signifie que le régime peut être déficient en calcium, à moins que des légumes riches en calcium ne soient consommés en quantités suffisantes.

### Vous convient-il ?

La pyramide du régime asiatique convient à tous les adultes en santé. Dorénavant, il en existe aussi une version pour les enfants.

### Disponibilité

Le riz, les fruits, les légumes, les légumineuses et les huiles recommandés dans ce régime se vendent dans tous les magasins d'alimentation et les supermarchés.

### Changements dans le mode de vie

Une faible consommation de viande rouge et de produits laitiers fait partie de ce régime et un programme d'exercice quotidien est recommandé.

thé vert, de grains et de noix.

| mercredi | jeudi | vendredi | Ressources |
|---|---|---|---|
| Nouilles vapeur, thé vert, compote de prunes | Beignet vapeur aux épinards, fraises, lait de soja | Rouleau printanier aux légumes, pomelo, thé noir | www.news.cornell.edu/chronicle/96/ 1.18.96/AsianDiet.html |
| Poulet à la citronnelle, riz brun avec pois mange-tout et oignons verts, légumes sautés, lait de soja | Salade de tofu avec vinaigrette au gingembre, aubergine vapeur et vinaigrette à l'ail, riz brun, thé noir | Soupe aigre et piquante avec tofu, millet vapeur avec légumes, brocoli et sauce aux huîtres, thé noir | www.oldwayspt.org/asian_ pyramid.html<br><br>www.asiandiets.com<br><br>www.mediterrasian.com |
| Tofu, oignons verts, champignons, sauté de bettes à carde et de radis du Japon, riz blanc, boisson à la mangue | Sauté de crevettes, germes de soja, pois mange-tout et oignons verts, nouilles, carottes vapeur, thé à l'orange | Tofu épicé au citron avec noix de cajou, salade verte avec tranches d'orange, vinaigrette au sésame et gingembre, lait de soja | |
| Noix de soja | Pastèque | Edamame | |
| Salade de melons variés | Riz sucré à la mangue | Biscuit aux amandes | |

RÉGIME À LONG TERME

SOUPLESSE

RÉGIME FACILE À
SUIVRE EN FAMILLE

COÛT

DONNÉES SCIENTIFIQUES
À L'APPUI

# RÉGIME CANDIDA

Cette stratégie favorisant une bonne santé est indiquée en cas de déséquilibre des levures et bactéries intestinales causant le muguet. Elle se fonde sur la réduction des aliments générateurs de levures dans l'alimentation.

### Origine du régime

Le régime Candida a été élaboré dans les années 1980 par le D^r William G. Crook, l'homme qui a révélé la «filière des levures» dans un ouvrage intitulé *The Yeast Connection,* publié en 1996. Le D^r Crook est aussi l'auteur de *Women's Health,* paru en 2003. Son concept repose sur l'hypothèse que la surproduction de levures chez les femmes est associée à l'ingestion d'aliments générateurs de levures et que certains problèmes de santé chroniques pourraient être atténués si ces aliments étaient évités. Décrit dans *The Yeast Connection,* le régime Candida a été utilisé et modifié, de sorte que de multiples variantes de ce régime sont encore utilisées et recommandées aujourd'hui.

### Comment fonctionne-t-il?

Ce régime repose sur la théorie voulant qu'une surabondance du champignon *Candida albicans* cause de nombreux problèmes de santé chroniques chez les femmes, comme le syndrome de fatigue chronique, la sinusite, le syndrome du côlon irritable, les migraines et le syndrome prémenstruel. Il a pour but d'aider à atténuer les symptômes de ces affections grâce à la création dans le tractus intestinal d'un équilibre physiologique entre les bactéries saines et les champignons. Or, cet équilibre résulte en partie de l'élimination de l'alimentation d'aliments censés favoriser la croissance de champignons.

   Ce régime élimine tout le sucre et les aliments contenant du sucre, les glucides simples, de nombreux fruits et les aliments emballés ou transformés, en raison des additifs et autres substances qu'ils contiennent. Pour suivre ce

# menu type
Ce programme d'alimentation est riche en viande et

|  | samedi | dimanche | lundi | mardi |
|---|---|---|---|---|
| **matin** | Quinoa cuit, patate douce au four, pacanes | Gruau d'avoine, bacon, noix de cajou | Gruau d'avoine avec beurre, eau | Riz brun avec avelines, sardines et galettes de riz |
| **midi** | Salade aux œufs, au thon ou au poulet avec mayonnaise au soja et tomates | Boulette de viande hachée, laitue, tomates, oignons | Dinde et carottes enveloppées dans de la laitue romaine, eau | Salade César garnie de poitrine de poulet grillée, petite quantité de jus de citron |
| **soir** | Thon, brocoli, doliques (haricots à œil noir) | Côtelettes d'agneau, salade d'épinards avec jus de citron, brocoli | Poulet de Cornouailles au four, légumes vapeur et pacanes | Boulette de viande hachée, aubergine, salade verte |

régime, il faut rigoureusement éviter pendant les dix premiers jours tous les aliments contenant des levures – y compris le pain, les produits laitiers, les condiments, les viandes transformées, les produits à base de malt, la plupart des fruits et les restants (en raison de la formation possible de moisissures).

Les personnes qui suivent ce régime sont encouragées à boire huit verres d'eau par jour, mais il est précisé, à titre de mise en garde, que l'eau du robinet peut contenir des substances indésirables, comme du plomb, des bactéries ou des parasites. Dans ce régime, les jus de fruits, le café, l'alcool et les boissons diète sont aussi déconseillés.

Divers éléments de ce programme sont utilisés pour traiter certains types d'infections aux levures, mais les données scientifiques montrent que les probiotiques ou le yogourt sont efficaces pour favoriser un équilibre naturel entre les bactéries et les champignons présents dans le tractus intestinal. Le régime Candida comme tel n'explique pas pourquoi l'élimination de certains aliments (comme les fruits, le lait et le pain) aurait cet effet équilibrant.

### Avantages et désavantages

Ce régime est très restrictif et élimine des substances nutritives essentielles, comme le calcium, la vitamine C et les vitamines du complexe B. Les personnes qui suivent ce régime peuvent trouver difficile de s'y conformer en raison de la nécessité d'éliminer tous les aliments « produisant du sucre » énumérés dans le guide, y compris les produits transformés.

### Vous convient-il?

Le régime Candida plaira aux personnes qui préfèrent une alimentation riche en viande et en légumes, mais faible en produits laitiers et en pain. Il est intéressant pour les personnes qui souffrent de problèmes de santé chroniques, comme le syndrome de fatigue chronique et le syndrome du côlon irritable, les migraines et la sinusite chronique, et qui sont disposées à se conformer à ce régime, faute d'avoir trouvé d'autres solutions. Il

convient aussi aux personnes qui veulent réduire leur consommation d'aliments transformés. Il existe toutefois peu de données démontrant que ce régime influence les levures présentes dans le tractus intestinal.

Les personnes qui veulent suivre ce régime devraient consulter leur médecin pour déterminer si l'adoption de ce régime pendant une brève période peut réduire ou atténuer leurs symptômes chroniques. Une consultation médicale est importante, plus particulièrement dans le cas des gens qui souffrent de troubles de santé préexistants.

### Disponibilité

Tous les aliments compris dans ce régime se vendent dans toutes les épiceries et les supermarchés. Pour le suivre, cependant, il faut lire les étiquettes très attentivement avant d'acheter quoi que ce soit.

### Changements dans le mode de vie

De l'exercice quotidien et une consommation suffisante d'eau sont recommandés.

## aliments interdits

- sucre
- fruits
- pain
- fromage
- lait
- jus de fruits
- café
- boissons diète

## gâteries

AU CHOIX :

- bœuf
- poulet
- œufs
- poisson
- noix
- légumes

en légumes, mais faible en produits laitiers et en pain.

| mercredi | jeudi | vendredi |
|---|---|---|
| Œufs, bacon, gruau de maïs avec beurre | Gruau d'avoine, côtelettes de porc, noix de cajou | Amarante cuite, thon, tomates, noix de Grenoble |
| Salade de légumes avec lanières de dinde sur un lit de laitue romaine | Yogourt sans sucre et noix | Œufs durs et bâtonnets de céleri et de carottes |
| Côtelettes de porc, feuilles de navet, ocra, carottes, bâtonnets de céleri | Dinde rôtie, courge reine-de-table au four, épinards vapeur, chou et amandes, jus de citron, vinaigrette à l'huile de lin | Légumes variés cuits et pacanes |

### Ressources

www.yeastconnection.com

*The Yeast Connection and Women,*
**W. G. Crook, Professional Books,
1988.**

RÉGIME À LONG TERME
● ● ●

SOUPLESSE
● ● ●

RÉGIME FACILE À
SUIVRE EN FAMILLE
● ● ●

COÛT
●

DONNÉES SCIENTIFIQUES
À L'APPUI
● ● ●

# RÉGIME DASH

Le régime DASH (Dietary Approaches to Stop Hypertension) a été conçu pour prévenir et traiter l'hypertension, mais il est aussi utilisé pour réduire les risques de souffrir d'autres maladies chroniques, de sorte qu'on l'appelle le « régime pour combattre toutes les maladies ».

### Origine du régime
Ce régime repose sur diverses études importantes. La DASH Diet a été publiée pour la première fois en 1998 par le National Heart Lung and Blood Institute des National Institute of Health du département américain de la santé et des services sociaux. Il a été revu en avril 2006.

### Comment fonctionne-t-il ?
Le régime DASH se fonde sur diverses études importantes, dont l'étude Dietary Approaches to Stop Hypertension. Cette dernière étude et diverses autres ont montré depuis que plus la consommation de sodium est réduite (1500 mg), plus la tension artérielle s'abaisse. Le régime utilisé dans la première étude était un régime à 2000 calories par jour, faible en sodium (2400 mg), riche en fruits et légumes frais à teneur élevée en minéraux et faible en viande rouge, ce qui réduit l'apport de gras saturé et de cholestérol et, conséquemment, l'accumulation de dépôts dans les vaisseaux sanguins. Cette combinaison d'aliments a entraîné une baisse de la tension artérielle chez la plupart des participants, et a été le plus efficace chez les sujets souffrant

**voir aussi**
**régime faible en sodium** 156
**pyramide diététique méditerranéenne** 160
**régime TLC** 176

# menu type

Ce programme d'alimentation met l'accent sur les aliments

| | samedi | dimanche | lundi | mardi |
|---|---|---|---|---|
| **matin** | Barre granola faible en gras, banane, ½ tasse de yogourt, jus, lait | 1 tasse de gruau, banane, lait, yogourt | Jus, ¾ tasse de céréales, lait, banane, pain, 1 c. à café de margarine | ½ tasse de gruau, mini bagel, 1 c. à soupe de beurre d'arachide, banane, lait |
| **midi** | 90 g de dinde, 2 tranches de pain, 1 tranche de fromage, laitue ou tomate, 1 c. à soupe de mayonnaise, brocoli, orange | ½ tasse de thon, 1 c. à soupe de mayonnaise, laitue ou tomate, 2 tranches de pain, pomme, lait | ¾ tasse de salade de poulet, 2 tranches de pain, salade, 1 c. à café de vinaigrette, ½ tasse de fruits | 90 g de poulet, 2 tranches de pain, 1 tranche de fromage, laitue ou tomate, 1 c. à soupe de mayonnaise, cantaloup, jus |
| **soir** | 90 g de poisson (cuit avec des épices), 1 tasse de riz aux oignons verts, épinards sautés, petit pain, 1 c. à café de margarine, petit biscuit | Lasagne aux courgettes, salade d'épinards, 1 c. à café de vinaigrette, petit pain, 1 c. à café de margarine, jus | 90 g de bœuf maigre, pomme de terre au four, crème sure, petit pain, 1 c. à café de margarine, pomme, lait | 1 tasse de spaghettis, sauce aux légumes, salade d'épinards, 1 c. à café de vinaigrette, ½ tasse de maïs sucré, ½ tasse de poire |
| **collation 1** | 2 c. à soupe d'arachides, lait | ⅓ tasse d'amandes non salées, ¼ tasse d'abricots séchés | ⅓ tasse d'amandes non salées, ¼ tasse de raisins secs | ⅓ tasse d'amandes non salées, ¼ tasse d'abricots séchés |
| **collation 2** | ¼ tasse d'abricots séchés | 6 craquelins | ½ tasse de yogourt | Yogourt |

### Truc santé

• Dans le régime DASH à 1600 calories, les sucreries ne sont pas incluses. Comparativement au régime américain typique, le régime DASH à 2000, 2600 et 3100 calories est faible en viande rouge maigre, en sucreries, en sucre ajouté et en boissons contenant du sucre.

### Vous convient-il?

Les personnes qui souffrent d'hypertension diagnostiquée seront sans doute plus motivées à suivre ce régime, plus particulièrement si un professionnel de la santé le leur a recommandé. Les personnes atteintes de maladie rénale peuvent ne pas tolérer la teneur élevée en potassium de ce régime.

### Disponibilité

Tous les aliments qui composent ce régime se vendent dans toutes les épiceries et les supermarchés.

### Changements dans le mode de vie

Il est recommandé de faire 30 minutes d'exercice modéré tous les jours.

d'hypertension. Les participants ont perdu du poids en quelques jours parce qu'ils avaient éliminé beaucoup d'eau et, au bout de deux semaines, leur tension artérielle était considérablement moins élevée. Le régime DASH propose, selon la version choisie, des apports en calories différents, soit 1600 calories, 2000 calories, 2600 calories ou 3100 calories par jour. Il est recommandé par les professionnels de la santé pour combattre l'hypertension, favoriser la perte de poids et soulager diverses maladies chroniques, comme la cardiopathie et le syndrome métabolique.

### Avantages et désavantages

Le régime est faible en gras saturé, en cholestérol et en matières grasses en général. Il met l'accent sur les fruits, les légumes, le lait et les produits laitiers sans gras ou faibles en gras, et inclut des grains entiers, du poisson, de la volaille et des noix. Il est étayé par de solides données scientifiques. Son seul désavantage est la difficulté que pose pour certaines personnes la consommation très limitée de viande rouge et de sucre.

d'origine végétale, de petites portions de viande maigre et des produits laitiers faibles en gras.

| mercredi | jeudi | vendredi | **Ressources** |
|---|---|---|---|
| 2 tasses de blé soufflé, banane, lait, pain, 1 c. à café de margarine, jus | Pain, yogourt, pêche, ½ tasse de jus | 1 tasse de Shredded Wheat givré, banane, lait, bagel aux raisins, 1 c. à soupe de beurre d'arachide, jus | www.nhlbi.nih.gov/health/public/heart/hbp/dash/new_dash.pdf |
| 60 g de bœuf, sauce barbecue, 2 tranches de fromage, petit pain, laitue ou tomate, salade de pommes de terre, orange | 60 g de jambon, 1 tranche de fromage, 2 tranches de pain, laitue ou tomate, 1 c. à soupe de mayonnaise, bâtonnets de carottes | ½ tasse de salade de thon, 1 tranche de pain, salade de concombre ou de tomate, ½ tasse de fromage cottage, ½ tasse d'ananas, 1 c. à soupe d'amandes | http://catright.org/cps/rde/xchg/ada/hs.xsl/home_4380_ENU_HTML.htm |
| 90 g de poisson, ½ tasse de riz brun, épinards, muffin à la farine de maïs | Riz à l'espagnole et 90 g de poulet, pois verts, 1 tasse de cantaloup, lait | 90 g de pain de viande à la dinde, pomme de terre au four, crème sure, feuilles de chou rosette, petit pain, pêche | |
| 2 craquelins, 1 c. à café de beurre d'arachide | ⅓ tasse d'amandes non salées, ¼ tasse d'abricots séchés | Fruit | |
| Yogourt | Lait | ½ tasse de yogourt, 1 c. à soupe de graines de tournesol | |

**Remarque :** Toutes les portions de légumes, de fruits, de jus et de lait sont des portions de 1 tasse, à moins d'indication contraire. Le lait et tous les produits laitiers doivent être sans gras, faibles en gras ou écrémés ; la margarine est de la margarine faible en gras, les vinaigrettes et la mayonnaise sont faibles en gras et tous les produits de grains contiennent des grains entiers.

# RÉGIME D'ÉLIMINATION

RÉGIME À LONG TERME

● ● ●

SOUPLESSE

●

RÉGIME FACILE À
SUIVRE EN FAMILLE

●

COÛT

● ●

DONNÉES SCIENTIFIQUES
À L'APPUI

● ● ●

Le régime d'élimination est utilisé en cas d'allergies alimentaires, y
compris les allergies au blé, au lait, aux œufs, aux arachides, au
soja, aux noix, aux crustacés, au poisson et autres.

Yogourt nature
avec fraises

### Origine du régime

On observe des réactions indésirables aux aliments depuis
2000 ans. Depuis le début du $XXI^e$ siècle, la
documentation médicale montre que l'on s'intéresse
de plus en plus aux réactions alimentaires. On croit
qu'entre 6 ct 8 pour cent des enfants développent
des allergies alimentaires au cours des trois
premières années de leur vie. La plupart des
enfants surmontent ces allergies en grandissant.
Chez les adultes, on estime que les allergies
frappent entre 1 et 5 pour cent de la population.

Il est difficile de diagnostiquer une allergie alimentaire
en raison de critères de diagnostic très variés. Cependant, une
fois qu'une allergie alimentaire a été diagnostiquée, le premier principe de la
gestion de l'alimentation consiste à éviter complètement tout aliment qui contient
les protéines responsables des symptômes cliniques d'allergie.

### Comment fonctionne-t-il ?

On croit que 8 aliments sont responsables de plus de 90 pour cent de toutes
les allergies alimentaires. Il s'agit des œufs, de lait, du blé, des arachides, du
soja, des noix, des crustacés et du poisson.

**voir aussi**
régime sans additifs alimentaires 132

# menu type Exemples de menus quotidiens dans le cas des allergies

|  | allergie aux œufs | allergie au lait | allergie au blé | allergie aux arachides |
|---|---|---|---|---|
| **matin** | 1 tasse de jus, 1 tasse de gruau, 1 tranche de pain de blé entier, 1 c. à café de margarine, 1 tasse de lait 1 % | Jus d'orange enrichi de calcium, 1 tasse de céréales, 1 tasse de lait de soja, 1 tranche de jambon, 1 c. à café de margarine, 1 tranche de pain grillé | Jus d'orange enrichi de calcium, gaufres sans gluten avec margarine et 2 c. à soupe de sirop, œufs brouillés | Pain, 1 tasse de yogourt, pêche, ½ tasse de jus |
| **midi** | 90 g de poitrine de poulet, pomme de terre au four garnie de fromage râpé, 1 c. à café de margarine, tranches de tomate, 1 tasse de fraises | 1 tasse de salade de thon, laitue ou tomate, 1 tranche de pain de blé entier, 1 tasse de soupe au poulet et légumes, 1 tasse de brocoli, fruit frais | 2 tranches de pain de farine de riz sans gluten, dinde tranchée, tranche de fromage, laitue ou tomate, carottes miniatures, raisin rouge | 60 g de bœuf, 1 tranche de fromage, 2 tranches de pain, laitue ou tomate, 1 c. à soupe de mayonnaise, 1 tasse de bâtonnets de carottes |
| **soir** | 90 g de jambon, 1 tasse de purée de pommes de terre, ½ tasse de brocoli, salade de laitue, 1 tranche de pain, 1 c. à café de margarine | 90 g de rôti de bœuf, pommes de terre au four, 1 c. à café de margarine, salade d'épinards, 1 c. à soupe de vinaigrette (huile et vinaigre), 1 tasse de fruits | 90 g de saumon avec citron, patate douce, 1 c. à café de margarine, brocoli avec huile d'olive et ail, salade composée, 1 c. à soupe de vinaigrette (huile et vinaigre) | 90 g de poulet, riz à l'espagnole, 1 tasse de pois verts, 1 tasse de cantaloup, 1 tasse de lait |
| **collation 1** | 1 tasse de yogourt nature faible en gras | ⅓ tasse d'amandes non salées, ¼ tasse d'abricots séchés | 30 g d'amandes nature, 1 pomme | ¼ tasse d'abricots séchés |
| **collation 2** | 1 orange | 1 tasse de yogourt | 1 tasse de yogourt nature, ½ tasse de fraises | 1 tasse de lait |

Un régime d'élimination constitue le seul moyen de combattre une allergie alimentaire. Ce régime repose sur le principe suivant : si l'aliment coupable est éliminé de l'alimentation, la maladie qu'il cause disparaîtra. Les régimes d'élimination, suivis de la réintroduction des aliments soupçonnés de causer des allergies, devraient être utilisés uniquement dans les cas où les symptômes d'allergie ne mettent pas la vie en danger. Il faut toujours faire attention de ne pas consommer par inadvertance des aliments allergènes camouflés dans des aliments transformés. Les personnes souffrant d'allergies ont besoin de conseils en nutrition pour apprendre à bien lire les étiquettes sur les emballages des aliments.

### Pensez-y bien…

* Il n'est pas aussi simple qu'on pourrait le croire d'éviter l'aliment responsable de la réaction allergique. Par exemple, sur une étiquette de produit alimentaire, la protéine en cause dans les œufs peut s'appeler albumine, blanc d'œuf, globuline, ovalbumine, ovomucine, ovovitéline, simplesse®, livétine ou lécithine. Même les substituts d'œuf contiennent souvent des protéines d'œuf.

## Avantages et désavantages

Le régime d'élimination est efficace pour prévenir les symptômes d'allergie alimentaire. Selon le nombre d'aliments auxquels une personne est allergique, ce régime a le désavantage d'être très restrictif, de sorte qu'il peut entraîner des carences en substances nutritives. Il peut être difficile d'obtenir la liste des ingrédients contenus dans les plats servis dans un restaurant.

## Vous convient-il ?

Ce régime est indiqué pour les personnes dont les allergies alimentaires ont été diagnostiquées. Il convient aussi aux personnes souffrant de troubles gastro-intestinaux qui veulent identifier les aliments qui contribuent à leurs symptômes.

Le régime peut être très restrictif, de sorte qu'il faut prendre soin d'éliminer uniquement les aliments qui contribuent aux symptômes.

## Disponibilité

Selon l'allergie alimentaire, les aliments compris dans le régime sont faciles à trouver, bien que certains doivent être commandés auprès de producteurs ou de fournisseurs spécialisés.

Pain sans gluten

## Changements dans le mode de vie

Aucun. Ce régime porte sur la restriction de certains aliments pour atténuer les symptômes.

… les plus courantes.

| allergie au soja | allergie aux noix | allergie aux crustacés |
|---|---|---|
| 1 tasse de Shredded Wheat givré, banane, 1 tasse de lait, bagel aux raisins secs, 1 c. à soupe de beurre d'arachide, 1 tasse de jus | 1 tasse de flocons de maïs, banane, ½ tasse de yogourt nature, 1 tasse de jus, 1 tasse de lait | 1 tasse de gruau, banane, lait, 1 tasse de yogourt |
| ½ tasse de salade de thon, 2 tranches de pain, salade de concombre ou de tomate, ½ tasse de fromage cottage, 1 tasse d'ananas | 90 g de dinde, 2 tranches de pain, 1 tranche de fromage, laitue ou tomate, 1 c. à soupe de mayonnaise, 1 tasse de brocoli, orange | ½ tasse de poulet, 1 c. à soupe de mayonnaise, laitue ou tomate, 2 tranches de pain, pomme, 1 tasse de lait |
| 90 g de pain de viande à la dinde, pomme de terre au four, crème sure, 1 tasse de feuilles de chou rosette, petit pain, pêche | 90 g de poisson grillé, 1 tasse de riz jaune, 1 tasse d'épinards, petit pain, 1 c. à café de margarine, pudding à la vanille | Lasagne aux courgettes, salade de laitue, 1 c. à café de vinaigrette, petit pain, 1 c. à café de margarine, 1 tasse de jus |
| Fruit | 1 tasse de lait | ⅓ tasse d'amandes non salées, ¼ tasse d'abricots séchés |
| ½ tasse de yogourt, 1 c. à soupe de graines de tournesol | ¼ tasse d'abricots séchés | 6 craquelins |

## Ressources

www.foodallergy.org

www.aafa.org

*Florida Manual of Medical Nutrition Therapy*, Florida Dietetic Association, Tallahassee, Fl, 2007.

**RÉGIME À LONG TERME**

● ● ●

**SOUPLESSE**

● ● ●

**RÉGIME FACILE À SUIVRE EN FAMILLE**

● ● ●

**COÛT**

●

**DONNÉES SCIENTIFIQUES À L'APPUI**

● ● ●

# RÉGIME GERD
## (CONTRE LES REFLUX GASTRO-ŒSOPHAGIENS)

Ce programme d'alimentation est conçu pour les personnes qui souffrent de reflux gastro-œsophagiens. Les modifications alimentaires visent à diminuer ces reflux et à réduire au minimum l'irritation de l'œsophage.

### Origine du régime

En médecine, le traitement des reflux gastro-œsophagiens par l'alimentation a une longue histoire, et de nombreuses variantes, le but général étant de réduire au minimum les symptômes de reflux gastro-œsophagiens. Parmi les symptômes les plus courants, il faut mentionner les brûlures d'estomac, qui surviennent lorsque l'acidité de l'estomac (dont le pH se rapproche de celui de l'acide d'un accumulateur) remonte dans l'œsophage. Elles sont attribuables à une anomalie du fonctionnement de la bande de muscles du sphincter inférieur de l'œsophage. Habituellement, le sphincter inférieur de l'œsophage fonctionne comme un élastique entre l'estomac et l'œsophage. Il empêche l'acidité de l'estomac de remonter. Cependant, en cas de reflux gastro-œsophagiens, une partie de l'acide remonte dans l'œsophage, causant de l'irritation.

# menu type

Dans ce programme d'alimentation, les aliments riches

| | samedi | dimanche | lundi | mardi |
|---|---|---|---|---|
| **matin** | Gruau avec cannelle et raisins secs, œuf dur, thé chaud décaféiné (thé à la menthe exclu) | Céréales de grains entiers avec amandes (petite quantité), pain de grains entiers grillé, pastèque fraîche, lait écrémé | Bagel de grains entiers avec margarine, substitut d'œuf ou blanc d'œuf, tranches de prunes, lait écrémé | Gruau avec noix de Grenoble (petite quantité), melon miel frais, jus de pomme pur enrichi de vitamine C |
| **midi** | Pain pita de blé entier, hoummos (maison, faible en gras), tranches de mangue, lait écrémé | Salade de thon (conservé dans l'eau) et mayonnaise faible en gras, craquelins de grains entiers, bâtonnets de légumes, lait écrémé | Sandwich à la dinde sur pain de grains entiers, soupe poulet et nouilles, tranches de pomme, lait écrémé | Sandwich au rôti de bœuf maigre sur petit pain de blé entier, salade de fruits frais (sans agrumes), lait écrémé |
| **soir** | Dinde au four, riz brun, légumes variés vapeur, tranches de poire fraîche, lait écrémo | Jambon au four, petits pois frais, riz au jasmin, salade de fruits frais (sans agrumes), lait écrémé | Saumon grillé, asperges vapeur, riz brun, bleuets frais, eau | Poulet au four, haricots verts vapeur, pomme de terre au four avec margarine, cantaloup frais, lait écrémé |
| **collation 1** | Fromage cottage sans gras avec petits fruits | Lait frappé aux fruits (*smoothie*) faible en gras | Craquelins | Fromage cottage sans gras avec pêches |
| **collation 2** | Galette de riz | Sorbet | Yogourt sans gras | Bâtonnets de carottes avec vinaigrette sans gras |

## Comment fonctionne-t-il ?

Le régime a pour but d'aider à réduire au minimum les reflux et l'irritation de l'œsophage. Les repas copieux sont déconseillés parce qu'ils font augmenter la pression dans l'estomac, ce qui peut accroître les reflux. Selon ce régime, il faut manger pas moins de trois heures avant le coucher pour éviter de s'étendre après un repas. Les reflux peuvent être aggravés par l'obésité, de sorte qu'il est important de maintenir un poids santé. Pour maigrir, il faut réduire son apport quotidien en calories.

Une personne qui souffre de reflux gastro-œsophagiens devrait éviter le chocolat, car il contient de la méthylxanthine, qui peut relâcher le sphincter inférieur de l'œsophage. Elle devrait aussi restreindre sa consommation de matières grasses, si les aliments gras semblent aggraver ses reflux. Parmi les autres aliments et boissons qu'elle devrait éviter, il y a les agrumes et les jus d'agrumes, les boissons contenant de la caféine, les boissons gazeuses et le café (ordinaire ou décaféiné). Ces aliments peuvent irriter l'œsophage encore davantage. La menthe poivrée et la menthe verte sont déconseillées parce qu'elles peuvent aggraver les reflux. Enfin, la nicotine affaiblit le muscle inférieur de l'œsophage, ce qui signifie qu'il faut éviter de fumer.

## Avantages et désavantages

Ce programme alimentaire se compose d'aliments et de boissons faibles en gras provenant de tous les groupes alimentaires. La consommation de petits repas et de collations pendant la journée favorise une sensation de satiété, ce qui est particulièrement utile si vous cherchez à perdre du poids.

Cependant, il peut être difficile au début d'éliminer les gâteries, notamment le chocolat, et certaines boissons, comme le café, tout comme il peut être difficile d'éviter les repas copieux, surtout au restaurant.

### Trucs santé

- Parmi les jus permis, choisissez des jus enrichis de vitamine C, car vous devez éviter les jus d'agrumes.
- Consommez des produits laitiers faibles en gras ou sans gras pour obtenir du calcium sans consommer trop de gras.
- La tolérance varie d'une personne à l'autre. Ce programme est simplement un guide qui vous aide à déterminer quels sont les aliments et les boissons que vous pouvez ajouter à votre alimentation si vous les tolérez bien (par exemple, le café et les tomates).

## Vous convient-il ?

Ce programme d'alimentation est destiné aux personnes souffrant de reflux gastro-œsophagiens, mais il est sain et convient à tout le monde, pourvu qu'il soit bien planifié du point de vue de la nutrition.

## Disponibilité

Les aliments composant ce régime sont faciles à trouver et il n'y a pas de produits spéciaux.

## Changements dans le mode de vie

Lorsqu'on suit ce régime, il faut renoncer aux repas copieux, réduire sa consommation de gras, perdre du poids, s'il y a lieu, arrêter de fumer et éviter de manger moins de trois heures avant d'aller au lit.

## en gras, les agrumes, la caféine et le chocolat sont exclus.

| mercredi | jeudi | vendredi |
|---|---|---|
| Crêpes de blé entier avec sirop, framboises fraîches, thé chaud décaféiné (thé à la menthe exclu) | Omelette aux légumes (faite avec du substitut d'œuf), mûres fraîches, pain de blé entier grillé, jus de raisin pur | Muffin anglais de blé entier avec beurre de noix (petite quantité), pêche fraîche, lait écrémé |
| Sandwich au jambon maigre sur pain de blé entier, salade du jardin et vinaigrette sans gras, lait écrémé | Sandwich au poulet grillé sur petit pain de blé entier, soupe aux lentilles, coupe de melon frais, lait écrémé | Sandwich aux légumes dans un pain pita, salade d'épinards et vinaigrette sans gras, fraises fraîches, lait écrémé |
| Bifteck maigre, chou-fleur vapeur, patate douce au four, coupe de petits fruits frais, lait écrémé | Mahi-mahi grillé, couscous, brocoli frais vapeur, prune fraîche, lait écrémé | Longe de porc au four, purée de pommes de terre, carottes vapeur, raisin, lait écrémé |
| Compote de pommes sans sucre | Tranches de pomme avec fromage faible en gras ou sans gras | Bâtonnets de céleri et de carottes avec vinaigrette sans gras |
| Boisson au yogourt sans gras | Bretzels | Fruits frais (agrumes exclus) |

### Ressources

www.aboutgerd.org

*Tell Me What to Eat If I Have Acid Reflux: Nutrition You Can Live With*, E. Magee, The Career Press, 2002.

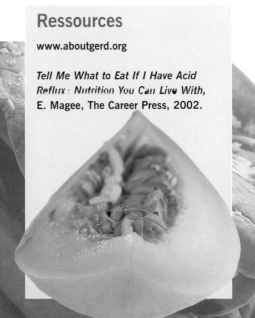

# RÉGIME SANS GLUTEN

Prescrit aux personnes qui ne tolèrent pas le gluten, ce régime traite les troubles digestifs déclenchés par une intolérance aux aliments comme le blé, l'orge et le seigle.

### Origine du régime

La maladie cœliaque a été identifiée pour la première fois en 250 de notre ère, par Arétée de Cappadoce, un médecin de la Grèce antique, mais ce n'est qu'en 1888 qu'un praticien britannique du nom de Samuel Gee a publié une thérapie pour la traiter. Le lien avec le gluten a finalement été établi en 1952, lorsqu'un médecin hollandais, le D$^r$ Willem Karel Dicke, a observé que l'intolérance était causée par des protéines du blé.

Le statut du régime sans gluten comme thérapie nutritionnelle a été confirmé en 1954. Ce régime à vie n'a cessé de gagner en popularité, car on estime que la prévalence mondiale de la maladie cœliaque est de 1 personne sur 266. Selon le Center for Celiac Research de l'Université du Maryland, 1 personne sur 150 souffrirait de cette maladie aux États-Unis seulement.

### Comment fonctionne-t-il?

Lorsqu'une personne souffre de la maladie cœliaque, aussi connue sous le nom de sprue ou d'entéropathie par intolérance au gluten, elle vit avec une incapacité à digérer une forme de protéine dans l'alimentation appelée gluten. Les sources de gluten incluent le blé, le seigle, l'orge et leurs sous-

Les galettes de riz avec du beurre de noix ou de la confiture font une collation délicieuse.

voir aussi
**régime d'élimination 140**

# menu type

Les ingrédients contenus dans les produits varient,

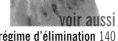

|  | samedi | dimanche | lundi | mardi |
|---|---|---|---|---|
| **matin** | Crème de sarrasin, tranches d'orange, pain sans gluten grillé avec beurre de noix, thé chaud (non aromatisé) | Œuf dur, pain sans gluten grillé, banane, jus d'orange enrichi de calcium | Bagel sans gluten avec fromage à la crème, jus d'orange enrichi de calcium, bleuets frais | Gaufre sans gluten avec sirop, bacon de dos, melon miel frais, thé chaud (non aromatisé) |
| **midi** | Sandwich grillé au fromage fait de pain sans gluten, soupe aux tomates, tranches de pomme, lait | Sandwich à la dinde sans gluten fait de pain sans gluten, salade avec croûtons sans gluten, ananas, lait | Soupe aux lentilles, craquelins de riz, salade d'épinards avec croûtons sans gluten, lait | Pizza végétarienne sans gluten, coupe de fruits frais variés garnis de noix, lait |
| **soir** | Poulet au four, courge vapeur nature, oignon et poivron rouge, purée de pommes de terre, pêche, lait | Jambon sans gluten cuit au four, brocoli et chou-fleur vapeur, riz au jasmin, coupe de melon frais, lait | Saumon fumé sans gluten, asperges fraîches vapeur, riz brun nature, lait | Poulet au four, haricots verts vapeur, pomme de terre au four avec beurre, cantaloup frais, lait |
| **collation** | Muffin sans gluten, mélange du randonneur avec granola sans gluten | Galettes de riz avec beurre de noix, croustilles de maïs cuites au four et salsa | Bâtonnets de céleri avec beurre d'arachide et raisins secs, fruit frais | Yogourt nature faible en gras avec fruits frais, barre tendre sans gluten |

## Pensez-y bien…

- *L'avoine et les produits contenant de l'avoine vendus dans le commerce ne sont pas recommandés par les associations de lutte contre la maladie cœliaque au Canada et aux États-Unis. Les produits d'avoine spéciaux non contaminés sont maintenant disponibles en Amérique du Nord et certaines associations en permettent la consommation en quantités modérées.*

produits respectifs. L'avoine aussi peut contenir du gluten s'il y a eu contamination croisée. Lorsque les personnes atteintes de la maladie cœliaque mangent des aliments riches en gluten, leur système immunitaire produit des anticorps qui ont pour effet d'aplatir le tractus de l'intestin grêle où se produit l'absorption de substances nutritives comme le calcium, le fer et le folate et de provoquer de l'inflammation à cet endroit. Le régime sans gluten facilite l'absorption de ces éléments nutritifs essentiels.

## Avantages et désavantages

Le régime sans gluten est efficace pour traiter la maladie cœliaque et, au cours des dernières années, la variété et la disponibilité des aliments sans gluten ont considérablement augmenté. Malheureusement, certains produits spéciaux sont encore chers et de nombreux aliments vendus de nos jours contiennent un composant du blé en plus ou moins grande quantité, de sorte qu'il faut lire les étiquettes très attentivement. Il peut aussi être assez compliqué de connaître la source des ingrédients lorsqu'on mange au restaurant ou lorsqu'on commande des plats à emporter.

## Vous convient-il?

Les personnes qui souffrent de la maladie cœliaque doivent suivre ce régime à vie. Combiné à un régime sans caséine, le régime sans gluten est dorénavant un traitement populaire pour soigner les personnes atteintes d'autisme. Cependant, les données scientifiques demeurent peu concluantes. S'il est bien équilibré, ce régime convient à tout le monde.

## Disponibilité

Les produits sans gluten sont maintenant largement disponibles tant dans les commerces d'alimentation que sur l'Internet.

## Changements dans le mode de vie

Préparez-vous à découvrir les ingrédients que vous devez éviter et à apprendre à lire les étiquettes, à confectionner des plats sans gluten et à repérer les restaurants qui en servent.

## aliments permis

- **amarante**
- **arrow-root**
- **sarrasin**
- **son de maïs**
- **farine de maïs**
- **lin**
- **farines de légumineuses**
- **teff**
- **tapioca**
- **manioc**

## aliments interdits

- **blé (y compris blé dur, blé kamut et épeautre)**
- **orge (y compris la bière, la lager, le malt et la levure de bière)**
- **seigle (y compris le pain et la farine de seigle)**

de sorte qu'il faut lire les étiquettes très attentivement.

| mercredi | jeudi | vendredi |
|---|---|---|
| Céréales de maïs soufflé avec lait, pain sans gluten grillé et beurre, kiwi, thé chaud (non aromatisé) | Céréales de crème de riz brun, fraises fraîches, jus d'orange enrichi de calcium | Bagel sans gluten avec œufs brouillés et fromage, jus de pomme enrichi de calcium |
| Sandwich au jambon sans gluten et fromage, fait de pain sans gluten, soupe poulet et riz, lait | Burrito aux haricots fait de tortilla au maïs, riz blanc, papaye, lait | Fromage cottage faible en gras et assiette de fruits, crème de champignons sans gluten, lait |
| Bifteck sans gluten grillé, chou-fleur vapeur, patate douce au four avec cannelle et beurre, pastèque, lait | Poisson sans gluten grillé, macaronis sans gluten et fromage, brocoli frais vapeur, prunes, lait | Longe de porc sans gluten, riz brun au four, carottes vapeur, raisin, lait |
| Maïs éclaté nature, fruits frais et fromage cottage faible en gras | Noix de soja sans gluten, craquelins de riz et cubes de fromage | Bretzels sans gluten, bâtonnets de courgette avec hoummos |

## Ressources

www.glutenfreediet.ca

*Gluten-Free Diet – A Comprehensive Guide*, S. Case, Case Nutrition Consulting, 2006.

**Remarque:** Préparez ces ingrédients sans gluten à la maison ou achetez dans le commerce des produits sans gluten.

RÉGIME À LONG TERME

SOUPLESSE

RÉGIME FACILE À
SUIVRE EN FAMILLE

COÛT

●

DONNÉES SCIENTIFIQUES
À L'APPUI

# GOOD MOOD DIET
## (RÉGIME DE LA BONNE HUMEUR)

Réputé être le programme d'alimentation qui met fin aux misères et aux privations, ce régime en deux étapes comprend des aliments nourrissants, de l'activité physique et une attitude positive favorisant un bien-être sain.

Croquettes de saumon au four

### Origine du régime
Élaboré par le D$^r$ Susan Kleiner, le régime de la bonne humeur est le fruit de plus de 25 années de conseils en nutrition donnés à toute une variété de personnes, dont des athlètes professionnels.

### Comment fonctionne-t-il?
Ce régime repose sur le principe suivant: en choisissant des aliments qui sont sains et nutritifs, en s'accordant beaucoup de repos et en faisant de l'activité physique, une personne peut optimiser sa santé physique et émotionnelle. Les aliments sont classés en deux catégories, soit les «aliments générateurs de bien-être» et les «aliments générateurs de mal-être».

Pendant les deux premières semaines du programme, le processus d'accélération du bien-être est amorcé grâce à l'élimination des aliments qui font qu'on se sent mal. Différents menus plus ou moins caloriques sont

**voir aussi**
alimentation intuitive 148
régime TLC 176

# menu type

Ce régime met l'accent sur les aliments sains

|  | samedi | dimanche | lundi | mardi |
|---|---|---|---|---|
| **matin** | Crêpes de blé entier avec graines de lin, petits fruits frais, saucisse de soja | Omelette aux blancs d'œuf, pain de blé entier grillé, orange | Burrito à la farine de maïs et salade, mangue, lait écrémé | Son d'avoine avec graines de lin et petits fruits, œuf à la coque, lait écrémé |
| **midi** | Tranches de dinde, salade de tomate et concombre, soupe aux fèves, eau | Salade de thon sur lit d'épinards, petit bol de soupe | Sandwich à la dinde sur pain de blé entier, salade d'épinards, eau | Salade de poulet faible en gras sur lit de verdure, soupe aux légumes, eau |
| **soir** | Tranches d'avocat, tacos de blé entier au poisson, orange, eau | Poulet rôti, asperges, poivron rouge et citrouille rôtis avec dattes, riz brun | Soupe aux fèves, mérou grillé, macédoine de légumes | Tacos au poisson avec légumes grillés, clémentine, eau |
| **collation 1** | Craquelins de soja | Petits fruits avec yogourt | Maïs éclaté | Pomme et céleri |
| **collation 2** | Lait écrémé | Edamame | Chocolat chaud faible en gras | Œuf dur |

suggérés et des portions composées d'aliments des divers groupes sont prévues pour trois repas et deux collations par jour. Pendant la seconde phase du programme, dont le but est de bien se sentir tout en perdant du poids, deux portions de vin, de chocolat ou de sucre peuvent être réintroduites dans l'alimentation. Une fois que la perte de poids souhaitée est obtenue, le régime est modifié pour devenir un programme d'alimentation à vie qui favorise la bonne humeur.

Le livre du D^r Kleiner contient de nombreuses recettes et idées. On y trouve des suggestions de collations à emporter et les meilleures solutions à retenir lorsqu'on doit manger à l'extérieur. Le régime met l'accent sur la façon de choisir les aliments les plus nutritifs dans chaque groupe alimentaire et insiste sur la modération et la variété. En fait, il s'agit d'une approche holistique pour nourrir le corps et l'esprit, qui se fonde toutefois sur de solides principes scientifiques.

### Avantages et désavantages

Les deux phases du programme sont saines à long terme. En outre, ce régime est très souple quant aux choix d'aliments, et il comprend des suggestions relatives aux groupes alimentaires et aux portions. Divers apports en calories sont proposés, selon le sexe et le niveau d'activité physique. Ce régime a le désavantage d'être très permissif, de sorte qu'il ne conviendra pas aux personnes qui ont besoin de plus d'encadrement.

### Pensez-y bien...

- Les aliments générateurs de mal-être incluent de grandes quantités d'alcool et de caféine, les aliments frits, les viandes grasses, les sucres raffinés et les féculents.
- Les aliments générateurs de bien-être incluent les bananes, les petits fruits, la poudre de cacao, les œufs, les graines de lin, le gingembre, l'ail, la dinde, la verdure, les légumes vert foncé et orange, le soja et le tofu.

### Vous convient-il?

Ce programme d'alimentation est idéal pour les personnes qui cherchent à avoir plus d'énergie en mangeant mieux et en faisant de l'exercice, mais qui ont aussi besoin d'orientation pour modifier leur style de vie et le rendre plus sain.

Le régime met l'accent sur l'importance de choisir des aliments sains et de faire de l'exercice. Tout le monde peut le suivre, sauf les personnes souffrant de problèmes de santé les obligeant à suivre un régime particulier.

### Disponibilité

Tous les aliments composant ce régime se vendent dans toutes les épiceries et les supermarchés.

### Changements dans le mode de vie

Ce régime est axé sur les liens qui existent entre l'alimentation, l'humeur et l'activité physique. Selon ce régime, il faut s'accorder beaucoup de repos et augmenter son niveau d'activité physique en vue de faire 10 000 pas par jour, comptés à l'aide d'un podomètre.

pour favoriser le bien-être physique et mental.

| mercredi | jeudi | vendredi |
|---|---|---|
| Céréales riches en fibres, banane, lait écrémé, œuf, café avec graines de lin moulues, eau | Pain de blé entier grillé, saucisse de soja, yogourt aux fruits avec graines de lin, eau | Muffin anglais de blé entier, œuf et bacon de dos, yogourt avec fruits |
| Sandwich à la dinde sur pain multigrains, salade de tomate, petit bol de soupe | Frittata d'épinards et de tomate, soupe minestrone, eau | Olives en hors-d'œuvre, enchiladas au poulet et au poivron, eau |
| Riz brun et sauté de crevettes, brocoli et courge d'hiver, eau | Bifteck de surlonge grillé, champignons sautés, patate douce en purée, épi de maïs | Croquettes de saumon au four, brocoli, salade composée, orange |
| Tranches de dinde | Arachides en écaille | Maïs éclaté |
| Boisson frappée (*smoothie*) | Jus de légumes faible en sodium | Jerky de dinde (dinde séchée) |

### Ressources

www.goodmooddiet.com

www.powereating.com

*The Good Mood Diet*, S. Kleiner, Springboard Press, 2005.

# ALIMENTATION INTUITIVE

Ce programme d'alimentation s'oppose aux régimes amaigrissants et met l'accent sur une approche positive à l'égard des aliments. Il se veut un processus par lequel une personne réapprend à manger lorsqu'elle a faim et à ne pas ignorer ses fringales.

RÉGIME À LONG TERME

● ● ●

SOUPLESSE

● ● ●

RÉGIME FACILE À
SUIVRE EN FAMILLE

● ● ●

COÛT

●

DONNÉES SCIENTIFIQUES
À L'APPUI

● ● ●

### Origine du régime

Élaborée par deux diététistes, Evelyn Tribole et Elyse Resch, cette approche en matière d'alimentation repose sur les efforts qu'elles ont faits pour aider leurs clients à présenter une attitude saine à l'égard de la nourriture et à l'égard de leur esprit et de leur corps.

### Comment fonctionne-t-il?

Ce programme se fonde sur le principe que les régimes amaigrissants font plus de tort que de bien. Les auteures soutiennent que ces régimes entraînent des privations telles que les gens ont des fringales et des épisodes d'excès alimentaires pouvant mener à des troubles de l'alimentation.

Basé sur dix principes, le régime propose aux personnes qui le suivent de se défaire de leur mentalité «régime», de respecter leurs sensations de faim, de faire la paix avec la nourriture, de défier leur voix intérieure négative, de comprendre la faim, de découvrir la satisfaction, de composer avec leurs émotions les portant à manger, de respecter leur corps, de faire de l'exercice et de faire honneur à la nutrition et à la santé.

**voir aussi**
**Good Mood Diet** 146
**outre-mangeurs anonymes** 166

# menu type

Ce programme d'alimentation rejette la mentalité

| | samedi | dimanche | lundi | mardi |
|---|---|---|---|---|
| **matin** | Crêpes, sirop, œufs brouillés, tranches d'orange, café | Gruau avec framboises, pain de blé entier grillé, gelée, pamplemousse, lait, café | Céréales avec lait écrémé, banane, beurre d'arachide, café | Gruau avec petits fruits, pain grillé et fromage, lait au chocolat |
| **midi** | Dinde et fromage suisse sur pain de seigle, petits fruits frais et yogourt, tranches de tomate avec huile et vinaigre | Petit hamburger au fromage et frites, boisson gazeuse diète et pomme | Soupe aux légumes, sandwich à la dinde, yogourt | Sandwich à la salade de thon, pudding, bâtonnets de carottes |
| **soir** | Fèves cuites au four, poitrine de poulet grillée, épi de maïs, pêche avec crème fouettée légère | Légumes verts avec salade d'épinards, haricots noirs, riz brun, tranches d'avocat, brocoli | Pâtes de blé entier avec sauce, saumon, épinards, salade | Riz brun, patate douce, choux de Bruxelles, poulet |
| **collation 1** | Olives et fromage | Cantaloup et yogourt | 2 biscuits | 3 chocolats |
| **collation 2** | Verre de vin rouge | Maïs éclaté | Pomme | Fromage faible en gras |

Ce programme d'alimentation a pour but ultime l'adoption d'une attitude saine envers la nourriture. Comme il vise à reléguer les «diètes» aux oubliettes, il ne comprend pas de «régime à suivre». Grâce à l'exercice pour le plaisir et à des choix d'aliments intuitifs, la perte de poids est obtenue naturellement. Le programme repose sur des principes solides et diverses études en ont montré les résultats positifs.

## Avantages et désavantages

Cette approche met l'accent sur la nécessité d'apprendre à écouter son corps pour reconnaître les signes de la faim et d'acquérir des notions en nutrition pour pouvoir faire des choix alimentaires éclairés. Il laisse beaucoup de liberté quant aux choix de collations et d'aliments.

Ce régime a le désavantage d'être un processus souvent trop long pour changer la mentalité des personnes conditionnées à faire des régimes à répétition. Certaines personnes peuvent avoir besoin de conseils professionnels pour apprendre à composer avec les émotions qui les portent à manger et à développer un rapport plus sain avec la nourriture.

## Vous convient-il?

Ce programme est susceptible de plaire aux personnes qui luttent depuis des années pour suivre des régimes amaigrissants et qui ont besoin d'acquérir un rapport plus sain avec la nourriture. Il est axé sur la nécessité de composer avec ses émotions et d'afficher une attitude saine à l'égard de la nourriture. Tout le monde peut le suivre. Cependant, les personnes souffrant de problèmes de santé peuvent être obligées d'opter pour un régime spécialisé.

## Disponibilité

Les aliments compris dans ce programme se vendent dans tous les commerces d'alimentation et les supermarchés.

## Changements dans le mode de vie

Ce livre mettre l'accent sur l'importance de l'activité physique pour avoir plus d'énergie et améliorer son humeur. Il préconise l'exercice comme moyen de prendre soin de soi sans toujours penser à perdre du poids.

### Pensez-y bien...

- Éliminez vos petites voix destructrices, celle de la police de l'alimentation, celle de l'informateur et celle du rebelle! La première scrute chacune de vos bouchées et vous garde en état de guerre contre la nourriture; la deuxième vous vante inconsciemment et avec insistance les mérites des régimes amaigrissants; et la troisième ne cesse de vous assaillir, bien déterminée à s'opposer à tout régime.
- Mettez-vous à l'écoute de vos voix intérieures alliées. Développez les connaissances voulues pour entendre la voix de l'anthropologue de la nutrition, du nourricier, de l'allié en alimentation et du rebelle qui se révolte contre les régimes. Ces voix vous permettront de vous fixer des limites et de faire des choix sains, sans culpabilité. Ce sont des voix efficaces pour combattre les voix négatives qui vous hantent!

«régime» et encourage les gâteries pour satisfaire les fringales.

| mercredi | jeudi | vendredi |
|---|---|---|
| Omelette aux épinards et saucisse à la dinde, jus d'orange, café | Fromage faible en gras, œuf et bacon de dos sur muffin anglais, banane, café | Céréales avec raisins secs, lait écrémé, œuf à la coque |
| Salade composée avec pois chiches et betteraves, fromage cottage, petit pain de blé entier | Hamburger végétarien sur petit pain de blé entier, frites cuites au four et brocoli | Soupe aux lentilles, baguette de blé entier, salade d'épinards |
| Lasagne aux légumes, asperges, salade du jardin avec tomate, pointe de gâteau au chocolat | Enchiladas aux fèves, salade de betteraves, haricots verts | Sauté de légumes à la chinoise avec nouilles de blé entier, 2 wontons frits, lait écrémé |
| Verre de vin, fromage et pomme | Yogourt faible en gras | 1 petit morceau de gâteau au fromage |
| Carottes et vinaigrette faible en gras | Salade de fruits | Bleuets |

## Ressources

www.intuitiveeating.com

http://health.dailynewscentral.com/content/view/0001939/41/

*Intuitive Eating*, E. Tribole et E. Resch, 2e édition, St. Martin's Press, 2003.

**Remarque:** Ce menu est un menu du style MyPyramid fondé sur l'alimentation intuitive et il est tiré d'*Intuitive Eating*.

RÉGIME À LONG TERME

SOUPLESSE

RÉGIME FACILE À SUIVRE EN FAMILLE

COÛT

●

DONNÉES SCIENTIFIQUES À L'APPUI

# RÉGIME LACTO-OVO-VÉGÉTARIEN

Ce programme d'alimentation exclut la viande, la volaille et le poisson, mais inclut des fruits, des légumes, des grains, des noix, des graines, des produits laitiers et des œufs.

### Origine du régime

Le premier régime végétarien est apparu pendant le premier millénaire avant notre ère. Les non-consommateurs de viande étaient appelés Pythagoriciens, d'après Pythagore, le philosophe et mathématicien grec. Le mot « végétarien », cependant, n'existe que depuis 1873. Bien qu'il n'y ait pas de statistiques à l'échelle de la planète, un sondage mené en 2003 par le Vegetarian Resource Group indiquait que 2,3 pour cent des Américains âgés de plus de 18 ans sont végétariens.

### Comment fonctionne-t-il ?

Le régime lacto-ovo-végétarien inclut des fruits, des légumes, des graines, des noix, des céréales, des légumineuses, des produits laitiers (lacto) et des œufs (ovo). Les œufs et les produits de lait et de soja fournissent des protéines de grande qualité, tout comme d'autres combinaisons d'aliments, par exemple les céréales et les légumineuses, ou les graines et les noix, comme un sandwich au beurre d'arachide. S'il est équilibré, ce régime est considéré sain. Ce programme d'alimentation pourrait contribuer à prévenir certains cancers, à garder le cœur en santé, à abaisser la tension artérielle et à faciliter la gestion du poids.

**voir aussi**
**régime végétalien** 178

# menu type

Ce menu comprend des substituts de viande, comme

|  | samedi | dimanche | lundi | mardi |
|---|---|---|---|---|
| **matin** | Bacon végétarien, gaufre de blé entier avec sirop d'érable, pomme, jus de raisin | Œufs brouillés, pain de blé entier grillé, kiwi, jus de canneberge | Bagel de blé entier, beurre d'arachide, fraises, jus d'orange | Omelette aux légumes, pain de blé entier grillé, banane, thé chaud |
| **midi** | Saucisse de soja dans un petit pain de blé entier, fèves cuites au four, compote de pommes, lait | Pizza végétarienne, salade du jardin, fraises, lait | Salade d'épinards avec orange, gorgonzola, noix de Grenoble, vinaigrette à la framboise, crème de tomates, craquelins de blé entier, lait | Burrito au tofu et aux légumes, croustilles de maïs bleu avec salsa, ananas, lait |
| **soir** | Poivron vert farci avec du riz et du tofu, carottes, petit pain de blé entier, poire, lait | Brochettes de tofu et de légumes, couscous, mangue, lait | Galette de similipoulet, brocoli avec poivron rouge et oignon, riz sauvage aux pacanes et aux raisins secs, prunes, lait | Pain de fèves, purée de chou-fleur, haricots verts vapeur avec amandes effilées, petit pain de blé entier, raisin, lait |
| **collation** | Craquelins de blé entier, beurre d'arachide naturel | Boisson frappée aux fruits (*smoothie*) (faite de yogourt et de fruits frais) | Yogourt et miel, pêches, granola | Pita de blé entier, hoummos |

## Avantages et désavantages

Les protéines de grande qualité contiennent tous les acides aminés essentiels à la croissance. Certains aliments peuvent être combinés pour fournir tous les acides gras essentiels. En outre, les aliments d'origine végétale sont moins coûteux que la viande et une plus forte consommation de fruits et de légumes peut aider à prévenir la maladie, tandis qu'une plus forte consommation de substances phytochimiques et de fibres favorise une bonne santé. Ce régime doit toutefois être soigneusement planifié pour fournir toutes les substances nutritives nécessaires.

## Vous convient-il?

Un régime végétarien plaira aux personnes qui se soucient à la fois de manger sainement et de respecter l'environnement. Si vous suivez ce régime pour des raisons autres que la perte de poids, vous pouvez manger à volonté de tous les aliments contenus dans le régime. Pour perdre du poids, vous devrez consommer des salades et des vinaigrettes sans gras et des légumes sans amidon pour accroître votre sensation de satiété sans consommer trop de calories.

Planifié avec soin, le régime lacto-ovo-végétarien convient à tout le monde. Cependant, dans le cas des enfants, des adolescents, des femmes enceintes et des femmes qui allaitent, il est très important de s'assurer que leur régime végétarien contient de bonnes sources de substances nutritives en quantités appropriées.

## Disponibilité

Il est facile de se procurer les aliments et les boissons compris dans ce régime, comme les substituts de viande et le lait, le fromage, le yogourt et les autres produits à base de soja ou de riz. De nombreux restaurants et de nombreuses cafétérias proposent des plats végétariens.

## Changements dans le mode de vie

Pour passer à un régime végétarien, vous devrez modifier graduellement votre comportement. Vous devrez lire toutes les étiquettes d'aliments et apprendre à faire vos achats et à confectionner des plats lacto-ovo-végétariens. Cela demande du temps. Vous devrez aussi vous familiariser avec les types d'aliments denses en éléments nutritifs.

des galettes de similipoulet (maison ou vendues dans le commerce).

| mercredi | jeudi | vendredi |
|---|---|---|
| Saucisse végétarienne, muffin anglais multigrains, coupe de cantaloup et de melon miel, jus de pomme | Gruau, œuf dur, orange, thé chaud | Céréales de grains entiers avec lait de soja et bleuets, pain de blé entier grillé et fromage faible en gras, jus d'orange |
| Sandwich au fromage avec piment fort sur pain de blé entier, soupe aux lentilles, coupe de fruits, lait | Sandwich « Reuben » au tofu, frites de patate douce cuites au four, framboises et bleuets avec garniture fouettée sans gras, lait | Chili végétarien (fait de soja), sandwich grillé au fromage et aux tomates sur pain de blé entier, bâtonnets de carottes et de courgettes avec vinaigrette ranch, tranches de pêche garnies de yogourt nature, lait |
| Raviolis au fromage et aux épinards garnis de sauce Marinara, salade César (sans anchois), pastèque, lait | Hamburger végétarien sur petit pain de blé entier avec laitue, fromage, tomate et oignon, pommes de terre rouges rôties, brochette de fruits, lait | Aubergines parmesan, asperges, petit pain de blé entier, abricots, lait |
| Fromage cottage et fruits frais | Petite quesadilla (haricots frits végétariens, fromage léger et tortilla de blé entier) | Bagel de grains entiers avec fromage à la crème léger |

## Ressources

www.vrg.org

www.nal.usda.gov/fnic/etext/000058.html

www.vegetariannutrition.net

www.vegsoc.org/health

*The Vegetarian Way*, V. Messina et M. Messina, Three Rivers Press, 1996.

**Remarque:** Lorsque du « lait » est inclus dans un repas, il peut s'agir de lait de vache, de lait de soja enrichi ou de lait de riz enrichi. Le lait de soja et le lait de riz devraient être enrichis de calcium et de vitamine D. Lorsque vous achetez du jus, optez pour du jus enrichi de calcium.

RÉGIME À LONG TERME

SOUPLESSE

RÉGIME FACILE À SUIVRE EN FAMILLE

COÛT

●

DONNÉES SCIENTIFIQUES À L'APPUI

# RÉGIME À TENEUR RÉDUITE EN LACTOSE

Ce régime fournit des lignes directrices aux personnes qui souffrent d'une intolérance au lactose ou qui ont de la difficulté à digérer cette substance. Les personnes allergiques au lait devront pour leur part prendre d'autres précautions d'ordre alimentaire.

### Origine du régime
Trois pédiatres ont décrit l'intolérance au lactose en 1901. Les prescriptions alimentaires d'autrefois étaient plus sévères qu'elles ne le sont aujourd'hui. De nos jours, le niveau d'intolérance (indigestion) détermine les restrictions et les stratégies alimentaires nécessaires.

### Comment fonctionne-t-il?
Pendant la digestion, le lactose se dégrade en deux sucres plus simples – le glucose et le galactose, avec l'aide de l'enzyme lactase, présente dans l'intestin grêle. L'organisme étant incapable de produire de la lactase ou d'en produire en quantités suffisantes, le lactose ou sucre du lait parvient jusqu'au côlon et ne peut plus être décomposé. Or, cela cause des symptômes désagréables comme des gaz, des ballonnements et de la diarrhée.

Bien qu'il existe diverses stratégies, elles visent toutes l'un ou l'autre ou les deux buts suivants : réduire la quantité de lactose ingérée ou décomposer le lactose en glucose et en galactose avant qu'il ne soit ingéré. Une personne souffrant d'intolérance au lactose doit éviter le lait, ce qui inclut le lait évaporé, la crème glacée, la crème et les produits contenant du lait ou de la poudre de lait, pour réduire la quantité de lactose qu'elle consomme. Elle peut le remplacer

# menu type Ce programme d'alimentation inclut du lait sans lactose ou faible

|  | samedi | dimanche | lundi | mardi |
|---|---|---|---|---|
| **matin** | Céréales de flocons de blé, lait faible en gras sans lactose, bagel de farine d'avoine, margarine, banane | Beurre d'arachide, boisson frappée aux bananes (*smoothie*) faite avec ½ tasse de lait écrémé*, craquelins de blé entier | Grau et lait faible en gras sans lactose, pain de blé entier grillé, quartiers de pamplemousse, café | Omelette aux légumes, pain de blé entier grillé, café et lait faible en gras sans lactose |
| **midi** | Salade César avec poulet grillé et vinaigrette à tenir réduite en calories, petit pain multigrains, eau | Soupe à l'oignon, ½ sandwich au thon, laitue et tomate, limonade | Salade verte garnie de cubes de jambon et de fromage cheddar, vinaigrette italienne, boisson gazeuse diète | Soupe aux légumes, aux fèves et aux pâtes alimentaires, salade César, petit pain de grains entiers, mélange de jus d'orange et d'ananas |
| **soir** | Tilapia grillé, brocoli gratiné, pommes de terre rouges, petit pain, jus d'orange | Salade romaine garnie de lanières de poulet grillé et vinaigrette italienne, pain multigrains, eau pétillante | Chili de dinde hachée et fèves en sauce tomate, riz brun, haricots verts vapeur, limonade fraîche | Pizza aux légumes sur croûte de blé entier, pamplemousse, thé glacé |
| **collation 1** | Pudding à la vanille et au lait sans lactose | Glace aux fruits | Eau gazeuse additionnée de jus d'orange, craquelins de grains entiers | Craquelins, chocolat chaud au lait sans lactose |
| **collation 2** | Maïs éclaté, jus de canneberge | Poire garnie de yogourt à la vanille | Bagel, margarine, jus de pomme | Salade de fruits tropicaux, bâtonnets de pain de seigle |

par du lait sans lactose ou à teneur réduite en lactose. Elle peut consommer des fromages vieillis et du yogourt si le lait a fermenté et si ces produits n'ont pas été additionnés d'autre lait.

Une personne souffrant d'intolérance au lactose peut aussi se procurer de la lactase sous forme de pilules en vente libre dans les pharmacies, qu'elle prendra avant de consommer du lactose pour décomposer le sucre en glucose et en galactose. En général, elle n'a pas besoin d'éviter complètement les produits laitiers non fermentés et peut suivre les lignes directrices suivantes : boire de petites quantités de lait avec d'autres aliments ; privilégier les fromages vieillis ; introduire des produits laitiers dans son alimentation puis en augmenter les quantités lentement et graduellement ; utiliser du lait et des produits laitiers sans lactose ; et consommer du yogourt bioactif.

## Avantages et désavantages

Ce programme d'alimentation aidera une personne souffrant véritablement d'intolérance au lactose à consommer des produits laitiers sans éprouver d'inconfort.

Toute personne qui suit ce régime pour combattre l'intolérance au lactose doit prendre soin de consommer des quantités appropriées de calcium. Une personne qui s'est autodiagnostiqué une intolérance au lactose peut suivre ce régime à tort sans savoir qu'elle souffre d'une allergie à une protéine du lait.

### Qu'est-ce que le lactose ?

Le lactose est le sucre naturellement présent dans le lait. Pendant la digestion, il est décomposé en deux autres sucres, le glucose et le galactose, à l'aide d'une enzyme appelée lactase. Si une personne ne produit pas de lactase ou si elle n'en produit pas en quantités suffisantes, le lactose ne peut pas être dégradé, ce qui entraîne de l'inconfort physique.

## Vous convient-il ?

Ce programme d'alimentation convient à toute personne dont l'intolérance au lactose a été médicalement testée et diagnostiquée. Les personnes souffrant d'une allergie au lait ne devraient pas suivre ce régime, mais consulter plutôt une personne compétente qui leur conseillera une alimentation appropriée.

## Disponibilité

Tous les aliments compris dans ce régime sont très courants et se vendent dans toutes les épiceries et tous les supermarchés.

## Changements dans le mode de vie

Aucun.

### Truc santé

- Si vous croyez souffrir d'une intolérance au lactose ou si vous avez de la difficulté à digérer le lactose, ne posez pas d'autodiagnostic. Consultez plutôt votre médecin qui jettera un coup d'œil sur vos antécédents médicaux et vous fera passer un examen médical complet ainsi qu'une épreuve respiratoire à l'hydrogène ou une épreuve de tolérance au lactose.

en lactose, des fromages vieillis et du yogourt bioactif pour augmenter la consommation de calcium.

| mercredi | jeudi | vendredi | **Ressources** |
|---|---|---|---|
| Céréales sèches de grains entiers, lait faible en gras sans lactose, quartiers d'orange, thé chaud | Crème de blé et lait faible en gras sans lactose, pain de blé entier grillé, jus d'ananas | Bagel de farine de blé entier avec saucisse faible en gras, café et lait faible en gras sans lactose | www.nationaldairycouncil.org |
| Sandwich de salade de poulet, salade verte avec vinaigre et huile de colza, petite boisson au yogourt contenant des probiotiques | Hamburger végétarien sur pain de blé entier avec tomate, salade de fruits, thé glacé | Poitrine de dinde grillée, riz pilaf, carottes vapeur, lait sans lactose aromatisé au chocolat | www.nationaldairycouncil.com |
| Ragoût de poisson, oignons et tomates, riz jaune, choux de Bruxelles, eau pétillante | Côtelette d'agneau aux fines herbes, purée de chou-fleur, épinards sautés, petit pain de blé entier, thé glacé | Veau parmesan et légumes variés, salade d'accompagnement, pain italien à l'ail, vin rouge | digestive.niddk.nih.gov/ddiseases/pubs/lactoseintolerance |
| Jus de raisin, gâteau des anges garni de petits fruits | Jus de tomate, craquelins au riz | Lait frappé (smoothie) aux fruits | |
| Salsa, croustilles pita cuites au four, boisson gazeuse diète | Pomme cuite au four, lait sans lactose | Mélange du randonneur, jus d'orange | |

Remarque : Des régimes plus restrictifs peuvent interdire tous les produits laitiers.
* S'il est toléré ; autrement, utiliser du lait sans lactose ou faible en lactose.

# PYRAMIDE DIÉTÉTIQUE LATINO-AMÉRICAINE

Ce programme d'alimentation qui comprend des aliments exotiques provenant de diverses cultures latino-américaines favorise une alimentation saine et une bonne forme physique.

### Origine du régime

La pyramide diététique latino-américaine est le 3e guide alimentaire mis au point par l'Oldways Preservation Trust pendant les années 1990. Son cofondateur, K. Dun Gifford, a fait la promotion d'habitudes alimentaires saines basées sur une philosophie préconisant la consommation d'aliments traditionnels, l'utilisation de formes d'agriculture durables et l'appréciation des arts culinaires du monde entier. Des variantes de ce régime alimentaire existent depuis toujours dans différentes parties d'Amérique latine où les aliments traditionnels incluent le maïs, les pommes de terre, les arachides et les haricots secs.

La pyramide diététique latino-américaine jouit d'une meilleure reconnaissance internationale et d'un soutien accru depuis qu'a été tenu à Mexico en 2003 un sommet réunissant un consortium de conseillers scientifiques et culinaires, de membres de l'industrie et d'autres spécialistes en nutrition préconisant des programmes d'éducation pour une vie saine axés sur le choix d'aliments sains et sur l'exercice.

**Truc santé**
• Régalez vos papilles gustatives en leur faisant découvrir les saveurs exotiques de la très intéressante variété de fruits, de légumes et de céréales compris dans ce programme d'alimentation.

### Comment fonctionne-t-il?

La pyramide combine les mérites nutritionnels des plats traditionnels latino-américains des cultures aztèque, inca et maya avec des aliments ou des recettes introduits dans cette région par Colomb et les autres explorateurs européens.

À la base de cette pyramide d'alimentation à trois niveaux, il y a la recommandation de s'adonner quotidiennement à des activités physiques, comme la marche et la danse. Selon ce régime, il faut

**voir aussi**
**pyramide du régime asiatique** 134
**pyramide diététique méditerranéenne** 160
**régime MyPyramid** 162

# menu type

Ces menus sont axés sur des aliments traditionnels,

|  | samedi | dimanche | lundi | mardi |
|---|---|---|---|---|
| **matin** | Céréales de blé entier, lait, tomate, jus, café avec du lait | Galette de maïs cuite au four avec fromage, café avec du lait | Jus de mangue, omelette aux blancs d'œuf avec poivron rouge, tortillas de maïs, café avec du lait | Céréales de blé entier, lait, banane, café avec du lait |
| **collation** | Chocolat chaud avec du lait, craquelins de blé entier avec gelée de goyave | Salade de melon, thé glacé | Coupe de fruits tropicaux | Milkshake à la papaye, pain de blé entier grillé |
| **midi** | Sandwich jambon et fromage, jus d'orange, arachides | Guacamole, fèves écrasées, tortillas de blé entier, salade | Soupe au poulet et nouilles, salade avec pacanes, tranches d'orange | Quesadillas, salade de tomates et de poivron, jus d'orange |
| **collation** | Coupe d'agrumes avec amandes, thé glacé | Pomme, fromage blanc, craquelins de blé entier | Fromage blanc, petit pain de blé entier, chocolat chaud avec du lait | Arachides, thé glacé |
| **soir** | Crevettes grillées, yucca bouilli, carottes, petits pains de blé entier | Longe de porc avec piments forts, succotash, patate douce au four | Poisson grillé, chou frisé, tortillas de blé entier, salade composée, thé glacé | Côtelette de porc au four, pomme de terre au four, aubergine rôtie, petits pains de blé entier, chocolat chaud avec du lait |

consommer à chaque repas des aliments du premier niveau de la pyramide, soit des aliments compris dans les catégories des fruits, des légumes et des grains entiers, des tubercules, des pâtes, des haricots secs et des noix. Il faut aussi consommer à chaque repas des aliments provenant du deuxième niveau de la pyramide, soit du poisson ou des crustacés, des huiles végétales ou des produits laitiers et de la volaille. Enfin, il est recommandé de limiter à une fois par semaine sa consommation des aliments du troisième niveau, qui incluent la viande, les sucreries et les œufs.

Une personne qui suit ce régime doit boire au moins six verres d'eau par jour et consommer de l'alcool avec modération. Certains des menus suggérés incluent des aliments indigènes des Amériques, comme l'amarante, le cacao, les piments forts, et la dinde, mais aussi des aliments introduits lors de la colonisation espagnole, tels que le bœuf et les courgettes.

## Avantages et désavantages

Ce programme comprend des conseils utiles sur la façon d'intégrer des aliments populaires de différentes cultures

dans un régime sain s'appuyant sur la recherche scientifique, le souci de l'écologie et des ingrédients régionaux. Malheureusement, cette pyramide alimentaire ne précise pas la taille des portions. Si la personne au régime a besoin de portions quotidiennes ou d'un nombre donné de portions provenant de chaque groupe d'aliments, elle doit obtenir de l'information d'autres sources.

### gâteries

AU CHOIX :
- papaye
- mangue
- ananas
- arachides
- limettes

- goyave
- chérimole
- cacao
- puddings
- biscuits (à l'occasion)

## Vous convient-il ?

Ce régime plaira plus particulièrement aux personnes qui apprécient les fruits et les légumes tropicaux ou qui s'intéressent aux aliments exotiques et aux autres cultures et qui sont audacieuses en matière d'alimentation.

## Disponibilité

La plupart des aliments compris dans ce régime se vendent dans tout commerce d'alimentation ou supermarché. Recherchez les ingrédients moins bien connus dans les allées consacrées aux produits ethniques ou aux produits spéciaux. Certains fruits et légumes peuvent être difficiles à trouver ou relativement coûteux lorsqu'ils ne sont pas en saison.

## Changements dans le mode de vie

De l'activité physique régulière est recommandée

comme les légumineuses, les courges, les graines, les noix et les piments.

| mercredi | jeudi | vendredi |
|---|---|---|
| Orange, gruau avec du lait, café avec du lait | Œufs brouillés, pain de blé entier grillé, jus d'ananas, café avec du lait | Gruau avec du lait, pamplemousse, café avec du lait |
| Jus de tomate | Pomme, thé glacé | Tortilla de maïs avec fromage |
| Burritos aux fèves, salade de cactus, légumes verts et amandes, jus d'ananas | Poisson grillé, plantain au four, salade de pois chiches et quinoa, petit pain de blé entier | Soupe aux légumes et nouilles, salade César, pain de blé entier grillé |
| Chocolat chaud avec du lait, craquelins de blé entier avec gelée | Salade de melon, thé | Banane, graines de citrouille |
| Saumon grillé, petits pains de blé entier, sauté de courgette et d'oignon, thé glacé | Pâtes avec tomate et fromage, salade verte | Poitrine de dinde, riz jaune, salade d'épinards avec orange |

### Ressources

www.latinonutrition.org/ LatinPyramid.html

www.oldwayspt.org

*Contemporary Nutrition for Latinos,* J. Rodriguez, Universe, 2004.

Remarque : Lorsque de lait est au menu, choisissez du lait écrémé ou du lait 1 % ou 2 %.

RÉGIME À LONG TERME

SOUPLESSE

RÉGIME FACILE À
SUIVRE EN FAMILLE

COÛT

●

DONNÉES SCIENTIFIQUES
À L'APPUI

# RÉGIME FAIBLE EN SODIUM

Un régime faible en sodium (un composant du sel de table et un ingrédient naturel) permet de prévenir ou de maîtriser certains types de maladies et de problèmes de santé.

### Origine du régime

Dans le domaine de la santé, le régime faible en sodium est utilisé depuis de nombreuses années pour traiter des patients souffrant d'hypertension, de problèmes rénaux, d'insuffisance cardiaque globale et d'œdème (rétention d'eau). Très bien connu et utilisé à l'origine par des professionnels de la santé pour éduquer les patients, ce régime a récemment gagné en popularité auprès des personnes désireuses de protéger leur santé.

### Comment fonctionne-t-il?

Un adulte en santé a besoin d'environ 500 mg de sodium par jour, mais un régime alimentaire moyen en fournit environ 6000 mg. En quantités excessives, le sel peut causer de la soif, de l'œdème, de l'hypertension et divers autres problèmes de santé.

Une partie du sodium que nous ingérons est liée à notre consommation de sel, mais la majeure partie vient des agents de conservation utilisés dans les aliments transformés ou mis en conserve.

Pour suivre les lignes directrices du régime faible en sodium, il faut lire très attentivement les étiquettes des aliments et les listes d'ingrédients afin de faire des choix sains et éclairés. Limitez la quantité de sel que vous utilisez dans vos recettes et à table et optez plutôt pour des fines herbes et des épices sans sel qui ajoutent saveur et variété !

Prenez soin de consommer des soupes maison ou des produits achetés qui contiennent peu de sel.

**voir aussi**
**régime DASH** 138
**régime TLC** 176

# menu type

Dans un régime faible en sodium, il faut manger plus de

|  | samedi | dimanche | lundi | mardi |
|---|---|---|---|---|
| **matin** | Pain doré, pamplemousse, lait écrémé | Crêpes à la farine de sarrasin, fraises, melon miel, lait écrémé | Burrito, cantaloup, lait écrémé | Gruau avec raisins secs, jus d'orange, lait écrémé |
| **midi** | Chili végétarien, pomme de terre au four, craquelins de blé entier faibles en sel, cantaloup, limonade | Chaudrée de palourdes à la new-yorkaise à teneur réduite en sel, craquelins de blé entier faibles en sel, orange, lait écrémé | Sandwich à la poitrine de poulet, pointes de pomme de terre au four | Salade de taco avec croustilles de tortilla, avocat, lait écrémé |
| **soir** | Pizza garnie, salade verte, lait écrémé | Sauté de tofu avec légumes, riz brun, yogourt aux fruits, thé glacé | Saumon grillé, riz au safran avec amandes, brocoli, lait écrémé | Lasagne aux épinards farcie au hoummos, petit pain de blé entier, lait écrémé |
| **collation 1** | Craquelins de blé entier (sans sel) | Graine de tournesol (sans sel) | Jus d'orange | Amandes |
| **collation 2** | Cocktail de fruits conservés dans de l'eau | Bananc | Bâtonnets de carottes | Ananas |

## Pensez-y bien...

- Au lieu d'ajouter du sel, utilisez des mélanges de fines herbes faibles en sel pour assaisonner votre alimentation. Utilisez du 4-épices ou du cumin pour assaisonner la viande et du basilic ou du fenouil pour aromatiser les plats de poisson. L'oignon, l'origan et les poivrons rouges ajoutent de la saveur aux légumes. Préparez des mélanges d'herbes et d'épices qui vous plaisent pour rehausser la saveur de vos plats !
- N'oubliez pas de toujours lire les étiquettes des aliments. Évitez les produits dont la liste des ingrédients sur l'étiquette contient le mot «sodium» (seul ou en combinaison avec d'autres mots).

## Avantages et désavantages

Cette stratégie en matière d'alimentation consiste à réduire sa consommation de sel de table et d'aliments transformés ou en conserve qui sont riches en sodium et en sel et à privilégier la consommation de toute une variété d'aliments frais, de fines herbes et d'épices. Une personne qui comprend les recommandations à suivre jouit d'une grande souplesse dans ses choix d'aliments.

Le désavantage de ce régime est l'absence de suggestions de menus ou de recommandations en matière d'apport calorique pour réduire sa consommation d'aliments riches en sodium.

## Vous convient-il ?

Un régime faible en sodium vous permet de manger en quantités modérées toutes sortes d'aliments, qu'ils soient riches ou faibles en sel, mais il recommande aussi de consommer des fruits et des légumes en abondance. Ce régime peut être bénéfique aux personnes souffrant d'hypertension, d'une maladie rénale, d'œdème ou d'une maladie cardiovasculaire, ainsi qu'aux personnes à risque qui ont des antécédents familiaux de cardiopathie. Dans un régime faible en sodium, la quantité de sel consommée est limitée à l'apport quotidien recommandé, mais la quantité des autres substances nutritives vitales n'est pas modifiée, de sorte que ce régime convient à toute personne qui veut consommer moins de sel.

## Disponibilité

Les aliments qui sont recommandés dans ce régime, y compris les fruits et les légumes frais et la plupart des fruits et légumes surgelés, la viande fraîche et les grains préparés sans ajout de sel – se vendent dans la plupart des commerces d'alimentation.

## Changements dans le mode de vie

Il est recommandé de faire entre 30 et 45 minutes d'activité physique, de 3 à 5 fois par semaine.

## aliments interdits

- cornichons marinés
- olives
- charcuterie
- produits en conserve (légumes, soupes et plats de viande)
- plats surgelés
- croustilles
- craquelins
- certains fromages
- vin de cuisson
- choucroute

## fruits frais et moins d'aliments transformés.

| mercredi | jeudi | vendredi |
|---|---|---|
| Céréales de flocons de son, lait écrémé, banane, pain de blé entier grillé, margarine, jus de pruneaux | Œuf dur, muffin anglais de blé entier, margarine, gelée, pamplemousse | Céréales de blé soufflé, raisins secs, lait écrémé, banane, pain de blé entier grillé, margarine, gelée |
| Sandwich au thon, poire, lait écrémé | Soupe minestrone avec fèves, carottes miniatures, pain français, lait écrémé | Sandwich à la dinde fumée, pomme, jus de tomate sans sel ajouté |
| Poitrine de poulet rôtie, patate douce, petits pois et oignons, salade verte au vinaigre de cidre | Rigatonis et sauce bolognaise, salade d'épinards avec vinaigrette à la tangerine, lait écrémé | Bifteck d'aloyau grillé, purée de pommes de terre, carottes, petit pain de blé entier, lait écrémé |
| Abricots séchés | Fruit, yogourt | Yogourt |
| Yogourt | Pomme | Raisins secs |

## Ressources

www.mayoclinic.com/health/food-and-nutrition/AN00350

www.healthsystem.virginia.edu/internet/digestive-health/nutrition/lowsoddiet.cfm

www.nlm.nih.gov/medlineplus/ency/article/002415.htm

RÉGIME À LONG TERME
●

SOUPLESSE
●

RÉGIME FACILE À
SUIVRE EN FAMILLE
●

COÛT
●

DONNÉES SCIENTIFIQUES
À L'APPUI
●

# RÉGIME MASTER CLEANSER

Le régime Master Cleanser est conçu pour débarrasser
l'organisme de ses toxines et nettoyer les reins et le système
digestif.

### Origine du régime

Après l'avoir popularisé dans les années 1940, Stanley Burroughs a publié ce
régime pour la première fois en 1976. Le régime Master Cleanser se fonde sur
le régime à la limonade. Il est recommandé pour « toutes les maladies
chroniques et aiguës », « lorsque l'obésité est un problème », « lorsque le
système digestif a besoin d'un répit » ou « lorsqu'il est nécessaire de rebâtir les
tissus organiques ». Deux autres versions de ce régime ont été publiées depuis
les années 1970, et elles s'inspirent toutes les deux du régime à la limonade.
Diverses vedettes ont rendu ce régime célèbre et en ont fait la promotion
surtout pour nettoyer l'organisme et perdre du poids rapidement.

### Comment fonctionne-t-il ?

Il est recommandé de suivre ce régime pendant au moins 10 jours, mais pas plus
de 40 jours ; il est réputé satisfaire tous les besoins alimentaires pendant cette
période. Le régime consiste à boire de 6 à 12 verres d'une boisson au citron
pendant les heures d'éveil. Aucun autre aliment ne doit être consommé pendant
toute la durée du régime. Le régime interdit la prise de suppléments. Il ne permet
que l'ajout d'eau. Du thé ayant un effet laxatif peut être consommé matin et soir
pour accroître l'élimination des déchets.

La boisson au citron agit supposément en raison des caractéristiques
exceptionnelles des ingrédients qui la composent. Les citrons ou les limettes
doivent être frais et biologiques de préférence. En ajoutant de la pulpe et de

# menu type

Buvez quotidiennement entre 6 et 12 verres

|  | samedi | dimanche | lundi | mardi |
|---|---|---|---|---|
| **matin** | Boisson au citron* | Boisson au citron* | Boisson au citron* | Boisson au citron* |
| **midi** | Boisson au citron* | Boisson au citron* | Boisson au citron* | Boisson au citron* |
| **soir** | Boisson au citron* | Boisson au citron* | Boisson au citron* | Boisson au citron* |
| **collations (3 à 9 fois par jour)** | Boisson au citron* | Boisson au citron* | Boisson au citron* | Boisson au citron* |

l'écorce au jus, on en renforce l'effet purifiant et il agit comme laxatif. Il semble que le sirop d'érable (les catégories plus foncées, B et C de préférence) contienne toute une variété de vitamines et de minéraux. On dit qu'il ne faut pas remplacer le sirop d'érable par du miel, et qu'il ne faudrait jamais en ingérer. Le poivre de Cayenne enrichit le régime de vitamines B et C, qui seraient nécessaires pour dégrader les mucosités et « accroître la chaleur en fortifiant le sang ».

Pendant le premier et le deuxième jour du régime, vous pouvez ajouter à votre régime plusieurs verres de jus d'orange et de l'eau additionnelle, si vous en avez envie. Le troisième jour, buvez du jus d'orange pendant la matinée, mangez un fruit frais à midi et une salade de fruits ou de légumes crus le soir. Le régime à vie recommandé est un régime végétarien composé d'aliments naturels.

### Avantages et désavantages

À court terme, ce régime ne peut pas faire de tort. Cependant, l'allégation selon laquelle il comblerait les besoins nutritifs est discutable : chaque verre de boisson au citron contient environ 115 calories, aucun gras pour ainsi dire, 0,4 g de protéines et 29 g de glucides. Ce régime est déconseillé aux personnes qui souffrent de certaines maladies, plus particulièrement d'insuffisance rénale et de cancer, car il pourrait aggraver leur état ou causer de la malnutrition.

À l'heure actuelle, les données scientifiques ne montrent pas que le jeûne, un apport extrêmement faible en calories ou les citrons débarrassent l'organisme de ses toxines. En outre, si ce régime est

sans danger pendant quelques jours, son utilisation à long terme peut entraîner un ralentissement du métabolisme et une déperdition de muscle et endommager certains organes.

### Vous convient-il?

Ce régime convient aux personnes qui veulent s'éloigner radicalement de leur alimentation habituelle, traiter des problèmes de santé susceptibles d'être atténués par ce type de régime ou débarrasser leur organisme de ses toxines. Il est déconseillé aux personnes qui souffrent de diabète, de maladies rénales, de cancer, du syndrome du côlon irritable ou d'autres maladies. Avant d'entreprendre ce régime, vous devriez consulter votre médecin.

### Disponibilité

Les ingrédients recommandés se vendent dans toutes les épiceries.

### Changements dans le mode de vie

Aucun, autre que le régime.

### de boisson au citron* pendant au moins 10 jours.

| mercredi | jeudi | vendredi |
|---|---|---|
| Boisson au citron* | Boisson au citron* | Boisson au citron* |
| Boisson au citron* | Boisson au citron* | Boisson au citron* |
| Boisson au citron* | Boisson au citron* | Boisson au citron* |
| Boisson au citron* | Boisson au citron* | Boisson au citron* |

\* Recette contenue dans *The Master Cleanser – with special needs and problems,* de S. Burroughs.

### Ressources

www.mastercleanser.com

www.webmd.com/food-recipes/features/detox-diets-purging-myths

*The Master Cleanser – with special needs and problems,* S. Burroughs, Burroughs Books, 1976, éd. révisée en 1993.

*Lose Weight, Have More Energy & Be Happier in 10 Days,* Peter Glickman, 2005.

*Complete Master Cleanse: A Step by Step Guide to Maximizing the Benefits of the Lemonade Diet,* T. Woloshyn, Ulysses Press, 2007.

# PYRAMIDE DIÉTÉTIQUE MÉDITERRANÉENNE

Un guide d'alimentation qui repose sur les habitudes alimentaires et le style de vie de l'Italie, de la Grèce et de diverses parties de l'Afrique du Nord et du Moyen-Orient.

RÉGIME À LONG TERME

●●●

SOUPLESSE

●●●

RÉGIME FACILE À SUIVRE EN FAMILLE
●●●

COÛT
●

DONNÉES SCIENTIFIQUES À L'APPUI
●●●

### Origine du régime

S'inspirant fortement des habitudes alimentaires et culturelles de plus de 15 pays ceinturant la Méditerranée, ce régime a d'abord été élaboré par l'Oldways Preservation Trust, une organisation qui se consacre à la promotion d'une alimentation saine fondée sur la consommation d'aliments traditionnels, l'utilisation de formes d'agriculture durables et l'appréciation des arts culinaires du monde entier. Ces principes ont été à la base de nombreux livres de recettes, et de nombreuses organisations ont établi leur programme en utilisant ou en créant une variante de cette pyramide diététique.

### Comment fonctionne-t-il?

Selon le régime de la pyramide diététique méditerranéenne, il faut faire de l'activité physique tous les jours et consommer les aliments suivants: pain, riz, pâtes, couscous, polenta et autres grains entiers, pommes de terre, fruits, fèves, légumineuses, noix, légumes, huile d'olive, fromage et yogourt. La

**voir aussi**
**pyramide du régime asiatique** 134
**pyramide diététique latino-américaine** 154
**régime MyPyramid** 162

## menu type
Privilégiez la consommation quotidienne d'aliments de source

|  | samedi | dimanche | lundi | mardi |
|---|---|---|---|---|
| **matin** | Œuf dur, pain pita, ½ pamplemousse, thé, eau | Polenta, pointe de fromage, raisins, café | Gruau, tranches d'orange, café | Yogourt, fruits frais, pain multigrains, café, eau |
| **midi** | Pointes de pomme de terre, sardines avec tomate et oignon dans de l'huile d'olive, salade grecque | Pain plat, soupe aux lentilles, chou-fleur au cari, salade aux poires et noix de Grenoble | Pommes de terre à l'oignon cuites au four, poitrine de poulet, salade d'épinards et olives, eau | Riz aux pistaches et haricots de Lima, salade verte et huile d'olive, figues |
| **soir** | Feuilles de vigne farcies aux légumes, salade de haricots blancs et avocat, taboulé, vin | Pâtes à la primavera avec lanières de poulet, tranches de concombre et de tomate avec huile d'olive, eau | Soupe aux légumes, pâtes au pesto, salade d'avocat et de cresson | Poisson grillé, couscous avec raisins secs, brocoli aux fines herbes, pain plat |
| **collation 1** | Fromage, olives | Nectarines | Yogourts, petits fruits tranchés | Raisins |
| **collation 2** | Pistaches | Raisins | Olives | Glace aux fruits |

consommation de poisson, de volaille, d'œufs et de sucreries est limitée à une fois par semaine, tandis que la consommation de viande est réduite à une fois par mois.

La composition de la pyramide repose sur le patrimoine culinaire de pays où les gens mettent l'accent sur la consommation d'aliments cultivés localement et transformés le moins possible, notamment de grandes quantités de fruits et de légumes frais, de pain et autres céréales (plus particulièrement de grains entiers), de pommes de terre, de haricots secs, de noix, de graines et d'huile d'olive. Il est permis de consommer des quantités modérées de produits laitiers, y compris du yogourt et du fromage, ainsi que de poisson, de volaille et d'œufs, mais la viande rouge doit demeurer une gâterie rare. Ce régime permet aussi de boire du vin aux repas, avec modération, naturellement.

Au cours des dernières années, ce régime a connu encore plus de popularité en raison du lien qui a été établi entre des risques moins élevés de cardiopathie et une alimentation riche en huile d'olive et faible en gras saturés. Des études plus poussées sont cependant nécessaires pour déterminer quelles sont les composantes alimentaires précises ou les composantes alimentaires combinées aux facteurs liés au style de vie qui ont le plus d'influence sur les taux de cardiopathie.

### Avantages et désavantages
Reposant à la fois sur des données scientifiques et des données culturelles, ainsi que sur une philosophie préconisant des habitudes alimentaires traditionnelles et un mode de vie actif, le régime de la pyramide diététique méditerranéenne incorpore des aliments sains de diverses régions dans des cuisines populaires dans le monde entier.

Malheureusement, la pyramide ne donne pas d'indications sur la taille des portions, tandis que la fréquence de consommation de certains types d'aliments peut varier d'un pays à l'autre. Il est recommandé de consommer de l'huile d'olive, mais n'oubliez pas qu'il faut toujours essayer d'éviter de consommer trop de gras.

### Vous convient-il?
Ce régime plaira aux personnes qui apprécient la fraîcheur des aliments qui le composent et qui aiment manger de grandes quantités de fruits, de légumes, de fèves et de noix.

### Disponibilité
La majorité des ingrédients compris dans ce régime se vendent dans la plupart des commerces d'alimentation. Vous les trouverez dans les sections réservées aux fruits et aux légumes frais, aux grains entiers et aux produits laitiers à teneur réduite en gras.

### Changements dans le mode de vie
De l'activité physique quotidienne doit faire partie de ce programme d'alimentation.

## gâteries
- olives
- raisins
- noix
- pâtisseries et biscuits (à l'occasion)

**Truc santé**
- Confectionnez de délicieuses trempettes pour vos collations à l'aide de purées de haricots blancs, de pois chiches, de lentilles ou d'aubergine additionnées de tomate, d'ail, de câpres et d'huile d'olive. Mangez-les avec du pain pita ou des bâtonnets de légumes crus.

végétale et de quantités modérées de fromage, de yogourt et d'huile d'olive.

| mercredi | jeudi | vendredi |
|---|---|---|
| Omelette aux épinards et fromage feta, pain plat, thé | Pain de blé entier, fromage mascarpone, marmelade, café, eau | Gruau avec fraises, pain italien, café |
| Salade de pâtes et de haricots blancs, tranches de tomate et de mozzarella, eau | Soupe au poulet, petit pain, grosse salade verte, fromage feta, pois chiches, huile d'olive et citron | Polenta au fromage, poulet sauté à l'huile d'olive, artichauts vapeur, betteraves marinées |
| Pain aux olives, crevettes grillées, salade au basilic, concombre et tomate, orzo et noix de pin, vin | Soupe au poulet au citron, morue, pommes de terre rouges au four, champignons et aubergine rôtis | Risotto de calmars avec poivrons et champignons, salade verte, eau |
| Amandes | Figues | Orange |
| Fromage et fruit | Olives | Biscuit aux dattes et aux noix |

## Ressources
www.americanheart.org/presenter.jhtml?identifier=4644

oldwayspt.org/index.php?area=pyramid_med

*The Mediterranean Diet,* M. Cloutier et E. Adamson, HarperCollins, 2004.

RÉGIME À LONG TERME

SOUPLESSE

RÉGIME FACILE À SUIVRE EN FAMILLE

COÛT
●

DONNÉES SCIENTIFIQUES À L'APPUI

# RÉGIME MYPYRAMID

Ce programme d'alimentation personnalisé repose sur les divers groupes d'aliments et propose des menus plus ou moins caloriques pour vous aider à trouver celui qui vous convient le mieux.

### Origine du régime

Ce régime alimentaire est actuellement le modèle d'alimentation du gouvernement des États-Unis. Le ministère de l'Agriculture des États-Unis (USDA) a publié ses premières recommandations alimentaires générales en 1894, lesquelles ont été suivies en 1916 d'un guide alimentaire pour les jeunes enfants. Publié pour la première fois pendant les années 1940, le guide alimentaire en forme de roue a finalement été remplacé par son équivalent en forme de triangle, qui a été utilisé des années 1950 jusqu'aux années 1970.

Le modèle MyPyramid publié récemment est bien connu. Certaines personnes sont plus familières avec la précédente pyramide du guide alimentaire, sans savoir qu'elle a été remplacée par le modèle MyPyramid. La pyramide du guide alimentaire de 1992 a été revue et mise à jour en 2005.

Les modifications qui y ont été apportées étaient nécessaires et reflètent les progrès réalisés dans le domaine scientifique pour améliorer l'état de santé des gens et offrir au public une approche pratique, souple et à jour en matière d'alimentation saine. Le régime MyPyramid compte des supporteurs comme des détracteurs, ce qui a amené divers groupes et diverses associations à élaborer des régimes alimentaires de rechange.

**voir aussi**
**pyramide du régime asiatique** 134
**pyramide diététique latino-américaine** 154
**pyramide diététique méditerranéenne** 160

# menu type

Menu disponible sur www.mypyramid.gov

|  | samedi | dimanche | lundi | mardi |
|---|---|---|---|---|
| **matin** | Pain doré avec sirop d'érable, ½ pamplemousse, lait sans gras | Crêpes à la farine de sarrasin avec sirop d'érable, fraises, melon miel, lait sans gras | Burrito de farine de blé avec fèves noires et salsa, jus d'orange | Gruau avec raisins secs, lait sans gras, jus d'orange |
| **midi** | Chili végétarien, eau pétillante aromatisée au raisin | Chaudrée de palourdes faite avec du lait sans gras, craquelins de blé entier, limonade | Sandwich au rôti de bœuf sur pain de grains entiers avec laitue et tomate, pointes de pomme de terre | Salade de taco avec dinde hachée, fèves et fromage faible en gras |
| **soir** | Pizza hawaïenne avec bacon de dos, oignons et champignons, salade verte, lait sans gras | Sauté de légumes avec tofu, pak-choï et poivrons, riz brun | Saumon farci cuit au four, riz aux amandes, brocoli vapeur, lait sans gras | Lasagne aux épinards, petit pain de blé entier, lait sans gras |
| **collation** | Craquelins de blé entier, hoummos, cocktail de fruits | Graines de tournesol, banane, yogourt aux fruits faible en gras | Cantaloup | Amandes, ananas, raisins secs |

## Trucs santé

Le régime MyPyramid comprend les suggestions suivantes :
- Manger plus de fruits, de légumes, de grains entiers et de produits laitiers sans gras ou faibles en gras ;
- Faire en sorte que la moitié des grains consommés soient des grains entiers ;
- Consommer moins d'aliments riches en gras saturés ou en gras trans, moins d'aliments additionnés de sucre, moins de cholestérol, moins de sel et moins d'alcool.

## Pensez-y bien…

- Les calories discrétionnaires représentent le nombre de calories que vous pouvez encore consommer une fois que vous avez tenu compte de toutes les calories provenant de tous les groupes d'aliments.

## Comment fonctionne-t-il ?

Les principes suivants sous-tendent le régime MyPyramid : il n'y a pas de régime universel qui convient à tout le monde ; de l'activité physique quotidienne est nécessaire ; tout but doit être basé sur une amélioration graduelle et non sur une amélioration brusque ; enfin, un régime alimentaire doit être basé sur la modération, l'équilibre (la consommation quotidienne d'aliments de tous les groupes selon les proportions voulues) et la variété (la consommation quotidienne d'aliments provenant des différentes catégories). Les lignes directrices qui s'y rattachent mettent l'accent sur la consommation de fruits, de légumes, de grains entiers, de lait et de produits laitiers sans gras ou à teneur réduite en gras ; sur la consommation de viandes maigres, de volaille, de poisson, de haricots secs, d'œufs et de noix ; et, enfin, sur la consommation très limitée de gras saturés, de gras trans, de cholestérol, de sel et de sucre ajouté.

Les groupes d'aliments incluent les fruits, les légumes, les grains entiers, la viande et les haricots secs, le lait et les huiles. Le régime MyPyramid propose des « apports caloriques discrétionnaires » et recommande les quantités nécessaires de chaque groupe d'aliments selon des apports en substances nutritives correspondant à 12 niveaux d'énergie différents allant de 1000 à 3200 calories, chaque niveau comptant 200 calories de plus que le précédent.

## Avantages et désavantages

Ce régime souple vous laisse une certaine liberté de choix en ce qui concerne l'apport calorique, tout en vous indiquant des quantités d'aliments de chaque groupe dont une personne a besoin selon son niveau d'activité. Le guide d'alimentation illustré n'est toutefois pas suffisamment explicite, de sorte qu'il faut se rendre sur le site Web pour obtenir de l'information personnalisée.

## Vous convient-il ?

Ce régime est conçu pour les personnes en santé qui veulent des lignes directrices générales sur la quantité d'aliments de chaque groupe qu'elles doivent consommer, selon leur apport calorique et leur niveau d'activité physique. Les personnes qui ont des besoins spéciaux ou qui souffrent de problèmes de santé particuliers devraient consulter un médecin ou un diététiste avant d'entreprendre ce régime.

## Disponibilité

Tous les aliments recommandés dans ce régime se vendent dans toutes les épiceries et tous les marchés d'alimentation.

## Changements dans le mode de vie

Dans le cadre du régime MyPyramid, il est recommandé de faire de l'exercice tous les jours.

| mercredi | jeudi | vendredi |
|---|---|---|
| Céréales de flocons de son avec lait sans gras, banane, pain de blé entier grillé, margarine, jus de pruneau | Pamplemousse moyen, œuf dur, muffin anglais de blé entier, margarine, gelée | Céréales froides avec raisins secs, lait sans gras, banane, pain de blé entier grillé, margarine, gelée |
| Sandwich au thon sur pain de seigle avec laitue et tomate, poire, lait sans gras | Soupe aux légumes et aux haricots blancs, bâtonnets de pain, bâtonnets de carottes, lait sans gras | Sandwich à la dinde fumée avec laitue et tomate, pomme, jus de tomates |
| Poitrine de poulet rôtie, patates sucrées au four, petits pois et oignons, petit pain de blé entier, salade verte | Rigatonis et sauce bolognaise, salade d'épinards avec noix de Grenoble et tangerines, lait sans gras | Bifteck de haut de surlonge grillé, purée de pommes de terre, carottes vapeur, petit pain de blé entier, lait sans gras |
| Abricots séchés, yogourt aux fruits faible en gras | Yogourt aux fruits faible en gras | Yogourt aux fruits faible en gras |

## Ressources

www.mypyramid.gov

www.mypyramid.gov/professionals/food_tracking_wksht.html

health.learninginfo.org/food-pyramid.htm

RÉGIME À LONG TERME

SOUPLESSE

RÉGIME FACILE À
SUIVRE EN FAMILLE

COÛT
●

DONNÉES SCIENTIFIQUES
À L'APPUI

# RÉGIME OMÉGA

Ce régime de style méditerranéen préconise une consommation modérée de gras sains, soit l'équivalent d'entre 30 et 35 pour cent du nombre total de calories permises.

### Origine du régime

Bien que ce régime particulier ait été publié pour la première fois en 1998 par Artemis P. Simopoulos, M.D., et Jo Robinson, on trouve des régimes comprenant un apport modéré en gras «sains» dans divers ouvrages de nutrition et guides alimentaires.

### Comment fonctionne-t-il?

Selon le principe du régime oméga, les «chaînons manquants» qui assuraient aux Crétois une santé et une longévité supérieures à celles des autres peuples étaient d'abord la consommation d'aliments plus riches en acides gras oméga-3, puis le rapport entre les acides gras oméga-3 et les acides gras oméga-6.

Pour réduire ses risques de maladies cardiaques, de diabète et d'obésité, il faut consommer de «bons» gras (insaturés) en quantités modérées et dans une proportion donnée et éliminer entièrement de son alimentation les «mauvais» gras (saturés et trans). Les gras saturés sont présents dans la viande, les produits laitiers, les huiles tropicales comme l'huile de palme et l'huile de noix de coco. Les gras trans, provenant de l'hydrogénation des huiles, le processus qui consiste à ajouter une molécule d'hydrogène pour solidifier une huile liquide, sont encore plus nuisibles et ont été associés à certaines formes de cancer.

De la soupe aigre et piquante contenant du tofu sera une bonne source d'acides gras oméga-3.

**voir aussi**
**pyramide diététique méditerranéenne** 160
**promesse Perricone** 168

# menu type

Comprend de généreuses quantités de fruits, légumes,

|  | samedi | dimanche | lundi | mardi |
|---|---|---|---|---|
| **matin** | Quartiers d'orange, crêpes à la farine de sarrasin avec graines de lin, sirop d'érable | Bagel, saumon fumé, tranches de tomate, oignon rouge, jus d'orange | Cantaloup, bagel nature, tranches de tomate, 30 g de mozzarella | Melon miel, pain de blé entier grillé, beurre de colza, œuf poché |
| **midi** | Jus de tomate, pâtes à la primavera avec pesto aux noix de Grenoble, pain aux graines de lin et au miel | Soupe aux fèves, fraises, salade aux noix et aux épinards, vinaigrette au miel et à l'huile d'olive, pain pita | Salade de poulet avec mayonnaise à l'huile d'olive, salade verte, pain plat multigrains | Soupe aux légumes, salade verte avec vinaigrette à l'huile de noix de Grenoble et aux graines de lin, pain pita de blé entier |
| **soir** | Pot-au-feu, pomme de terre au four, carottes vapeur, petit pain de blé entier, beurre de colza | Thon grillé, boulghour avec champignons, chou frisé sauté à l'huile d'olive, tomates grillées | Saumon au four, haricots edamame, salade de pourpier et mesclun avec vinaigrette à l'huile d'olive, petit pain de blé entier | Poitrine de poulet grillée, courge reine-de-table avec beurre de colza, pois et carottes |
| **collation 1** | Figues dans un sirop léger | Raisin | Poire et fromage cottage faible en gras | Salade d'orange et de noix de Grenoble |
| **collation 2** | Noix de Grenoble | Olives, croustilles de pita cuites au four | Hoummos et bâtonnets de courgette | Chocolat chaud fait de lait écrémé |

La consommation de «bons» gras, comme les huiles d'olive et de colza ou les huiles qui contiennent des acides gras essentiels, est fortement encouragée, car ces gras sont nécessaires à la croissance et au développement. Les acides gras oméga-6 sont présents principalement dans les huiles végétales (maïs, graines de coton, carthame et tournesol). Les acides gras oméga-3 sont présents dans le poisson, les fruits de mer, l'huile de colza et les légumes à feuilles vert foncé.

Il existe des données scientifiques à l'appui de la thèse voulant que des quantités modérées d'acides gras oméga-3 et oméga-6 favorisent la bonne santé en général, et plus particulièrement la santé cardiovasculaire. Le livre allègue toutefois que le régime oméga devrait être utilisé pour traiter de nombreuses autres affections, mais cette allégation ne repose que sur des données préliminaires et non concluantes.

Selon le régime oméga, il faut consommer une grande variété d'aliments sains, y compris sept portions ou plus de fruits, de légumes et de protéines végétales (comme les fèves), tout en réduisant sa consommation de gras trans et de gras saturés.

## Avantages et désavantages

Le guide propose diverses options aux personnes qui veulent suivre ce régime uniquement pour perdre du poids. Il contient aussi des conseils pour acheter des aliments riches en acides gras oméga et pour cuisiner avec ces aliments. Bien qu'il soit fortement recommandé de consommer des aliments riches en oméga-3, ces aliments peuvent être remplacés par des suppléments. Ces comprimés ne peuvent pas cependant compenser les effets d'une mauvaise alimentation.

### gâteries

AU CHOIX :

- collations saines contenant 100 calories, comme 30 g de fromage, 1 tasse d'abricots frais ou ½ verre de lait au chocolat 1 %
- 120 g de chair de crabe
- 1 barre aux fruits glacée ou 12 grosses olives

## Vous convient-il ?

Le régime oméga plaira aux personnes qui cherchent un régime modérément faible en gras, mais qui inclut des gras qui favorisent un bon état de santé et qui réduisent les risques d'apparition de certaines maladies chroniques. Toute personne qui souffre de problèmes de santé particuliers, par exemple de diabète, devrait consulter un médecin ou un diététiste qui pourra déterminer si ce régime lui convient et, le cas échéant, comment le suivre pour obtenir des résultats optimaux.

## Disponibilité

La plupart des aliments compris dans ce régime se vendent dans toutes les épiceries et dans tous les supermarchés.

## Changements dans le mode de vie

Si vous suivez ce régime, vous devrez tenir un journal sur vos humeurs, votre alimentation et vos activités physiques, ce qui vous permettra de déterminer les déclencheurs de vos fringales.

### Truc santé

- Faites le plein d'acides gras oméga 3 et oméga-6, présents dans les huiles suivantes : huile de colza, d'olive, de graines de lin, de carthame, de tournesol et de graines de coton, ainsi que dans la mayonnaise à base d'huile d'olive ou de colza.

légumineuses, poisson gras, noix de Grenoble, graines de lin et légumes verts.

| mercredi | jeudi | vendredi |
|---|---|---|
| Quartiers de pamplemousse, granola avec graines de lin et lait écrémé | Muffin anglais de blé entier, fromage cottage faible en gras, gelée | Petits fruits variés, omelette aux blancs d'œufs et aux épinards, pain de blé entier grillé, gelée |
| Bouillon de légumes, salade grecque avec vinaigrette à l'huile d'olive, pain pita, beurre de colza | Sandwich à la dinde, tranches de tomate et de concombre avec huile d'olive | Soupe aigre et piquante, burger végétarien avec mayonnaise à l'huile de colza et légumes sautés |
| Côtelette d'agneau grillée, purée de chou-fleur, choux de Bruxelles, petit pain de blé entier | Soupe au miso, sauté de longe de porc, riz brun, roquette avec gingembre et huile de colza | Truite grillée, haricots de Lima et maïs (succotash) avec beurre de colza, salade verte avec vinaigrette à l'huile d'olive |
| Salade de petits fruits variés | Fraises | Barre de fruits glacée |
| Jus de raisin | Banane | 30 g de fromage faible en gras |

## Ressources

www.oznet.kstate.edu/humannutrition/omega1.htm

www.dietwords.com/theomega_diet.shtml

*The Omega Plan*, A. P. Simopoulos et J. Robinson, HarperCollins, 1998.

RÉGIME À LONG TERME

SOUPLESSE

RÉGIME FACILE À
SUIVRE EN FAMILLE

COÛT

●

DONNÉES SCIENTIFIQUES
À L'APPUI

# OUTRE-MANGEURS ANONYMES

Ce programme d'alimentation, qui n'est pas un régime amaigrissant, procure un soutien moral et spirituel visant à aider une personne à s'abstenir de faire des excès de nourriture compulsifs.

### Origine du régime

Basé sur une version modifiée du premier Programme en 12 étapes des Alcooliques anonymes, Outre-mangeurs anonymes a été fondé en 1960 par deux personnes qui cherchaient une nouvelle façon de surmonter leur besoin obsessionnel de manger. Aujourd'hui, cette association compte 70 000 membres et des réunions des O.A. ont lieu dans environ 60 pays différents dans le monde.

### Comment fonctionne-t-il?

Bien que le programme des O.A. ne prescrive pas de régime alimentaire et qu'il n'en préconise aucun en particulier, l'association recommande à chacun de ses membres d'obtenir des conseils en nutrition d'un médecin ou d'un diététiste compétent et d'établir avec cette personne un programme d'alimentation bien équilibré qui l'aidera à se rétablir physiquement d'un trouble compulsif lié à la nourriture.

Le rétablissement émotionnel et spirituel fait partie intégrante de ce programme et diverses stratégies et techniques sont utilisées dans ce but. Par exemple, le parrainage est un outil efficace que les membres sont invités à utiliser pour accélérer leur rétablissement. Un parrain est un membre des O.A. qui se tient à la disposition d'un membre fragile pour lui apporter un soutien individuel et lui expliquer comment le programme fonctionne; il intervient uniquement lorsqu'il est sollicité par le membre, qui est prêt à lui parler. Les parrains ont eux-mêmes fait le cheminement en 12 étapes du programme, de sorte qu'ils sont bien placés pour aider de nouvelles recrues à passer à travers les 12 étapes et les 12 traditions du programme.

L'élément principal qui caractérise les O.A. est la réunion gratuite qui est organisée partout dans le monde où il y a une association active. Les O.A. est une organisation autonome qui dépend uniquement des contributions de ses membres dévoués; ces derniers peuvent toutefois prendre part à des réunions sans faire de

**voir aussi**
**alimentation intuitive** 148

**Pensez-y bien...**

• Est-ce que vos habitudes alimentaires vous rendent malheureux ou rendent vos proches malheureux?

• Mangez-vous pour échapper à vos soucis et à vos problèmes?

• Vous sentez-vous à l'aise de parler de vos émotions en groupe?

contribution. Les réunions ont pour but de fournir aux membres une tribune où ils peuvent partager leur «expérience personnelle, leur force et leur espoir», de surmonter leur comportement obsessionnel à l'égard de la nourriture et de ne pas avoir de rechute.

L'association des O.A. n'est pas affiliée à une organisation publique ou privée ou à un groupe religieux. Parmi les autres éléments qui caractérisent cette association, il faut mentionner les échanges individuels entre membres sous la forme de fréquents appels téléphoniques, la tenue d'un journal sur ses pensées et ses émotions, la lecture de brochures et de courts ouvrages approuvés par les O.A. et une philosophie d'aide et de dévouement dans le respect de l'anonymat. Principe clé des O.A., l'anonymat permet aux membres de se confier sans crainte d'être exploités, car ils savent que les confidences qu'ils font aux réunions ne seront jamais divulguées publiquement. Conformément à sa philosophie, l'association des O.A. se dévoue pour «transmettre le message à l'outre-mangeur» de toutes les manières qui puissent contribuer à perpétuer son programme, afin qu'une personne en détresse ait toujours la possibilité de s'adresser à elle maintenant et à l'avenir.

L'organisation des Outre-mangeurs anonymes publie de nombreux dépliants et autres documents pour aider ses membres à suivre le programme. Ces publications ne sont pas chères, et sont même gratuites pour les personnes qui n'ont pas les moyens de les acheter. Même si elle ne recommande pas un régime particulier, l'organisation des Outre-mangeurs anonymes distribue de la documentation pour aider ses membres à modifier leurs comportements à l'égard de la nourriture. Fidèles à la philosophie de l'organisation, ces documents ne prescrivent pas de régime particulier, mais ils contiennent des conseils pour éviter de manger de manière compulsive en établissant un menu personnel ou en sachant reconnaître les situations de «danger».

### Avantages et désavantages

Le programme repose sur l'idée que toute personne devrait commencer par consulter un spécialiste en nutrition pour connaître ses besoins particuliers et obtenir un régime alimentaire personnalisé et bien équilibré. L'importance d'une alimentation saine est mise en relief à l'aide d'une approche holistique qui a pour but de combler les besoins physiques, spirituels et émotionnels des membres.

La dimension spirituelle du programme peut rebuter certaines personnes et les rendre réfractaires aux concepts fondamentaux du programme. Pour incorporer les principes des O.A. dans votre style de vie, vous devrez faire un peu d'introspection et vous interroger sur vos sentiments, vos idées, vos motifs et votre degré d'engagement, ce qui pourrait freiner votre ardeur.

### Vous convient-il?

Le programme des Outre-mangeurs anonymes convient aux personnes qui sont à la recherche d'une stratégie en matière d'alimentation qui n'est pas axée sur un régime particulier, mais qui porte plutôt sur les problèmes autres qu'alimentaires pouvant pousser une personne à manger compulsivement. Cette approche plaira davantage aux personnes grégaires qui se sentent à l'aise en groupe et qui n'hésitent pas à parler ouvertement de leurs émotions.

Ce programme ne convient pas aux personnes qui recherchent un programme centré sur l'alimentation ou une approche comportementale pour perdre du poids, et il ne convient pas non plus aux personnes qui apprécient peu les thérapies de groupe. Enfin, ce programme risque de déplaire aux gens peu portés sur les méthodes comportant un volet «spirituel» ou «nouvel âge»!

### Disponibilité

Le programme d'alimentation d'une personne sera établi en fonction de ses besoins particuliers.

### Changements dans le mode de vie

Ce programme englobe une approche qui vous obligera à modifier votre style de vie pour surmonter votre façon compulsive de manger. Son fondement spirituel fait en sorte qu'il crée une «communauté» d'individus qui parlent ouvertement de leurs comportements compulsifs à l'égard de la nourriture et des méthodes pour en venir à bout. L'organisation des O.A. fournit à ses membres les outils dont ils ont besoin pour changer leur style de vie et parvenir à s'abstenir de faire des excès de nourriture compulsifs. Ces outils incluent le parrainage, les réunions, les appels téléphoniques, la tenue d'un journal, la lecture de documentation utile, l'anonymat et le dévouement. Le programme ne dicte pas de niveau d'engagement, et il n'en exige pas non plus; pour réussir à vaincre leurs comportements compulsifs, cependant, il recommande aux individus d'assister fréquemment à des réunions, de suivre les 12 étapes et de s'adjoindre un parrain.

## Ressources

*Twelve Steps for Overeaters*, L. Elisabeth, Hazelden Publications, 1993.

*Overeaters Anonymous*, 2001, Overeaters Anonymous

www.oa.org

**RÉGIME À LONG TERME**

**SOUPLESSE**

**RÉGIME FACILE À SUIVRE EN FAMILLE**

**COÛT**

**DONNÉES SCIENTIFIQUES À L'APPUI**

# PROMESSE PERRICONE

Selon la Promesse Perricone, si vous suivez le régime proposé ci-dessous, vous aurez l'impression de rajeunir de 10 ans en seulement 28 jours!

### Origine du régime

Publié en 2005, *La Promesse Perricone* est un ouvrage écrit par Nicholas Perricone, médecin spécialiste en dermatologie et professeur adjoint au Michigan State University College of Human Medecine.

### Comment fonctionne-t-il?

Le programme comprend trois étapes: le régime, les suppléments et les agents topiques. Le régime inclut «dix super aliments» pour réduire l'inflammation et rajeunir la peau et l'organisme. Ces aliments sont les baies d'açai, l'ail des bois, l'orge, les germes de céréales (comme l'orge ou le blé), les algues bleu-vert, le sarrasin, les fèves et les lentilles, les piments forts, les noix et les graines, la luzerne et le yogourt ou le kéfir. En outre, de nombreuses fines herbes et épices sont recommandées.

Les suppléments recommandés sont les suppléments favorisant l'anti-glycation, les suppléments efficaces pour métaboliser le gras et générer de l'énergie, les suppléments antivieillissement et anti-inflammation et les suppléments qui favorisent la cicatrisation et la prévention des rides.

Les traitements topiques recommandés pour améliorer l'apparence de la peau incluent l'acide alphalipoïque, la thymosine bêta-4 et les neuropeptides.

Pita farci à la salade de poulet

**voir aussi**
**régime oméga** 164

# menu type

Ce régime met l'accent sur la consommation de

|  | samedi | dimanche | lundi | mardi |
|---|---|---|---|---|
| **matin** | 2 saucisses à la dinde ou au tofu, 2 œufs à la coque, ½ tasse d'orge cuit, 1 tasse de thé vert/eau | 90 g de saumon, ½ tasse d'orge, ½ c. à café de cannelle, 1 c. à soupe de baies, 1 tasse de thé vert/eau | 1 œuf à la coque, ½ tasse de fromage cottage avec 1 c. à soupe de graines de lin moulues, ¼ tasse de baies, 1 tasse de thé vert/eau | Omelette: 2 œufs entiers et 2 blancs d'œuf, 1 tranche de bacon de dinde, 1 kiwi, 1 tasse de thé vert/eau |
| **midi** | Cocktail de crevettes*, ½ avocat, 1 pomme, 1 tasse d'eau | Salade César*, poulet grillé, cantaloup, 1 tasse d'eau | Salade grecque*, poulet grillé, 1 pomme, 1 tasse d'eau | ½ tasse de hoummos*, 120 g de saumon grillé, 2 branches de céleri, 1 pomme, 1 tasse d'eau |
| **soir** | Poulet au citron*, pilaf à l'avoine*, assiette de fruits variés, 1 tasse d'eau, 2 gélules d'huile de poisson norvégienne | Flétan à la sarriette*, ½ tasse de pilaf de sarrasin, 1 tasse d'eau | Poivrons farcis*, salade verte, vinaigrette à l'huile d'olive et au jus de citron, 1 tasse d'eau | Crevettes au cari*, ½ tasse d'orge, salade verte, vinaigrette à l'huile d'olive et au jus de citron, 1 tasse d'eau |
| **collation 1** | 1 œuf à la coque, 1 pomme, 3 noix de Grenoble, 1 tasse d'eau | Boisson frappée (*smoothie*) au yogourt ou au kéfir, 1 tasse d'eau | ½ tasse de fromage cottage, 1 pomme, 1 tasse d'eau | Boisson frappée (*smoothie*) au yogourt ou au kéfir, 1 tasse d'eau |
| **collation 2** | ½ tasse de fromage cottage, 1 c. à soupe de graines de citrouille, 1 tasse d'eau | 1 œuf à la coque, 3 noix de Grenoble, 1 tasse d'eau | 30 à 60 g de dinde tranchée, 3 olives, 3 fraises, 1 tasse d'eau | ½ tasse de fromage cottage, 1 c. à soupe de graines de lin moulues, ¼ tasse de cerises, 1 tasse d'eau |

Cette approche en trois étapes est réputée revitaliser la peau et les cheveux, renforcer le système immunitaire, favoriser la santé du cœur, réduire les risques de développer certains cancers et rajeunir l'apparence du visage et du corps.

### Avantages et désavantages

Bon nombre des recommandations et des conseils compris dans ce régime de 28 jours en accroissent la densité nutritive et sont positifs pour cette raison.

Les suppléments, les agents topiques et certains des super aliments peuvent être coûteux, et leurs propriétés qui font «rajeunir» et «vivre plus longtemps» n'ont pas été entièrement vérifiées à l'aide d'études. Pour suivre ce régime tous les jours, prendre les suppléments voulus et utiliser les agents topiques, il faut investir des quantités considérables de temps et d'argent. En outre, on peut supposer que vous devrez continuer à suivre ce régime pendant toute votre vie pour préserver les changements obtenus pendant ces premiers 28 jours.

Thé vert

### Vous convient-il?

Ce régime conviendra aux personnes qui aiment le poisson, et plus particulièrement le saumon, ainsi qu'aux personnes qui veulent avoir l'air jeune et se sentir bien malgré le temps qui passe. Les personnes souffrant de problèmes gastro-intestinaux ou d'allergies les empêchant de consommer des noix,

des fruits de mer ou d'autres super aliments devraient éviter ce régime.

### Disponibilité

Certains des super aliments peuvent être difficiles à trouver dans certaines régions, car ils se vendent principalement dans des commerces spécialisés ou des épiceries fines.

### Changements dans le mode de vie

L'exercice est décrit comme un important facteur de régulation des neuropeptides. Trois types d'exercice sont recommandés – l'entraînement avec poids, les exercices cardiovasculaires ou aérobies et les exercices d'assouplissement. Le Pilates est particulièrement recommandé.

## «super aliments» et la prise de suppléments pour avoir l'air plus jeune!

| mercredi | jeudi | vendredi | **Ressources** |
|---|---|---|---|
| 90 g de saumon, 1 tasse de gruau, ½ c. à café de cannelle, melon miel, 1 tasse de thé vert/eau | 1 œuf à la coque, boisson frappée (*smoothie*) au yogourt ou au kéfir*, 3 noix macadamia, 1 tasse de thé vert/eau | Omelette : 2 œufs entiers et 2 blancs d'œuf, 3 amandes, 1 tasse de thé vert/eau | www.webmd.com/diet/perricone-diet-what-it-is |
| Hamburger de dinde*, salade verte, vinaigrette à l'huile d'olive et au jus de citron, ½ tasse de baies, 1 tasse d'eau | Pain pita farci de salade de poulet*, salade ou tranches de tomate, cantaloup, 1 tasse d'eau | Soupe au poulet*, 1 poire, 1 tasse d'eau | www.twbookmark.com<br><br>*La Promesse Perricone,* N. Perricone, Ada, 2005. |
| 90 g de saumon au citron, cantaloup, 1 tasse d'eau | Chili à la dinde et au tofu aux 2 fèves*, salade verte, vinaigrette à l'huile d'olive et au jus de citron, 1 tasse d'eau | Soupe aux lentilles ou à la dinde*, 90 g de poulet, salade verte, vinaigrette à l'huile d'olive et au jus de citron, 1 tasse d'eau | |
| ½ tasse de hoummos*, 2 bâtons de céleri, 3 amandes, 1 tasse d'eau | 30 à 60 g de dinde tranchée, 3 noix de Grenoble, 1 pomme, 1 tasse d'eau | ¾ tasse de yogourt nature, 1 sachet de baies d'açaï, 1 c. à soupe de graines de tournesol, 1 tasse d'eau |  |
| 1 œuf à la coque, 3 tomates cerises, 3 noix macadamia, 1 tasse d'eau | ½ tasse de fromage cottage, 1 c. à soupe de graines de tournesol, 1 kiwi, 1 tasse d'eau | 30 g de dinde tranchée, 3 olives, 3 tomates cerises, 1 tasse d'eau | |

**Remarque :** Les suppléments quotidiens incluent 2 gélules d'huile de poisson norvégienne de grande qualité, 1 supplément de neuropeptide le midi, et 2 gélules d'huile norvégienne de poisson de grande qualité.
\* Recettes incluses dans *La Promesse Perricone.*

**RÉGIME À LONG TERME**
● ● ●

**SOUPLESSE**
● ● ●

**RÉGIME FACILE À SUIVRE EN FAMILLE**
● ● ●

**COÛT**
●

**DONNÉES SCIENTIFIQUES À L'APPUI**

● ● ●

# RÉGIME DE GROSSESSE

Ce régime alimentaire recommande des quantités adéquates d'aliments et de boissons denses en substances nutritives pour favoriser la santé de la mère et du bébé.

### Origine du régime

Pendant les années 1940 et les années 1950, il était courant aux États-Unis de restreindre à 9 kg (20 lb) le poids qu'une femme devait prendre pendant sa grossesse. En 1967, on considérait que les femmes prenaient en moyenne 11 kg (24 lb) pendant leur grossesse. De nos jours, il n'y a pas de «chiffre» qui exprime le gain de poids souhaitable pendant la grossesse. Les recommandations portent plutôt sur l'indice de masse corporelle (IMC) avant la grossesse; cependant, une prise de poids d'entre 11 kg et 16 kg (25 lb et 35 lb) pendant la grossesse est considérée normale et réaliste. On sait maintenant qu'une prise de poids insuffisante pendant la grossesse peut avoir un impact négatif sur la santé du bébé.

### Comment fonctionne-t-il?

L'alimentation pendant la grossesse peut avoir un effet sur l'enfant à naître. La future mère doit avoir pour but de conserver un état nutritionnel adéquat, de sorte que ce régime met l'accent sur certaines substances nutritives. Par exemple, le folate est très important; un apport adéquat en folate est

Le petit-déjeuner, comme l'omelette ci-dessous, constitue un élément important d'une alimentation saine pendant la grossesse.

**voir aussi**
**Grazing Diet** 116
**pyramide diététique méditerranéenne** 160
**régime MyPyramid** 162

# menu type
Un régime alimentaire sain pendant la grossesse est aussi

| | samedi | dimanche | lundi | mardi |
|---|---|---|---|---|
| **matin** | Crêpes de blé entier aux bananes et aux noix de Grenoble, saucisse de viande maigre ou de soja, nectarine, lait écrémé | Œufs brouillés, bagel de blé entier, coupe de fruits frais, jus d'orange enrichi de calcium | Bagel de blé entier avec beurre d'arachide, lait écrémé, banane | Gruau, œuf dur, jus d'orange enrichi de calcium, melon miel |
| **midi** | Sandwich au fromage grillé sur pain de grains entiers, soupe aux tomates, tranches de poire, lait écrémé | Salade de thon sur lit de laitue, craquelins de grains entiers, bâtonnets de légumes, ananas frais, lait écrémé | Sandwich à la dinde sur pain de grains entiers, soupe aux légumes, tranches de pomme, lait écrémé | Pizza végétarienne, yogourt nature garni de fraises et de granola, lait écrémé |
| **soir** | Lasagne aux épinards, pain italien, salade du jardin, coupe de fruits frais, lait écrémé | Jambon au four, pois mange-tout, riz au jasmin, coupe de melon, lait écrémé | Saumon, asperges vapeur, riz brun, bleuets frais, lait écrémé | Poulet au four, haricots verts vapeur, pomme de terre au four avec margarine, cantaloup, lait écrémé |
| **collation 1** | Bâtonnets de courgette avec hoummos | Boisson frappée (*smoothie*) faible en gras | Craquelins | Fromage cottage faible en gras et fruit |
| **collation 2** | Fruit frais | Fromage cottage faible en gras et fruit | Fruit frais | Maïs éclaté |
| **collation 3** | Galette de riz | Fruit frais | Yogourt faible en gras | Bâtonnets de carottes et vinaigrette ranch légère |

indispensable avant la grossesse, et il est crucial pendant les premières semaines de grossesse pour prévenir les anomalies du tube médullaire.

En outre, le calcium est une substance indispensable à la croissance des os, et il est mieux absorbé pendant la grossesse. Des protéines additionnelles sont nécessaires pour soutenir la croissance constante du bébé, tandis que du fer en plus grandes quantités est nécessaire pour accroître le volume du sang. Enfin, la future mère doit savoir qu'une consommation excessive de poisson contaminé au mercure peut nuire à l'enfant.

Il est important qu'une femme enceinte inclut trois collations nutritives dans son régime alimentaire pour réduire la taille de ses repas, plus particulièrement pendant le troisième trimestre, lorsque les reflux peuvent devenir plus problématiques.

### Avantages et désavantages

Le régime est riche en substances nutritives, par exemple en folate, en calcium, en fer et en protéines. Il favorise la satiété puisqu'il comprend trois repas et trois collations par jour et propose des choix d'aliments sains, qu'une femme devrait continuer à faire après avoir accouché.

Certaines femmes peuvent avoir de la difficulté à manger tout au long de la journée, surtout si elles ont des nausées. Si les portions sont trop grosses, les calories consommées entraîneront un gain de poids trop important.

### Vous convient-il?

Ce régime est conçu pour la femme enceinte, mais il est sain et convient à tout le monde.

### Disponibilité

Il est facile de se procurer les aliments compris dans ce régime. Il n'y a pas de boissons ou d'aliments qu'il faut obtenir par commande spéciale.

### Changements dans le mode de vie

Un changement simple : pendant votre grossesse, vous devrez consommer des repas et des collations composés d'aliments riches en substances nutritives, tout en prenant soin de ne pas avoir un apport en calories trop élevé.

un régime sain pour les autres membres de la famille.

| mercredi | jeudi | vendredi |
| --- | --- | --- |
| Céréales enrichies de fer, pain de blé entier grillé avec margarine, kiwi, lait écrémé | Omelette aux légumes, coupe de fruits frais, pain de blé entier grillé, lait écrémé | Muffin anglais de blé entier avec margarine, bacon de dos, pêche fraîche, lait écrémé |
| Sandwich au jambon sur pain de grains entiers, soupe au poulet et nouilles, tranches d'orange, lait écrémé | Sandwich à la salade de poulet sur pain de blé entier, soupe aux lentilles, fraises fraîches, lait écrémé | Pain pita farci de légumes et de fromage provolone, soupe minestrone, tranches de mangue, lait écrémé |
| Bifteck maigre, chou-fleur vapeur, patate douce au four, pastèque, lait écrémé | Longe de porc au four, couscous, brocoli frais vapeur, prune fraîche, lait écrémé | Pain de viande, purée de pommes de terre, carottes vapeur, raisin, lait écrémé |
| Muffin au son | Tranches de pomme et beurre d'arachide | Bâtonnets de carottes et de céleri et trempette |
| Boisson au yogourt faible en gras | Barre granola | Yogourt faible en gras |
| Bretzels | Fruits frais | Mélange du randonneur |

### Ressources

www.womenshealth.gov/pregnancy

www.ific.org
(taper « grossess » dans la fenêtre de recherche)

*Eating for Pregnancy*, C. Jones et H. Hudson, Marlowe and Company, 2003

*Your 9-Month Breakfast, Lunch, and Dinner Date*, M. McHugh et E. Burggraf, Eating for you (and Baby Too) Inc., 2003.

RÉGIME À LONG TERME

SOUPLESSE

RÉGIME FACILE À
SUIVRE EN FAMILLE

COÛT
●

DONNÉES SCIENTIFIQUES
À L'APPUI

# RÉGIME ARC-EN-CIEL

Un régime qui met l'accent sur les fruits et les légumes colorés pour améliorer la santé. Les variantes de ce régime privilégient la connexion spirituelle entre notre corps et la nourriture que nous lui donnons.

### Comment fonctionne-t-il?

Ce régime se fonde sur le principe qu'en mangeant une variété d'aliments de différentes couleurs, nous fournissons des vitamines et des minéraux à notre corps. Les vitamines, les minéraux, les antioxydants et les substances phytochimiques sont liés aux pigments qui colorent les fruits et les légumes. En prenant soin de mettre toutes les couleurs de l'arc-en-ciel dans notre assiette, nous avons de bonnes chances de combler nos besoins quotidiens en nourriture et en substances nutritives. Ce régime met l'accent sur les fruits et les légumes riches en fibres et faibles en calories qui sont réputés pour prévenir les maladies et favoriser la bonne santé. De nombreuses études ont permis d'établir que la consommation quotidienne de cinq à neuf portions de fruits et de légumes pouvait contribuer à prévenir certaines maladies.

### Avantages et désavantages

En suivant ce régime, une personne peut s'assurer que son alimentation comprend les portions de fruits et de légumes recommandées. Manger une assiette pleine d'une grande variété

**voir aussi**
**régime DASH** 140
**Good Mood Diet** 146
**régime MyPyramid** 162

# menu type

Ce programme d'alimentation inclut une variété d'aliments se

|  | samedi | dimanche | lundi | mardi |
|---|---|---|---|---|
| **matin** | Pain de blé entier grillé, lait, jus de raisin, pamplemousse | Omelette aux épinards et aux pommes de terre, fraises, lait | Gruau, bleuets, lait, orange | Omelette aux tomates, banane, muffin de blé entier aux bleuets |
| **midi** | Salade de thon sur lit de verdure, tomates, asperges, sorbet à l'orange | Sandwich végétarien, kiwi, jus de tomate faible en sodium, croustilles cuites au four | Salade d'épinards, tranches de tomate, saumon, pain de blé entier | Rôti de bœuf et cheddar sur pain de seigle, frites de patate douce cuites au four, kiwi |
| **soir** | Soupe minestrone, pâtes à la primavera, poire au four glacée au gingembre, vin rouge | Paella aux fruits de mer et au poulet, plantains grillés, ocra et tomates à l'étuvée, olives, pomme de Grenade | Lasagne à l'aubergine, carottes, salade verte | Chili aux haricots blancs, riz brun, salade d'épinards, courgette |
| **collation 1** | Croustilles de mangue et de papaye séchées | Pommes avec fromage | Yogourt, framboises | Yogourt, pêche |
| **collation 2** | Salade de fruits | Carottes et brocoli crus avec trempette | Craquelins et fromage | Amandes |

de légumes colorés peut favoriser la satiété (sensation d'avoir assez mangé, grâce aux fibres et à l'eau) et accélérer la perte de poids.

Ce programme d'alimentation fournit peut-être beaucoup d'information sur la consommation de fruits et de légumes, mais il est limité en ce qui concerne les autres groupes d'aliments. Il existe des variantes de ce régime, dont certaines recommandent la consommation d'aliments biologiques seulement, tandis que d'autres préconisent des quantités différentes d'aliments de divers groupes ou mettent l'accent uniquement sur les fruits et les légumes. Il faut donc évaluer soigneusement ces régimes pour voir s'ils sont à la hauteur

### Trucs santé

- En plus de consommer à volonté des fruits et des légumes frais et croquants, buvez aussi beaucoup d'eau!
- Choisissez des noix et des viandes maigres bonnes pour le cœur, ainsi que des produits laitiers faibles en gras et des grains entiers!
- En plus de remplir votre assiette des couleurs de l'arc-en-ciel, choisissez des aliments qui sont faibles en gras saturés et riches en fibres.

### Pensez-y bien…

Que sont les substances phytochimiques? Ce sont des substances chimiques végétales qui ont des propriétés qui protègent la santé. La meilleure façon de vous assurer que votre alimentation contient de telles substances consiste à y incorporer des aliments qui en contiennent en abondance – c'est-à-dire toute une variété de fruits et de légumes colorés. Dans une alimentation naturelle, les aliments entiers sont toujours préférés aux suppléments. Parmi les substances les plus populaires, mentionnons les lycopènes dans les tomates, les isoflavones dans le soja et les flavonoïdes dans le vin rouge, le chocolat et les fruits.

sur le plan nutritionnel et à d'autres égards.

### Vous convient-il?

Ce régime est susceptible de plaire aux personnes qui veulent faire leurs propres choix d'aliments, mais qui ont quand même besoin de conseils et d'orientation. Les personnes qui ont déjà certaines notions en nutrition et qui ont besoin d'augmenter leur consommation de fruits et de légumes riches en fibres trouveront ce programme intéressant.

Les personnes souffrant de problèmes de santé particuliers, par exemple de diabète, d'affections rénales ou d'autres maladies chroniques, devraient consulter un médecin avant d'entreprendre ce régime.

### Disponibilité

Les aliments compris dans ce régime se vendent dans tous les magasins d'alimentation.

### Changements dans le mode de vie

Pour favoriser la santé et le bien-être, un volet activité physique est compris dans ce programme.

caractérisant par leur fraîcheur et leur couleur vive.

| mercredi | jeudi | vendredi |
|---|---|---|
| Sandwich au beurre d'arachide et aux bananes, jus d'orange, lait écrémé | Œufs, pain de blé entier grillé, yogourt, fraises | Céréales avec pêche, lait écrémé |
| Soupe aux légumes, ½ sandwich à la dinde sur pain de blé entier, parfait aux bleuets | Carottes, pois verts, chou frisé, tranches de jambon, pain de maïs, salade de tomates | Burrito farci aux fèves, salade du jardin, jus de légumes, melon miel |
| Sauté de légumes et tofu à la chinoise avec nouilles et fèves de soja, cantaloup | Tacos au poisson avec coriandre et salsa fraîche, avocat, légumes racines rôtis | Bifteck de surlonge maigre, choux de Bruxelles, courge d'hiver, salade d'épinards et de tomates |
| Compote de pommes | Craquelins avec fromage et mûres | Boisson frappée (smoothie) aux trois fruits et au yogourt |
| Pudding faible en gras | Salade aux trois haricots | Lanières de poivron |

### Ressources

www.grinningplanet.com/2004/12-28/rainbow-diet-food-color-article.htm

RÉGIME À LONG TERME

SOUPLESSE

RÉGIME FACILE À
SUIVRE EN FAMILLE

COÛT

●●

DONNÉES SCIENTIFIQUES
À L'APPUI

●

# ALIMENTATION VIVANTE
## (RÉGIME AUX ALIMENTS CRUS)

Ce guide d'alimentation plutôt radical et peu conventionnel se compose
d'aliments d'origine végétale crus, avec «enzymes vivants».

### Origine du régime
Les aliments crus ont été la première source
d'aliments naturels biologiques. C'est au
XIX$^e$ siècle qu'un mouvement appelé le Natural
Hygiene Movement et un promoteur du nom
de Herbert M. Shelton ont popularisé le
régime aux aliments crus (dont il existe de
nombreuses variantes) aux États-Unis. Cette
stratégie alimentaire jouit d'une popularité
modérée et trouve ses adeptes chez les
végétariens, les vedettes et les habitués des
restaurants spécialisés en cuisine crue.

### Comment fonctionne-t-il?
Selon les fondements de ce mode de vie
radicalement différent, les enzymes essentiels à une
bonne santé demeureraient intacts dans les aliments à l'état
cru et la consommation de ces aliments entraînerait
des changements physiologiques majeurs – hausse des
niveaux d'énergie, équilibre émotionnel, ralentissement du
processus de vieillissement, normalisation du poids, digestion
plus efficace, élimination des toxines, renforcement du
système immunitaire et baisse des niveaux de cholestérol et
de triglycérides. Il faut faire tremper les céréales, les noix, les
graines et les fèves dans de l'eau pour activer leurs enzymes
dormants, mais les fruits et les légumes sont consommés sans
aucune préparation. Certains adeptes de ce régime
consomment aussi des substances animales et des aliments

Agropyre

Les germes de
haricots et de luzerne sont faibles en
calories, mais ils peuvent contenir
de la salmonelle. Il faut donc se les
procurer d'une source fiable.

voir aussi
**régime aux jus naturels** 90

# menu type
Il existe de plus en plus de recettes de plats se

|        | samedi | dimanche | lundi | mardi |
|--------|--------|----------|-------|-------|
| matin  | Pizza aux légumes crus | Salade de fèves crues | Fruit, luzerne, graines | Salade de fruits, avocat |
| midi   | Fruits et légumes avec trempette | Boisson frappée (*smoothie*) au lait de coco et aux noix | Agropyre, jus de légumes ou de fruits | Fruits et légumes |
| soir   | Gaspacho et craquelins | Luzerne et salade de légumes enveloppées dans une feuille de laitue | Sandwich à la luzerne crue | Salade préparée avec des fèves et du riz crus (ayant trempé dans l'eau) |

Les carottes sont une excellente source de
bêta-carotène et une bonne source de fibres.

cuits, mais les puristes soutiennent que plus une personne mange
d'aliments crus, plus elle est en santé.

Diverses données scientifiques suggèrent toutefois que certaines
substances nutritives deviennent plus bio-disponibles après la
cuisson de l'aliment. En revanche, la très forte consommation de
fruits et de légumes que préconise ce régime a été associée à une
amélioration des taux de cholestérol et de triglycérides.

### Avantages et désavantages

Les aliments crus se digèrent très bien. Ainsi, un tel régime
améliore la digestion : il fait augmenter l'apport proportionnel
de fruits et de légumes — et aussi de fibres, d'eau, de certaines
vitamines et de minéraux — tout en réduisant la consommation
de calories et de certains gras. Il est difficile de faire des excès
de table lorsqu'on suit ce régime et on se sent vite rassasié
sans consommer un grand nombre de calories.

Un régime alimentaire se composant uniquement d'aliments
crus fait augmenter les risques de carences en vitamine $B_{12}$, de
sorte qu'il faut prendre des suppléments de cette vitamine. L'apport
en protéines et en calcium peut aussi être plutôt faible.

### Vous convient-il ?

Ce régime entièrement ou partiellement composé d'aliments crus
peut convenir à certains végétariens et aux adeptes d'une
alimentation naturelle qui souhaitent consommer des aliments
non transformés. Malheureusement, les aliments crus sont les
aliments les plus contaminés par les pesticides, de sorte qu'il
faut privilégier les cultures biologiques. Or, les fruits et les
légumes biologiques sont souvent chers. Ce régime est
déconseillé aux personnes dont le système immunitaire est
affaibli, à celles souffrant de problèmes de digestion, aux
enfants, aux adolescents, aux femmes enceintes et aux femmes
qui allaitent. Une personne doit consulter un médecin ou un
diététiste avant d'entreprendre ce régime.

### Disponibilité

Tous les magasins d'alimentation et les supermarchés auront en
stock les aliments crus compris dans ce régime.

### Changements dans le mode de vie

Pour suivre ce régime, vous devrez bien planifier vos menus et
prévoir plus de temps pour faire vos achats et préparer vos repas.

**Pensez-y bien...**

• Pour être considéré un véritable
adepte de « l'alimentation crue »,
vous n'avez pas besoin de
consommer plus de 70 pour cent de
vos calories sous forme d'aliments
crus ! Procurez-vous un robot
culinaire, un extracteur à jus, un
mélangeur et une déshydrateuse à
aliments et vous pourrez vous
mettre au régime cru !

## composant exclusivement d'aliments crus !

| mercredi | jeudi | vendredi | **Ressources** |
|---|---|---|---|
| Céréales brutes et lait aux noix | Boisson frappée (*smoothie*) au gruau et au chocolat | Fruit, céréales brutes | www.living-foods.com |
| Boisson frappée (*smoothie*) aux fruits | Fruits et légumes avec hoummos cru | Jus de légumes, luzerne | www.webmd.com/content |
| Sandwich aux champignons crus | Salade de légumes avec fromage et pain | Sandwich préparé avec des aliments crus et fruit | *Raw Food Life Force Energy*, N. Rose, HarperCollins, 2006. |

**Remarque :** Il existe de nombreuses recettes pour confectionner des fromages, des pains,
des pâtes et des soupes à base d'aliments crus.

# RÉGIME TLC

Faible en gras saturés, ce programme réduit les risques de cardiopathie, de crises cardiaques et d'autres complications cardiovasculaires.

**RÉGIME À LONG TERME**
● ● ●

**SOUPLESSE**
● ● ●

**RÉGIME FACILE À SUIVRE EN FAMILLE**
● ● ●

**COÛT**
●

**DONNÉES SCIENTIFIQUES À L'APPUI**
● ● ●

### Origine du régime
L'American Heart Association a adopté le régime TLC (Therapeutic Lifestyle Change) en 2001 en se fondant sur les lignes directrices visant les personnes présentant des taux élevés de cholestérol et des risques de maladies cardiaques, contenues dans le rapport du NCEP (National Cholesterol Education Program).

### Comment fonctionne-t-il ?
Ce régime repose sur l'hypothèse voulant que les aliments riches en fibres et en glucides complexes, mais faibles en gras saturés et en gras trans malsains réduisent les taux de cholestérol et écartent les risques de cardiopathie. Selon ce régime, le gras ne doit pas représenter plus de 25 à 35 pour cent de l'apport total quotidien en calories. Le gras saturé, très mauvais pour la santé, doit être limité à 7 pour cent de l'apport total, tandis que le cholestérol alimentaire ne doit pas excéder 200 mg par jour. La consommation de sel doit aussi être limitée et les glucides devraient provenir principalement de grains entiers, de fruits et de légumes. L'apport calorique devrait viser l'atteinte ou le maintien d'un poids santé et contribuer à réduire les taux de cholestérol sanguin. Ce régime est étayé par de solides données scientifiques.

Enrichissez votre alimentation d'acides gras oméga-3 en consommant du poisson gras, comme du saumon.

**voir aussi**
pyramide diététique méditerranéenne 160
régime oméga 164

# menu type
Ce régime privilégie les gras sains, les grains entiers,

|  | samedi | dimanche | lundi | mardi |
|---|---|---|---|---|
| **matin** | Pain doré avec ½ tasse de bleuets, margarine molle, sirop d'érable, 1 orange, lait écrémé | Boisson frappée (*smoothie*) (yogourt, ½ tasse de tofu, fraises et mûres), œuf, ¾ tasse de melon miel, ½ tasse de lait écrémé | Omelette à 2 œufs avec épinards et tomates, jus d'orange, lait écrémé | ½ tasse de gruau avec cerises déshydratées, ½ tasse de lait écrémé, jus d'orange |
| **midi** | Soupe aux haricots noirs avec fromage cheddar faible en gras, ½ tasse de riz brun, cantaloup, thé glacé sans sucre | Flétan au four avec ½ tasse de couscous, ½ tasse de courge d'été, orange, lait écrémé | Sandwich à la dinde faible en sodium avec tranches de courgette et petit sachet de croustilles cuites au four | Tortilla de maïs avec haricots noirs et dinde hachée maigre, 2 c. à soupe de salsa, thé glacé sans sucre |
| **soir** | Filet de thon, salade verte avec vinaigrette, 2 petits pains, lait écrémé | Soupe aux légumes, hamburger végétarien, salade de tomates, lait écrémé | Saumon grillé, ½ tasse de couscous avec pignons, ½ tasse de brocoli vapeur, lait écrémé | Pâtes de blé entier cuites au four avec fromage faible en gras et aubergine, petit pain, lait écrémé |
| **collation 1** | 1 petite tortilla de maïs, ½ tasse de haricots frits | 1 grosse banane | 1 tasse de mangue en dés | 1 petite orange |
| **collation 2** | 1 petite pêche | 1 tasse de yogourt faible en gras | 2 c. à soupe de pruneaux | 15 g de noix de Grenoble |

## Avantages et désavantages

Ce régime approuvé par l'American Heart Association procure des quantités adéquates de vitamines, de minéraux, de fibres, de protéines, de glucides complexes et de gras sains. Même s'il est prouvé que ce régime contribue à prévenir les maladies cardiovasculaires, vous devrez peut-être consulter un professionnel en nutrition, comme un diététiste accrédité, pour obtenir un programme d'alimentation adapté à votre situation.

## Vous convient-il ?

Le régime TLC convient tout autant aux personnes déjà atteintes de cardiopathie, qu'aux personnes qui veulent réduire leurs risques d'être victimes de maladies cardiovasculaires, de crises cardiaques et d'AVC. Fondé sur des lignes directrices génériques, ce régime pourrait aussi plaire aux gens qui aiment bien choisir eux-mêmes les aliments qu'ils consomment. Il peut ne pas convenir aux individus souffrant de problèmes de santé particuliers, de maladies rénales par exemple. Exception faite de ces cas, ce régime convient à tous, y compris aux personnes atteintes de diabète et du syndrome métabolique.

## Disponibilité

Tous les aliments compris dans ce régime se vendent dans toutes les épiceries et tous les commerces d'alimentation.

## Changements dans le mode de vie

Selon ce régime, il faut faire suffisamment d'exercice modéré pour brûler au moins 200 calories par jour.

### Pensez-y bien...

- Le cholestérol HDL ou cholestérol des lipoprotéines de haute densité est considéré comme du « bon » cholestérol parce qu'il contribue à éliminer l'excédent de « mauvais » cholestérol et à protéger l'organisme.
- Le cholestérol LDL ou cholestérol des lipoprotéines de basse densité est le « mauvais » cholestérol parce qu'il se dépose sur les parois intérieures des artères dès que l'organisme décèle qu'il est présent en quantités élevées.

### Trucs santé

- Pour remédier à des taux élevés de cholestérol, vous pouvez arrêter de fumer, perdre du poids, maintenir un poids santé et être modérément actif tous les jours.
- Vous pouvez abaisser vos taux de cholestérol sanguin en choisissant des aliments faibles en gras saturés. Les gras malsains, qui font augmenter les taux de cholestérol LDL ou « mauvais » cholestérol, sont présents dans la viande grasse, la peau de poulet, les produits laitiers entiers et les huiles tropicales, comme l'huile de noix de coco et l'huile de palme.

## les viandes maigres et les produits laitiers faibles en gras.

| mercredi | jeudi | vendredi |
|---|---|---|
| 1 tasse de flocons de son, lait écrémé, orange, jus de pruneau | 1 muffin anglais, 1 œuf, 1 tranche de bacon de dos, boisson sans sucre | ½ tasse de gruau avec noix de Grenoble, lait écrémé, 1 petite banane, 1 tranche de pain grillé, 1 c. à café de margarine |
| Sandwich au saumon, salade de tomate et concombre, pomme moyenne, lait écrémé | Soupe minestrone, 2 tranches de pain, ½ tasse de tranches de pomme, lait écrémé | Sandwich à la dinde sur pain grillé avec mayonnaise légère, jus de tomate |
| Dinde rôtie, patate douce au four, ½ tasse de choux de Bruxelles, petit pain, salade verte, vinaigrette | Linguini avec crevettes et sauce Marinara faible en sodium, salade de cresson, noix de Grenoble hachées et vinaigrette, lait écrémé | Bifteck de haut de surlonge grillé, ¾ tasse de pommes de terre, ½ tasse de carottes, 2 petits pains, lait écrémé |
| 1 tasse de yogourt faible en gras | 1 tasse de yogourt faible en gras | 1 bâtonnet de fromage faible en gras |
| ¼ tasse d'abricots séchés | 15 g d'amandes rôties à sec | ½ tasse de bâtonnets de carottes |

### Ressources

www.americanheart.org

www.nhlbi.nih.gov/chd

**Note : Tous les pains et les petits pains sont faits de blé entier.**

# RÉGIME VÉGÉTALIEN (VEGAN DIET)

Souvent considéré comme un « régime végétarien strict », ce régime alimentaire exclut complètement le poisson, la volaille, la viande, les œufs, les produits laitiers et tous les autres sous-produits d'origine animale, comme le miel et les gélatines animales.

**RÉGIME À LONG TERME**
● ● ●

**SOUPLESSE**
● ● ●

**RÉGIME FACILE À SUIVRE EN FAMILLE**
● ●

**COÛT**
● ●

**DONNÉES SCIENTIFIQUES À L'APPUI**
● ● ●

### Origine du régime

Inventé en 1944 par Donald Watson, le mot « vegan », qui signifie « végétalien », est apparu pour la première fois dans *The Oxford Illustrated Dictionary* en 1962. Le désir de faire une distinction entre les végétariens qui consommaient des produits laitiers et ceux qui n'en consommaient pas a amené ces derniers à se rassembler pour créer une coalition. Donald Watson, Elsie Shrigley et quelques autres individus animés des mêmes idéaux se sont réunis à Londres en 1944 pour discuter du nom à donner à ce nouveau groupe. Même si le mot « végétalisme » n'est pas en usage depuis très longtemps, la forme d'alimentation qu'il désigne existe depuis des millénaires. Et même si ce régime est moins répandu que divers autres régimes végétariens, le mot « végétalisme » est assez bien connu.

### Comment fonctionne-t-il ?

Le végétalisme est considéré non pas comme un simple régime alimentaire mais comme une philosophie de vie qui repose sur des considérations d'ordre moral liées aux droits des animaux ou à l'environnement, principes qui s'expriment par l'exclusion de tout produit et sous-produit d'origine animale. Les végétaliens utilisent des produits à base de plantes, mais évitent le cuir, la fourrure et tout article fait à base de produits animaux, y compris les cosmétiques et les savons.

**voir aussi**
régime lacto-ovo-végétarien 150

# menu type

Comme les ingrédients dans les produits peuvent varier,

|  | samedi | dimanche | lundi | mardi |
|---|---|---|---|---|
| **matin** | Pain grillé au fromage (pain de blé entier et fromage végétalien) pomme, jus de raisin | Tofu brouillé, pain de blé entier grillé et margarine végétalienne, kiwi, jus de canneberges | Bagel de blé entier, beurre d'arachide, fraises, jus d'orange | Tofu brouillé, pain de blé entier grillé et margarine végétalienne, banane, thé |
| **midi** | Saucisse de soja dans un pain de blé entier, fèves au four végétariennes, compote de pommes non sucrée, lait de soja | Pizza végétarienne sur croûte de blé entier avec fromage végétalien, salade du jardin, vinaigrette huile et vinaigre, fraises, lait de soja | Salade d'épinards avec quartiers d'orange, noix de Grenoble et vinaigrette aux framboises, soupe aux légumes, craquelins de blé entier, lait de soja | Burrito au tofu et légumes, croustilles de maïs bleu avec salsa, ananas, lait de soja |
| **soir** | Poivron vert farci au riz et au tofu, carottes, petit pain de blé entier, poire, lait de soja | Brochettes de tofu et légumes, couscous, mangue, lait de soja | Tempeh grillé, brocoli avec poivron rouge et oignon, riz sauvage avec pacanes et raisins secs, prunes, lait de soja | Pain aux 9 fèves, purée de chou-fleur, haricots verts avec amandes effilées, petit pain de blé entier, margarine végétalienne, raisin, lait de soja |
| **collation** | Craquelins de blé entier avec beurre d'arachide naturel, jus de légumes faible en sodium avec levure nourrissante | Boisson frappée aux fruits (*smoothie*), faite de soja, lait de riz, yogourt ou tofu mou à texture fine, maïs éclaté additionné de levure nourrissante | Jus de légumes faible en sodium additionné de levure nourrissante, craquelin avec beurre de noix | Pita de blé entier, hoummos, mélange de noix et de fruits séchés |

## Avantages et désavantages

Lorsqu'il est bien équilibré, le régime végétalien constitue une façon très saine de s'alimenter. Cependant, il peut être très difficile de manger au restaurant sans faire d'entorse à ce régime, et certains produits végétaliens sont plutôt chers.

## Vous convient-il?

Ce régime est souvent suivi pour des raisons de santé ou de conscience environnementale, pour des motifs religieux ou, encore, pour protester contre le traitement réservé aux animaux.

S'il est bien planifié, le régime végétalien convient à tout le monde. Vous pouvez manger de tout en abondance, tant qu'il s'agit d'aliments permis. N'oubliez pas cependant de choisir des aliments et des boissons contenant moins de 25 calories par portion, que vous consommerez «en abondance» deux ou trois fois par jour, si vous cherchez aussi à limiter votre consommation de calories.

Comme les produits d'origine animale contiennent de la vitamine $B_{12}$ et de la vitamine D, il est important que les

végétaliens obtiennent ces vitamines et diverses autres substances nutritives essentielles (comme du calcium, du fer, du zinc et des protéines de grande qualité) de sources enrichies, d'origine non animale. Les régimes végétaliens à l'intention des nourrissons, des enfants, des adolescents, des femmes enceintes, des femmes qui allaitent et de toutes les personnes peu familières avec ce régime devraient être établis par des diététistes, qui pourront s'assurer qu'ils sont adéquats sur le plan nutritif.

## Disponibilité

Certains produits végétaliens peuvent être chers ou difficiles à trouver.

## Changements dans le mode de vie

Pour suivre un régime végétalien, il faut changer graduellement ses comportements et apprendre à reconnaître les aliments qui contiennent des produits ou des sous-produits d'origine animale.

Pizza végétarienne sur croûte de blé entier avec fromage végétalien

**Trucs santé**

- Recherchez des produits enrichis de vitamine $B_{12}$ et de vitamine D, de calcium et de fer.
- Utilisez de la levure nourrissante pour enrichir votre alimentation de vitamine $B_{12}$.
- Recherchez des produits dits «végétaliens» lorsque vous faites vos courses et utilisez-les pour guider vos choix.

il faut toujours lire soigneusement les étiquettes.

| mercredi | jeudi | vendredi |
|---|---|---|
| Muffin anglais multigrains, beurre de noix, cantaloup et melon miel, jus de pomme | Gruau, muffin anglais de blé entier, margarine végétalienne, orange, thé | Céréales de grains entiers avec lait de soja, bleuets, jus d'orange |
| Sandwich à la similidinde végétalienne, laitue, tomate, mayonnaise au tofu et luzerne, soupe aux lentilles, coupe de fruits, lait de soja | Sandwich style «Reuben» au tofu avec fromage végétalien, frites de patate douce cuites au four, coupe de framboises et bleuets, lait de soja | Chili végétarien (fait avec du soja), sandwich au beurre d'arachide et gelée sur pain de grains entiers, pêches, lait de soja enrichi |
| Pâtes de blé entier avec sauce marinara, miettes de tofu et parmesan végétalien, épinards, pastèque, lait de soja | Burger végétarien sur pain de blé entier avec laitue, tomate, oignon, mayonnaise au tofu et fromage végétalien, patates rouges rôties dans de l'huile d'olive, brochette de fruits, lait de soja | Aubergine parmesan faite avec du fromage végétalien, asperges, petit pain de blé entier, margarine végétalienne, abricots, lait de soja |
| Coupe de fruits, maïs éclaté additionné de levure nourrissante | Bâtons de céleri, hoummos, crème glacée végétalienne garnie de germe de blé | Bagel de blé entier, beurre de noix, yogourt de soja avec fruits |

## Ressources

www.vrg.org

www.americanvegan.org

www.veganviews.org.uk/vvcrossref.html

*The Vegan Sourcebook,* J. Stepaniak, V. Messina, et C. J. Adams, McGraw Hill, 2000.

*Simply Vegan,* D. Wasserman et R. Mangels, Vegetarian Resource Group, 2006.

**Remarque:** Le lait de soja et les jus devraient être enrichis de calcium, de vitamine D et de vitamine $B_{12}$. Recherchez la mention «végétalien» sur les produits alimentaires.

RÉGIME À LONG TERME

SOUPLESSE

RÉGIME FACILE À
SUIVRE EN FAMILLE

COÛT

●

DONNÉES SCIENTIFIQUES
À L'APPUI

# QU'EST-CE QUE JÉSUS MANGERAIT ?

Décrit comme « le programme par excellence pour bien manger, se sentir en forme et vivre plus longtemps », ce régime est basé sur des aliments semblables à ceux que consommait Jésus.

### Origine du régime

Ce régime élaboré par le D<sup>r</sup> D. Colbert fait l'objet d'un livre intitulé *What would Jesus Eat?* Le D<sup>r</sup> Colbert cite et interprète des écritures bibliques, desquelles il extrapole des listes d'aliments et de boissons que Jésus aurait mangés durant sa vie.

### Comment fonctionne-t-il ?

Ce régime favorise une alimentation saine. Selon le D<sup>r</sup> Colbert, les aliments que Jésus aurait mangés sont recommandés, tandis que les autres aliments sont déconseillés. Le D<sup>r</sup> Colbert prétend que Jésus consommait beaucoup de fruits et de légumes, de la viande cachère et des grains entiers, mais qu'il ne consommait pas de graisses animales. Ainsi, dans son programme d'alimentation, l'huile d'olive est la principale source de gras ; à l'époque de Jésus, le beurre était remplacé par l'huile d'olive. En outre, le poisson était à cette époque plus populaire que la viande. On croit que Jésus mangeait du poisson et du pain presque tous les jours. Selon le D<sup>r</sup> Colbert, la manne, ou pain du ciel, était considérée du pain à l'époque de Jésus.

Ce régime est riche en fruits et en légumes frais, en poissons de différentes sortes, en grains entiers, en lentilles et en pois chiches. Le stevia, une herbe

**voir aussi**
**régime DASH** 138
**pyramide diététique méditerranéenne** 160

# menu type
Ce régime se fonde sur le principe que Jésus mangeait surtout des

| | samedi | dimanche | lundi | mardi |
|---|---|---|---|---|
| **matin** | ½ tasse de jus d'orange fraîchement pressée, omelette aux légumes, pain de blé entier grillé | Céréales de son d'avoine avec amandes effilées, petite orange, ½ tasse d'eau | ½ tasse de jus d'orange fraîchement pressée, gruau avec noix de Grenoble et mûres | Céréales de grains entiers avec fraises fraîches et lait écrémé, ½ tasse d'eau |
| **midi** | Soupe aux légumes, pain de grains entiers, salade de légumes vert foncé avec noix de Grenoble, eau | Soupe aux haricots noirs, pita de grains entiers avec hoummos, eau | Salade grecque avec fromage feta, pita de blé entier avec hoummos, eau | Salade de thon (conservé dans l'eau) sur laitue romaine, pain de grains entiers, eau |
| **soir** | Pâtes penne de grains entiers avec sauce Marinara, brocoli vapeur avec fromage parmesan, ½ tasse d'eau | Mahi-mahi grillé, riz brun, courgette vapeur, pain de grains entiers, ½ tasse de vin rouge | Saumon grillé, salade d'épinards, pain de blé entier, asperges vapeur, ½ tasse de vin rouge | Bar cuit au four, haricots verts vapeur, riz sauvage, soupe aux lentilles, ½ tasse d'eau |
| **collation 1** | Poire fraîche et eau | Tranches de mangue fraîche et eau | Bleuets avec yogourt nature faible en gras | Cantaloup avec fromage cottage faible en gras |
| **collation 2** | Pastèque et eau | Ananas frais, fromage cottage sans gras ou faible en gras | Eau et petite pomme | Kiwi et eau |

sucrée, est recommandé pour remplacer le sucre et les édulcorants artificiels. On préconise aussi la consommation de petites portions et de desserts se composant de fruits. Il est déconseillé de faire des excès d'aliments riches en calories et en gras, plus particulièrement en gras saturés. En revanche, il est conseillé d'éliminer de son alimentation les aliments transformés. Des données scientifiques étayent la thèse voulant qu'une alimentation riche en fruits, en légumes, en grains entiers, en poisson et en huile d'olive favorise un bon état de santé.

## Avantages et désavantages

Les personnes suivant ce régime sont encouragées à boire de l'eau et à privilégier les aliments sains et riches en substances nutritives. Dans son livre, le Dr Colbert propose des recettes simples et très saines. Il a aussi publié un livre de recettes distinct.

Le désavantage de ce régime est qu'il recommande d'éviter complètement les aliments transformés, ce qui est peu réaliste et très décourageant pour certaines personnes.

Même si le Dr Colbert ne préconise pas la prise de suppléments dans son livre, il en fait la promotion et en vend sur son site Web, ce qui semble contradictoire.

## Vous convient-il ?

Ce programme d'alimentation est conçu pour les personnes qui ont envie de manger comme on suppose que Jésus mangeait, selon les écritures bibliques, parce qu'il s'agirait supposément d'une alimentation qui favorise la santé. Il est susceptible de plaire aussi aux personnes qui cherchent à perdre du poids.

Les aliments qui composent ce régime sont sains et conviennent à presque tout le monde. Cependant, l'apport calorique et la taille des portions doivent être personnalisés en fonction des besoins de chacun en calories et en substances nutritives. Cela et particulièrement important dans le cas des enfants, des adolescents, des femmes enceintes et des femmes qui allaitent, dont l'alimentation devrait aussi exclure le vin.

## Disponibilité

Il est facile de se procurer les aliments inclus dans ce régime. Il n'y a pas de boissons ou de produits spéciaux mais certaines substances, comme le stevia, peu connu, peuvent être un peu plus difficiles à trouver.

## Changements dans le mode de vie

Pour adopter ce régime, il faut modifier ses comportements alimentaires. Par exemple, il faut toujours manger le matin, faire du repas de midi son principal repas et manger tôt et légèrement le soir. Il faut aussi privilégier les desserts se composant de fruits, s'accorder des collations et accroître ses activités physiques.

### Trucs santé

- Choisissez des produits laitiers écrémés ou dont la teneur en gras est de 1 %.
- Mangez lentement.
- Consommez davantage de fruits et de légumes frais.
- Évitez les aliments frits.

fruits, des légumes, des grains entiers et de la viande « cachère ».

| mercredi | jeudi | vendredi |
|---|---|---|
| ½ tasse de jus d'orange fraîchement pressée, pain de grains entiers grillé, saucisse de soja, pamplemousse | ½ tasse de jus de pamplemousse fraîchement pressé, céréales riches en fibres avec framboises et lait écrémé | Yogourt nature faible en gras avec bleuets frais, petite pomme, pain de grains entiers grillé, ½ tasse d'eau |
| Sandwich à la poitrine de poulet grillée sur pain de grains entiers, brocoli vapeur avec poivron rouge, eau | Soupe aux lentilles, pita de grains entiers avec hoummos, eau | Salade d'épinards avec fromage feta et vinaigrette à l'huile d'olive et au vinaigre, pain de grains entiers, eau |
| Pizza végétarienne à croûte mince faite de blé entier, salade du jardin, ½ tasse de vin rouge | Mérou grillé, choux-fleurs et carottes vapeur, pain de grains entiers, ½ tasse d'eau | Poitrine de poulet cuite au four, pois mange-tout vapeur, couscous de grains entiers, ½ tasse de vin rouge |
| Pastèque et eau | Prune et eau | Raisins et eau |
| Yogourt sans gras ou faible en gras avec fruit | Coupe de melon frais, fromage cottage sans gras ou faible en gras | Framboises et yogourt nature sans gras ou faible en gras |

### Ressources

www.DrColbert.com

*What Would Jesus Eat? The Ultimate Program for Eating Well, Feeling Great, and Living Longer*, D. Colbert, Thomas Nelson, 2002.

**Remarques :** L'eau doit être embouteillée et filtrée ; vous pouvez l'aromatiser au citron, à la limette ou au stevia, si vous le désirez. Vous pouvez consommer de l'huile d'olive extravierge avec votre pain. Les salades incluent une vinaigrette à l'huile d'olive et au vinaigre.

# GLOSSAIRE

**Acides gras oméga-3 et oméga-6**
Ces acides gras polyinsaturés remplissent diverses fonctions dans le corps humain. Les huiles de soja, de tournesol et d'autres huiles végétales sont de bonnes sources d'acides gras oméga-6. Les produits de la mer, particulièrement le poisson gras, sont d'excellentes sources d'acides gras oméga-3, qui sont réputés bons pour le cœur.

**Alcool**
Aussi appelé éthanol, l'alcool est un dépresseur fabriqué à partir de sucres fermentés. Il fournit 7 calories par gramme.

**Alimentation structurée**
Un régime ou un plan de menus répétitif ou qui suit des règles ou lignes directrices précises. Ce genre de régime peut être restrictif et prescrire un horaire de repas régulier. Par exemple, manger trois repas par jour, plus une collation en soirée.

**Aliments à forte densité calorique**
Des aliments riches en calories mais pauvres en éléments nutritifs, dits aussi aliments à calories vides. (Voir aliments nutritifs.)

**Aliments nutritifs**
Aliments à teneur élevée en éléments nutritifs par rapport à leur teneur en calories ; le rapport entre le contenu d'un aliment en éléments nutritifs (en grammes) et l'énergie (calories) qu'il fournit. Par exemple, le lait écrémé est riche en calcium. Les aliments nutritifs fournissent de grandes quantités de vitamines et de minéraux, mais des quantités limitées de calories, par exemple les fruits et les légumes. (Voir aliments à forte densité calorique.)

**Cétose**
Une étape du métabolisme qui survient en l'absence de glucose. Pendant la cétose, le gras corporel est converti en corps cétoniques qui seront utilisés par le métabolisme.

**Cholestérol HDL**
Une lipoprotéine de haute densité, le cholestérol HDL est considéré le « bon » cholestérol. Il a été démontré qu'un taux sanguin de 60 mg/l ou plus a un effet protecteur contre les maladies cardiaques.

**Cholestérol LDL**
Une lipoprotéine de basse densité, le cholestérol LDL est considéré le « mauvais » cholestérol. Il a été démontré qu'un taux sanguin supérieur à 100 mg/l constitue un important facteur de risque de maladies cardiaques.

**Composés phytochimiques**
Composés chimiques trouvés dans les plantes qui, sans être essentiels, ont des effets positifs pour la santé.

**Contrôle des portions**
Connaissance de la signification de « portion » pour différents aliments et du nombre de calories qu'elle contient. Les portions d'autrefois ont énormément grossi, ce qui contribue à l'explosion des tours de taille.

**Cortisol**
Une hormone libérée pendant les périodes de stress. Elle fait augmenter la tension artérielle et la glycémie, et elle pourrait désactiver le système immunitaire.

**Économie des protéines corporelles**
Le processus par lequel l'énergie fournie par les glucides et les matières grasses permet à l'organisme de réserver les protéines pour des fonctions qu'elles seules peuvent remplir.

**Effet thermique**
La quantité d'énergie (calories) qu'utilise l'organisme pour métaboliser les aliments consommés.

**Énergie**
La capacité de travailler. En nutrition, l'énergie se mesure en calories et est absorbée pendant la digestion.

**Fibres alimentaires**
La partie non féculente des aliments d'origine végétale qui n'est pas digérée. Au contraire, les fibres traversent le système digestif en absorbant de l'eau et du cholestérol. Il y a deux types de fibres alimentaires : les fibres solubles et les fibres non solubles. Les fibres solubles se dissolvent dans l'eau ; les autres, pas.

**Glucides**
Les glucides sont des composés à base de sucres simples ou complexes. Aussi appelés hydrates de carbone (pour carbone et eau), ils jouent un rôle important dans le métabolisme et l'immunité. Les recommandations au sujet des glucides suggèrent qu'entre 50 et 75 pour cent des calories alimentaires devraient provenir des glucides, mais moins de 10 pour cent de sucres simples. Ces pourcentages sont basés sur un apport calorique adéquat pour maintenir un poids santé.

**Glucose**
Le glucose, un sucre simple, est la principale source d'énergie de l'organisme et il est utilisé dans le métabolisme. Il est essentiel, car c'est la seule source d'énergie du système nerveux et des globules rouges.

**Glycogène**
Le glycogène est du glucose entreposé dans le foie et les muscles. L'organisme utilise le glycogène lorsque la glycémie est faible.

### Gras monoinsaturés

Le nom de ces matières grasses vient de leur structure chimique, dont un acide gras a un point insaturé. Ces gras sont liquides à la température de la pièce et on les trouve principalement dans les huiles végétales, comme l'huile d'olive. Ce type de gras pourrait faire augmenter le taux de cholestérol HDL.

### Gras polyinsaturés

Le nom de ces matières grasses vient de leur structure chimique; leurs acides gras ont plusieurs points insaturés. Ces gras sont liquides à la température de la pièce et ils pourraient contribuer à diminuer le cholestérol total.

### Gras trans

Les gras trans résultent principalement de la transformation d'huile liquide en corps gras solide par un processus appelé hydrogénation partielle des huiles végétales. Les gras trans sont toutefois présents en petite quantité dans certaines viandes et produits laitiers. Les gras trans ne sont pas essentiels et ont été associés à l'augmentation des risques de maladies cardiaques.

### Grazing

Mot anglais qui signifie « brouter », ce régime recommande de manger plusieurs (cinq ou six) petits repas par jour au lieu de trois gros.

### Lactose

Le lactose est le sucre contenu dans le lait. Ce sucre est digéré à l'aide de l'enzyme lactase, laquelle divise le lactose en deux sucres simples appelés glucose et galactose. Une personne qui ne sécrète pas suffisamment de lactase aura de la difficulté à digérer les produits laitiers non fermentés. Parmi les symptômes de l'intolérance au lactose, mentionnons les flatulences et les ballonnements, des nausées de légères à fortes, des crampes et de la diarrhée. La gravité des symptômes dépend de la quantité de lactose tolérée, du taux de digestion, de la combinaison d'aliments, etc. L'intolérance au lactose est souvent confondue avec l'allergie au lait, laquelle est une réaction immunitaire aux protéines du lait et non aux sucres qu'il contient.

### Leptine

Une hormone qui joue un rôle dans la régulation de l'appétit et du métabolisme.

### Matières grasses

Un groupe de composés connus sous le nom de lipides et qui sont soit solides (gras), soit liquides (huiles) à la température ambiante. Les matières grasses jouent un rôle dans la régulation de la température corporelle, la fonction cellulaire et l'isolation thermique des organes. La consommation de trop grandes quantités de gras solides augmente les risques de maladies cardiovasculaires; en revanche, les huiles ont des propriétés protectrices. Environ 30 pour cent des calories alimentaires devraient provenir des matières grasses. Ce pourcentage est basé sur un apport calorique adéquat pour maintenir un poids santé.

### Minéraux

Éléments inorganiques non caloriques (énergie) trouvés en quantités variables dans l'organisme humain et dans le sol. Chaque élément minéral essentiel joue un rôle bien précis dans l'organisme. En nutrition, les principaux minéraux sont le calcium, le phosphore, le sodium, le potassium, le magnésium, le chlore et le sulfate.

### Nutrigénomique

L'intégration de la génétique et d'autres disciplines scientifiques en nutrition. Cette nouvelle discipline pourrait exercer une influence sur la nutrition de l'avenir, car les différences dans le génotype pourraient influencer le rapport entre le régime alimentaire et la santé des individus.

### Protéines

Les protéines composées de diverses combinaisons d'acides aminés, dont certains ne sont pas fabriqués par l'organisme et doivent être obtenus de l'alimentation (acides aminés essentiels). On trouve des protéines dans les cellules, les enzymes, les muscles et d'autres structures du corps humain. L'apport quotidien en protéines devrait représenter entre 10 et 35 pour cent d'un apport total adéquat en calories.

### Syndrome métabolique

Syndrome résultant de la combinaison de nombreux facteurs, notamment la résistance à l'insuline, un taux élevé de la glycémie à jeun, l'obésité centrale, l'hypertension, un taux peu élevé de cholestérol HDL et un taux élevé de triglycérides, lesquels augmentent les risques de maladies cardiovasculaires.

### Système de substitutions d'aliments

Un outil de planification de régime qui regroupe les aliments selon leur contenu en éléments nutritifs ou en calories. Le système de substitutions d'aliments à l'intention des diabétiques permet par exemple de s'assurer que la consommation de calories ou de grammes de glucides demeure la même. Il existe plusieurs types de systèmes de substitutions d'aliments. Ces systèmes aident à planifier des menus variés qui incluent différents types d'aliments.

### Thérapie nutritionnelle médicale

Diagnostic nutritionnel, régime thérapeutique et services de conseils visant la gestion d'une maladie et fournis par un diététiste accrédité ou autre professionnel de la nutrition.

### Vitamines

Des composés non caloriques des éléments nutritifs qui doivent être consommés en très petites quantités mais qui sont essentiels au métabolisme. Les carences en ces substances peuvent être dommageables. Les vitamines se divisent en deux grands groupes: les vitamines liposolubles et hydrosolubles. Les vitamines liposolubles comprennent les vitamines A, D, E et K; les vitamines hydrosolubles, les vitamines B et C.

# BIBLIOGRAPHIE

*How to Keep Slim, Healthy and Young with Juice Fasting,* P. Airola, Health Plus Publishers, 1971.

*The Complete Idiot's Guide to Fasting,* E. Adamson et L. Horning, Alpha Books, 2002.

*Régime Miami. Des kilos en moins et la santé en plus,* Arthur Agatson, Pocket, 2005

*ADA Nutrition Care Manual,* American Dietetic Association, 2007.

*Dr Atkins' New Diet Revolution,* R. Atkins, HarperCollins, 2002.

*Neanderthin*, R. Audette, St. Martin's Press, 1999.

*The Complete Idiot's Guide to Healthy Weight Loss,* L. Beale, S. Couvillon et J. Clark, Alpha, 2005.

*The Low G.I. Diet Revolution,* J. Brand-Miller, K, Foster-Power et J. McMillan-Price, Marlowe and Co., 2004.

*Psychology Today: Secrets of Successful Weight Loss,* D. Burrell, Alpha Books, 2006.

*The Master Cleanser – with special needs and problems,* S. Burroughs, Burroughs Books, 1976, éd. révisée en 1993.

*Gluten-Free Diet – A Comprehensive Guide,* 2006, S. Case, Case Nutrition Consulting, 2006.

*The Mediterranean Diet*, M. Cloutier et E. Adamson, HarperCollins, 2004.

*What Would Jesus Eat? The Ultimate Program for Eating Well, Feeling Great, and Living Longer,* D. Colbert, Thomas Nelson, 2002.

*The Complete Hip and Thigh Diet,* Rosemary Conley, Warner Books, 1989.

*Losing Weight Permanently with the Bull's-Eye Food Guide,* J. Connolly Schoolen, Bull Publishing Company, 2004.

*The Jenny Craig Story: How One Woman Changes Millions of Lives,* J. Craig, John Wiley & Sons, 2004.

*The Yeast Connection and Women,* W. G. Crook, Professional Books, 1988.

*The 3-Hour Diet,* J. Cruise, HarperCollins, 2006.

*4 groupes sanguins, 4 régimes,* P. D'Adamo et C. Whitney, Éditions du Roseau, 1999.

*The New Cabbage Soup Diet,* M. Danbrot, St. Martin's Press, 2004.

*Fit for Life,* H. Diamond et M. Diamond, Warner Books, 1985.

*American Dietetic Association Complete Food and Nutrition Guide,* Duyff, R. (membre du personnel de l'American Dietetic Association), Wiley, John & Sons, 2006.

*Twelve Steps for Overeaters,* L. Elisabeth, Hazelden Publications, 1993.

*The Feingold Cookbook for Hyperactive Children,* B. Feingold et H. Feingold, Random House, 1979.

*Florida Manual of Medical Nutrition Therapy,* Florida Dietetic Association, 2007.

*The 3-Apple-A-Day Plan,* Tammy Flynn, Broadway Books, 2005.

*Pure and Simple: Delicious Recipes for Additive-Free Cooking,* M. Fox et L. Burros, Berkley Publishing Group, 1978.

*Living the GI Diet,* R. Gallop, Workman Publishing Co., 2004.

*Lose Weight, Have More Energy & Be Happier in 10 Days,* P. Glickman, Peter Glickman, 2005.

*The Best Life Diet,* B. Greene, Simon & Schuster, 2008.

*Ces Françaises qui ne grossissent pas,* M. Guiliano, Lafon, 2005.

*The Sonoma Diet,* C. Gutterson, Meredith Books, 2005.

*Change One*, J. Hastings, Reader's Digest, 2003.

*Le régime L.A. Shape, 14 jours pour une perte de poids généralisée,* David Heber, Éditions du Trésor caché, 2006.

*Scentsational Weight Loss: At Last a New Easy Natural Way to Control Your Appetite,* Alan R. Hirsch, Element Books, 1997.

*The Cambridge Diet: A Manual for Practionners,* A. Howard et J. Marks, MTP Press, 1986.

*Feasability of a partial meal replacement plan for weight loss in low income patients,* S. Huerta, Li, Z. et Li, MS, *et al.* Internat. J Obesity 2004, 28; 1575.

*The Slim-Fast Body, Mind, Life Makeover,* L. Hutton et D. Kotz, HarperCollins, 2000.

*The UltraSimple Diet,* M. Hyman, Simon & Schuster, 2007.

*UltraMetabolism,* M. Hyman, Simon & Schuster, 2006.

*The Drinking Man's Diet,* G. Jameson et E. Williams, éd. révisée, Cameron & Co., 2004.

*Good Housekeeping Book, The Supermarket Diet,* J. Jibrin, Hearst/Sterling Publishing, 2007.

*Eating for Pregnancy,* C. Jones et H. Hudson, Marlowe and Company, 2003.

*The Tri-Color Diet,* M. Kathan, W.W Norton & Co, 1996.

*Manger, boire et perdre du poids,* M. Katzen et W. Willet, Les Éditions de l'Homme, 2008.

*Dieting for Dummies,* J. Kirby (membre du personnel de l'American Dietetic Association), Wiley, John & Sons, 2003.

*The Ultimate New York Diet,* David Kirsch, McGraw Hill, 2006.

*The Good Mood Diet,* S. Kleiner, Springboard Press, 2005.

*The Macrobiotic Path to Total Health,* M. Kushi et A. Jack, Ballantine Books, 2003.

*Tell Me What to Eat If I Have Acid Reflux: Nutrition You Can Live With,* E. Magee, The Career Press, 2002.

*The Food Combining Diet: Lose Weight the Hay Way,* K. Marsden, Thorsons, 1993.

*The New Beverly Hills Diet,* J. Mazel et M. Wyatt, Health Communications, 1996.

*The Peanut Butter Diet,* H. McCord, St. Martin's Paperback, 2001.

*Your 9-Month Breakfast, Lunch, and Dinner Date,* M. McHugh et E. Burggraf, Eating for you (and Baby Too) Inc., 2003.

*The Vegetarian Way,* V. Messina et M. Messina, Three Rivers Press, 1996.

*Fat in Not Your Fate: Outsmart Your Genes and Lose Weight Forever,* S. Mitchell et C. Christie, Simon & Schuster, 2006.

*I'd Kill for a Cookie,* S. Mitchell et C. Christie, Plume, 1998.

*Meal Replacement as effective as structured weight loss diets for treating obesity in adults with features of metabolic syndrome,* M. Noakes, P. R. Foster, J. B. Koegh et P. M. Clinton, J Nutr. 2004, 134; 8.

*Eat More, Weigh Less,* Dean Ornish, Quill, HarperCollins, 2002.

*Overeaters Anonymous,* Overeaters Anonymous, 2001.

*La Promesse Perricone,* N. Perricone, Ada, 2005.

*Le Régime Principal,* Victoria Principal, Michel Lafon, 1989.

*The Pritikin Principle,* R. Pritikin, Time Life Books, 2000.

*Juice Fasting Bible,* G. Purcella, S. Cabot et C. Barry-Dee, Ulysses Press, 2007.

*Nutrition for Dummies,* C. Rinzler et L. Kristal, Wiley, John & Sons, 2006.

*Contemporary Nutrition for Latinos,* J. Rodriguez, Universe, 2004.

*You, On a Diet,* M. F. Roizen et M. C. Oz, Simon & Schuster, 2005.

*The Volumetrics Eating Plan,* B. Rolls, Harper Collins, 2007.

*The Volumetrics Weight Control Plan,* B. Rolls et R. Barnett, Harper, 2002.

*Raw Food Life Force Energy,* N. Rose, HarperCollins, 2006.

*The amino acid requirements of adult man*, W. C. Rose, Nutr. Abst. Rev. 1957, 27; 631.

*The Rosedale Diet,* R. Rosedale et C. Colman, Harper Resource, 2004.

*NutriSystem Nourish: The Revolutionary New Weight Loss Program,* J. Rouse, John Wiley & Sons, 2004.

*Diets in a Nutshell,* M.J. Scales, Apex Publishers, 2006.

*Le juste milieu dans votre assiette: Un régime révolutionnaire,* B. Sears, Les Éditions de l'Homme, 2004.

*The Omega Plan,* A. P. Simopoulos et J. Robinson, HarperCollins, 1998.

*Nutrition Concepts and Controversies,* F. Sizer et E. Whitney, Brooks Cole, 2006.

*Suzanne Somers' Fast and Easy,* S. Somers, Crown Publications, 2002.

*Get Skinny on Fabulous Food,* S. Somers, Crown Publications, 1999.

*The Vegan Sourcebook,* J. Stepaniak, V. Messina, et C.J. Adams, McGraw Hill, 2000.

*The New Sugar Busters! Cut Sugar To Trim Fat,* H. L. Steward, M. Bethea, S. Andrews, et L. Balart, Balantine Books, 2003.

*Scarsdale Régime médical infaillible,* H. Tarnower et S. Sinclair-Baker, Stanké, 1979.

*The Mayo Clinic Plan: 10 Essential Steps to a Better Body and Healthier Life,* Time, Inc., 2006.

*The Grapefruit Solution,* D.L. Thompson et M. J. Ahrens, Linx Corp., 2004.

*Nutrition: An Applied Approach,* J. Thompson et M. Manore, Pearson Education, 2005.

*Intuitive Eating,* E. Tribole et E. Resch, 2e édition, St.Martin's Press, 2003.

*Randomized controlled trial of four commercial weight loss programs from BBC diet trials,* British Medical Journal doi: 10.1136/ bmj.38833.411204.80, 2006.

*Your guide to lowering your blood pressure with the DASH,* National Institute of Health, National Heart, Lung and Blood Institute, NIH Pub 006-4082.

*Vegan,* D. Wasserman et R. Mangels, Vegetarian Resource Group, 2006.

*Complete Master Cleanse: A Step by Step Guide to Maximinzing the Benefits of the Simply Lemonade Diet,* T. Woloshyn, Ulysses Press, 2007.

*Secrets of Good-Carb Low-Carb Living,* Sandra Woodruff, Avery, 2004.

*Le régime abdos: un programme de six semaines pour retrouver un ventre plat et le garder durablement,* D. Zinczenko, Marabout, 2007.

*The Abs Diet,* D. Zinczenko, Rodale, 2004.

# INDEX

## X

Xenical, 19

## Y

*You, the Owner's Manual,* 40
*You, the Smart Patient,* 40
Youtz, Shauna K., 7

## Z

Zinczenko, David, 94, 95

# REMERCIEMENTS

L'Éditeur aimerait remercier les photographes suivants de ©iStockphoto.com pour les photos reproduites dans le présent ouvrage :

Clé :  h = en haut    b = en bas    c = au centre
       g = à gauche   d = à droite

| | | | |
|---|---|---|---|
| Monika Adamczyk | 120d | Alexander Maksimenko | 88d |
| Roberto Adrian | 136–137b, 174–175b | Carmen MartÃnez BanÃs | 70–71h |
| Chris Bence | 156–157b | James McQuillan | 91d, 120–121h |
| Arpad Benedek | 166–167h | Prill Mediendesign & Fotografie | 102–103h |
| William Berry | 162d | Anna Milkova | 59h |
| Michael Blackburn | 46d | Juan Monino | 58d |
| Jennifer Borton | 40–41h | Sang Nguyen | 156d |
| Trevor Buttery | 67h | Christine Nichols | 67b |
| Joanne C.W. Chang | 66–67b | Chepe Nicoli | 93g |
| Libby Chapman | 154d | pdcamp | 87b |
| Kelly Cline | 42d, 64d, 86–87b, 92d, 110–111b, 152–153b | Kristian Peetz | 33d, 86g |
| | | Marcel Pelletier | 64–65b |
| Creacart | 32d | Ina Peters | 28d, 86–87h |
| Pablo Eder | 40–41b | Paul Reid | 93bd |
| Liv Friis-Larsen | 46–47b, 90–91b, 106–107b, 174d, 175b | Amanda Rohde | 86d |
| | | Sasimoto | 155g |
| Peter Garbet | 156–157h | Nina Shannon | 90d (purple) |
| Daniel Gilbey | 106c | Olga Shelego | 112d |
| Smantha Grandy | 46–47h | Roman Sigaev | 70d |
| David Hernandez | 113d | Suzannah Skelton | 40d, 52d |
| Momchil Hristov | 106h | Liz van Steenburgh | 29b |
| Paul Johnson | 33c | Jason Stitt | 65h, 93d |
| Kkgas | 179c | Mark Stout | 174g |
| Satu Knape | 154–155b | Suprijono Suharjoto | 43d, 44b |
| Olaf Kowalzik | 110b | Denise Torres | 174–175h |
| Anthony Ladd | 111b | Joan Vicent Cantó Roig | 161d |
| Guillermo Lobo | 41cd | Graça Victoria | 41cg |
| Jason Lugo | 49h | Craig Veltri | 92–93h |
| Olga Lyubkina | 53d, 90d (red) | | |